O Guardião dos Caminhos

A História do Senhor Guardião Tranca-Ruas

Rubens Saraceni

Inspirado por Pai Benedito de Aruanda

O Guardião dos Caminhos

A História do Senhor Guardião Tranca-Ruas

MADRAS

© 2025, Madras Editora Ltda.

Editor:
Wagner Veneziani Costa (*in memoriam*)

Produção da Capa:
Equipe Técnica Madras

Revisão:
Neuza Aparecida Rosa Alves
Augusto do Nascimento
Eliana A.R.S. Medina

Dados Internacionais de Catalogação na Publicação (CIP)
(Câmara Brasileira do Livro, SP, Brasil)

Aruanda, Pai Benedito de (Espírito). O Guardião dos Caminhos: a História do Senhor Guardião Tranca-Ruas/inspirada por Pai Benedito de Aruanda; [obra mediúnica psicografada por] Rubens Saraceni. – 12. ed. – São Paulo: Madras, 2025.

ISBN 978-85-370-0339-8

1. Tranca-Ruas 2. Mistérios 3. Umbanda (Culto)
I. Saraceni, Rubens, 1951-. II. Título.
08-02580 CDD-299.67

Índices para catálogo sistemático:
1. Tranca-Ruas: Teologia de Umbanda:
Religiões de origem africana 299.67

Proibida a reprodução total ou parcial desta obra, de qualquer forma ou por qualquer meio eletrônico, mecânico, inclusive por meio de processos xerográficos, incluindo ainda o uso da internet, sem a permissão expressa da Madras Editora, na pessoa de seu editor (Lei nº 9.610, de 19.2.98).

Todos os direitos desta edição reservados pela

MADRAS EDITORA LTDA.
Rua Paulo Gonçalves, 88 – Santana
CEP: 02403-020 – São Paulo/SP
Tel.: (11) 2281-5555 – (11) 98128-7754
www.madras.com.br

Dedicatória

Este livro é dedicado ao Comendador Juberli S. Varela, incansável em sua luta pela compreensão e humanização do Mistério Exu.

- Para honra e glória do Divino Ogum yê.
- Em louvor ao Celestial Ogum Sete Lanças.
- Em homenagem ao Mistério Tranca-Ruas das Almas.
- *Em respeito a todos os mistérios Exu.*
- *Em agradecimento ao Divino Mehor-yê, Guardião dos Mistérios Cósmicos do Divino Ogum yê.*
- *Em agradecimento à Divina Mahor-yê, Guardiã dos Mistérios Cósmicos da Divina Oxum yê.*
- *Em agradecimento ao Mistério Cósmico La-mu-ba-yê, Guardião dos Mistérios Cósmicos da Divina Iemanjá.*
- *Em agradecimento ao Mistério Cósmico Om-lu-yê, Guardião dos Mistérios Cósmicos do Divino Obaluaiê.*
- *Pelo amor de minhas amadas e adoradas Mães Divinas Iemanjá, Oiá-Tempo, Oxum, Iansã, Obá, Nanã Boruquê e Egunitá (Kali yê).*
- *Pelo amor de meus amados e adorados Pais Divinos Oxalá, Ogum, Oxóssi, Obaluaiê, Omolu xangô Oxumaré yê.*
- *Por ti, Mehi Mahar Selmi Laresh Lach-me yê e Senhor Exu Guardião Tranca-Ruas,*
- *... a gratidão, o amor, o respeito e a reverência de Niyê he Ialutá-ha-iim Sehi Lach-me yê, servo do Divino Criador na senda da Luz, da Lei e da Vida*

Índice

O Guardião Tranca-Ruas 11
Com a palavra, o Senhor Exu Tranca-Ruas 13
Algumas palavras de Pai Benedito de Aruanda, M. L. 15

Parte I 17
Selmi Laresh 17
O despertar de um Mehi 44
O despertar do negativo do Mehi Mahar Laresh 73

Parte II 165
Mehi Laresh como relator 165
Considerações finais do Médium Psicógrafo 197
Comentário final de Pai Benedito de Aruanda sobre o Senhor
Exu Guardião Tranca-Ruas, Lach-me yê 199
Notas explicativas acerca de termos e expressões utilizados
neste livro 203

O Guardião Tranca-Ruas

Para mim, Rubens ou Niyê hê, como os espíritos me chamam, psicografar a vida do Senhor Exu Guardião Tranca-Ruas é mais que uma honra ou privilégio. É a oportunidade de poder relatar, a partir dele, que vivenciou tantas histórias, um dos mais profundos mistérios reavivados pelo Ritual de Umbanda Sagrada.

Por causa do adormecimento natural de minha memória imortal, nada posso interpor no relato, mas tenho certeza absoluta, e isso também Pai Benedito de Aruanda me confirmou, de que o Senhor Tranca-Ruas é um irmão de destino e de senda, de Lei e de Vida desde tempos imemoriais.

Quando psicografava a obra *O Guardião das Sete Portas*, ele me enviou sinais de que desejava que o incluísse como um dos iniciados na origem, co-participante daquela história. Mas, sempre que isso acontecia, Pai Benedito respondia: "Aguardem, pois essa história merece um livro à parte!".

Tanto ele quanto eu ficamos no aguardo de Pai Benedito que, só agora e com a autorização do Senhor Ogum de Lei, se dispôs a liberar a história do Senhor Tranca-Ruas.

O Senhor Tranca-Ruas e outros Senhores Exus Guardiões têm insistido comigo para que psicografe suas histórias, pois só assim os médiuns umbandistas, os espíritas e os espiritualistas, em geral, saberão realmente o que é "Exu": mistério da Lei e da Vida.

Se assim procedem comigo é porque confiam em minha imparcialidade como psicógrafo. Não me choco quando revelam certos acontecimentos ou ações nem interfiro durante suas narrativas, sempre bem ordenadas e romanceadas por Pai Benedito de Aruanda, profundo conhecedor do mistério Exu.

Tenho recebido "sinais" de tantos irmãos Exus que, às vezes, lhes pergunto: "Por que vocês confiam a mim suas biografias?".

As respostas são sempre as mesmas: "Só a um iniciado na origem nós as confiamos, pois outros não nos compreenderiam".

Compreensão: eis a chave de acesso ao mistério que, na Umbanda Sagrada, recebe o nome de Exu. Sempre polêmico, Exu é o ser humano por excelência, já que pensa e age como nós, os encarnados. Ele ama e odeia, deseja e sente vontades, luta e reluta, ganha e perde, vence e é derrotado, dá e tira. Enfim, ele é o espírito que está mais próximo dos encarnados.

Hoje, compreendo Exu, embora já tenha tido dúvidas sobre essa tão controvertida entidade da Umbanda. Uma delas referia-se ao fato de que todos os temidos Exus Tranca-Ruas, que baixavam em nosso modesto Centro, mostravam-se sempre amigos. Desmanchavam trabalhos sem nada pedir em troca e até se ofereciam para que a eles eu recorresse, caso me sentisse ameaçado por espíritos rebeldes do baixo astral.

Naquela época, isso me intrigava muito, pois não eram só os Tranca-Ruas que assim procediam; outros Exus de Lei também se colocavam à minha disposição, caso me sentisse ameaçado.

Anos e anos se passaram e muito fui apreendendo e aprendendo sobre o mistério Exu. E se o Senhor Tranca-Ruas hoje confia sua biografia a mim, hoje também sei a razão dessa confiança: compreensão. Compreendo o mistério Exu e Exu me compreende; logo, a compreensão é mútua. Assim, espero que o leitor desta história verdadeira desarme seu espírito de possíveis restrições que possa ter em relação a Exu, pois a biografia do Senhor Tranca-Ruas é, talvez, a mais humana e encantadora de todas as que já psicografei nestes anos todos.

Tenham uma boa leitura e creiam que facilmente compreenderão o fascinante mistério Exu.

Rubens Saraceni

Com a palavra, o Senhor Exu Tranca-Ruas

Niyê hê, saudações fraternas deste teu irmão de Lei e de Vida, de destino e de senda, de origem, meio e fim.

Há tempos vens recebendo sinais de meu interesse em relatar-te minha vida, porque tu és merecedor pleno de minha confiança e estima, conquistadas no decorrer dos tempos, em que nossos caminhos são cruzados ou os trilhamos em paralelas traçadas pela Lei e pela Vida.

Temos uma origem comum, irmão de Lei e de Vida: ambos somos Mehis e tu sabes que um Mehi só confia em outro Mehi. Portanto, por meio de nosso irmão de Lei e de Vida, Benedito de Aruanda, também Mehi, receberás, em primeira e única mão, minhas revelações mais íntimas e pessoais.

Saibas que outros Mehis aptos a escreverem sobre mim falharam, pois me endeusaram; logo, não interfiras! Não tentes interferir com observações mentais pessoais, porque, no final, terás tantas revelações únicas que ficarás admirado com minha história.

Quero que saibas que se os Tranca-Ruas e outros Exus tentaram assentar-se à tua esquerda é porque um Mehi é polarizador espiritual por excelência. Ou ele atrai de imediato seus afins ou repele seus não afins de imediato... e com violência.

"Mehi", na língua ancestral comum a todas as línguas humanas, significa Guardião de Mistérios. Ogum yê é Mehi, Oxóssi é Mehi, Om-lu-yê é Mehi, Iá-niim-ça-yê ou Iansã é Meha. Meha significa Guardiã, feminino de Mehi, que significa Guardião.

Assim, temos os mistérios, que se chamam Ach-me, e seus Guardiões, que são chamados de Mehis e Mehas.

Tu sabes qual é a língua ancestral e mãe de todas as línguas a que me refiro, não? É aquela mesma que, um dia, há muitos anos, tu olvidaste: a língua cristalina!

Será nela que o irmão Benedito de Aruanda fundamentará os nomes das personagens de minha história pessoal e só quando acharmos necessário recorreremos aos nomes simbólicos por elas usados no Ritual de Umbanda Sagrada, que é o ritual ancestral guardado pelos Mehis e Mehas, servos leais dos Senhores dos Mistérios ou Orixas ancestrais e naturais.

Na língua cristalina, Orixá pronuncia-se assim: Iá-iim-yê, que significa Senhor dos Mistérios da Luz, da Lei e da Vida.

Esses mistérios, que se chamam Iá-iim-yê, têm-se adaptado a todos os povos, raças, religiões e tempos e, se conseguem adaptar-se, é porque são o que são: Mistérios!

Sou servo de todos eles, mas respondo a um Mehi Ach-me: Mehi Ag-iim-sehi lach-me yê ou Senhor Ogum das Sete Lanças. O nome Sete Lanças significa as sete vias, os sete raios ou as sete linhas da evolução humana. Ogum yê é Mehi Ach-me.

Eu, Guardião Tranca-Ruas, sou apenas Mehi e nada mais. Mas sou em mim mesmo um Ach-me, pois adquiri as qualidades, os atributos e as atribuições de um mistério, ainda que menor, porque sou um mistério humano. Sou o que sou por livre opção, se é que ela existe. Não desejo ser amado ou odiado, mas apenas respeitado e compreendido, se é que isso seja ainda possível nos tempos atuais em que tu aí vives mais uma vez.

Se nem isso for possível, então que fique gravado no plano material que o Guardião Tranca-Ruas pode ser tudo o que queiram, menos como tentam mostrar-me: um demônio. Jamais fui o que este termo deturpado significa na "tua" atualidade e nem o aceito como qualificativo das minhas atribuições: trancar a evolução dos desqualificados, desequilibrados e desvirtuados espíritos humanos.

Odeio os que odeiam, sinto asco dos blasfemos, nojo dos invejosos, repulsa pelos falsos, ira pelos soberbos e pena dos libidinosos. Sinto pena dos libidinosos porque haverão de purgar, através dos séculos e de seus sexos, suas libidos descontroladas ou emocionalizadas além dos limites humanos.

Descobrirás as raízes de tudo isso no decorrer das revelações, as quais só agora me permito divulgar e a mim foi permitido manifestar.

Niyê he, quero que saibas, em primeira mão, que fui um dos Mehis que velaram a descida do Ach-me ou Mistério Jesus Cristo. E se aqui te revelo isto é porque sei que tiveste uma formação cristã que te influencia até hoje e que esta minha revelação te predisporá a mergulhar mais profundamente no mistério das Três Cruzes, em que descobrirás um dos teus atributos e algumas de tuas atribuições.

Assim sou eu e assim somos nós, Niyê he. Somos Mehis por origem, natureza e formação. Não importa a religião que temos de guardar, pois nela, dela e para ela, Mehi, sempre seremos. Assim, peço que não interfiras mentalmente quando o Mehi Benedito de Aruanda estiver te inspirando com minha história, senão eu a bloquearei e a anularei no plano material mais uma vez, certo?

Saudações, Mehi Niyê he!

Senhor Exu Guardião Tranca-Ruas, Selmi Laresh.

Algumas palavras de Pai Benedito de Aruanda, M. L.

Quando o Mehi Selmi Laresh, um hierarca do Ritual de Umbanda Sagrada, revelou-me que gostaria de ter sua biografia psicografada por meu mais fiel escriba, fiquei incomodado, pois bem sei que, se o acaso não existe, muito menos nesta situação ele haveria de estar presente.

Sei que o Mehi Selmi Laresh é um dos mais antigos hierarcas cósmicos negativos da Tradição Ancestral e que, quando da fundamentação da Umbanda e sua posterior concretização no plano material, deslocou suas legiões de Mehis Li-ba-yê ou Exus de Lei para os pontos de força regidos pelo Senhor Ogum, para que este os distribuísse, segundo as necessidades do ritual nascente.

O Mehi Selmi Laresh tem sido um dos mais vigorosos Guardiões do Ritual de Umbanda, e não tenho dúvida de que Tranca-Ruas já é parte da cultura brasileira, de tanto que ele tem lutado pela concretização da Umbanda.

O Mehi Selmi Laresh, por ser um mistério em si mesmo e por ter optado em todos os sentidos pela Umbanda, já se tornou mais um dos muitos mistérios que a Umbanda tem revelado ao plano material.

O Mehi Selmi Laresh é um Guardião por excelência. E Centro de Umbanda onde não baixam Tranca-Ruas, de Umbanda não é, pois, onde eles baixam, lá a Lei vem cumprir-se da forma mais humana possível.

Se isto ouso afirmar, é porque sei que onde um Tranca-Ruas se manifesta, lá está um campo de ação do Guardião da Lei Maior, o Sagrado Ogum yê. Logo, se meu irmão de Lei e de Vida, de destino e de senda Mehi Selmi Laresh confiou-me sua biografia, a razão o estimulou a tanto. A razão, neste caso, é a justiça. E justiça lhe seja feita, pois, em meio a tanta polêmica que Tranca-Ruas gera, a verdade tem de ser mostrada pela luz da Lei e da Vida.

O Mehi Selmi Laresh nunca caiu. Apenas optou em servir à Lei e à Vida por meio da via cósmica, a via humana.

E creiam-me: de todos os Exus da Umbanda, ele é o mais humano, assim como o Senhor Ogum, entre os Orixas, é o mais humano dos Ach-me ou mistérios.

Aos desatentos isso pode ter passado despercebido, mas saibam que os dois polos do mistério Mehi ou Guardião estão centrados em Exu e Ogum yê, os dois irmãos das lendas ancestrais trazidas ao solo brasileiro pelos africanos. E se ambos assumiram a guarda do ritual de Umbanda no Brasil, é porque Umbanda sem Exu e sem Ogum yê não é Umbanda, mas somente Espiritismo.

Se o afirmo, é porque sou um Mehi dos fundamentos do ritual de Umbanda Sagrada e minha incumbência é de disseminar no plano material as verdades sobre os mistérios regentes da evolução planetária, que são os sagrados e ancestrais Orixas, os divinos Iá-iim-yê, Senhores dos Mistérios da Luz, da Lei e da Vida.

O Mehi Selmi Laresh fez uma única exigência: que lhe fosse dado o direito de fazer certas observações no decorrer de sua história, mas sem que eu as filtrasse. Isto significa que elas acontecerão diretamente do mental dele para o do médium psicógrafo. Só concordei com essa interferência a muito custo, pois sei que ele é implacável em seus julgamentos humanos e intolerante com os "viciados".

Mas, que seja o que Mehi Ag-iim-Sehi-Lach-me yê quiser.

Salihed, Mehi Selmi Laresh! Salve, Guardião Tranca-Ruas!

Parte I

Selmi Laresh

Era um tempo em que muitos iniciados na origem estavam entrando no estágio humano da evolução, e isso significava que grandes mudanças aconteceriam no plano da matéria no qual esse estágio se realizaria.

"Iniciados na origem" são Mehis ou Guardiões dos Mistérios Sagrados. Eles são portadores naturais de mistérios, o que os tornam seres muito especiais, uma vez que a Lei Maior os utiliza com intensidade nos estágios da evolução, no surgimento ou nascimento das religiões e nas purificações cármicas.

Os Mehis são Guardiões naturais dos mistérios da Natureza, ou orixaás, e dos mistérios que denominamos de processos mágico-energético-magnéticos.

Todas as magias realizadas pelos encarnados, em todos os tempos, em todos os lugares e em todas as culturas e religiões, não tenham dúvida, são vigiadas por algum Mehi ou alguma Meha ou a eles chegam. Quanto a seguirem adiante, aí já é outra história, pois eles têm por atribuição regular os choques cármicos ou negativos.

No tempo em que se iniciou a descida de Selmi Laresh, os Mehis e as Mehas eram visíveis junto aos pontos de força da Natureza e os sacerdotes os invocavam para consultá-los sobre a conduta a ser seguida no caso de problemas graves de ordem espiritual ou material, tal como hoje fazem os médiuns da Umbanda quando vão às cachoeiras, pedreiras, campos, matas, cemitérios ou mar.

Nesses pontos de força depositam oferendas, acendem velas votivas coloridas, fazem seus pedidos e confiam suas demandas espirituais ou materiais. E ainda que só uns poucos tenham o dom da vidência para confirmar a presença luminosa, ou não, dos Mehis e Mehas que recebem suas oferendas, pedidos e reclamos, eles sempre estão lá vigiando as ações magísticas ou religiosas dos filhos de fé do Ritual de Umbanda Sagrada, o mais antigo dos rituais religiosos, pois remonta a uma era anterior a tudo o que se possa imaginar.

A Lei Maior começou a fechar os mistérios a partir da derrocada dos reinos cristalinos, cujos grandes Magos eram os Guardiões da religião universal, praticada por todos os povos então existentes e por seus sacerdotes por excelência.

Esses mesmos grandes Magos, quando desencarnavam, eram absorvidos pela Tradição Ancestral existente e passavam a impor, a partir do astral ou espiritualidade, uma ordenação religiosa aos seus afins encarnados.

Ninguém pode precisar a origem do estágio humano da evolução ou da Tradição Natural, mãe de todas as tradições humanas.

Mas o fato é que, em uma era impossível de ser datada, um período de grandes mudanças se iniciava, pois muitos Mehis e Mehas estavam saindo dos pontos de força da Natureza e entrando no ciclo reencarnatório ou estágio humano da evolução. E Selmi Laresh, que era um Mehi ligado a um ponto de força regido pela Divindade natural regente do planeta, Oxalá yê, também encarnou no meio humano, perdendo, assim, seu estado de ser natural.

Aqui abro o primeiro parêntese para que o Mehi Tranca-Ruas faça sua primeira observação:

"Prezado Mehi Benedito de Aruanda, com tua licença. Vou falar ao Mehi Niyê hê:

1 – Niyê hê, não é verdade que o homem descende do macaco.

2 – Não é verdade que a vida humana surgiu no Continente Africano.

3 – Não existiu uma primeira cor, na raça humana, pois branco, amarelo, negro e vermelho surgiram simultaneamente. Cada uma dessas raças surgiu em um Continente e viveu por milênios incontáveis em total isolamento. Umas nem mesmo desconfiavam da existência das outras. A origem dessas raças só o nosso Criador conhece.

No decorrer das eras, aconteceram cataclismos que alteraram a configuração da crosta terrestre e propiciaram grandes deslocamentos humanos, levando raças puras à miscigenação e dando origem a portentosos troncos étnicos que duram até hoje. Mas é só.

Até onde eu sei, a Terra vem sendo habitada por humanos há vários milhões de anos. Logo, grupos étnicos podem ter surgido no decorrer das eras ou ter desaparecido, certo?

Portanto, não te apegues muito ao que os pesquisadores têm dito ou escrito, pois as descobertas deles partem do que aí, no plano da matéria, veem ou descobrem nos fósseis.

No "meu" tempo na carne quero que saibas, já havia brancos, negros, vermelhos e amarelos e saibas que sou bem antigo, pois vivi num tempo anterior ao grande cataclismo que destruiu as civilizações templárias.

Sabias que a Ordem dos Templários, surgida na Idade Média em solo europeu, foi uma tentativa de reavivação da sociedade dos Mehis entre os encarnados? Pois quero que saibas que, na Tradição Natural, a Ordem dos Templários ou dos Guardiões dos Templos é uma das mais antigas e das maiores em número de espíritos humanos agregados, que atuam em todo o planeta e junto a todas as atuais religiões.

Alguns iniciados encarnados redescobriram-na e a concretizaram no plano material durante só um curto espaço de tempo, pois os abstracionistas perseguiram-nos com sua costumeira fúria religiosa de poder e ambição e obrigaram-nos a recolher, mais uma vez, os mistérios dos Mehis.

Templários eram os Guardiões dos grandes Templos da Era Cristalina e a Ordem dos Templários, no astral, é regida pelo Senhor Ogum Sete Lanças, meu Trono regente natural.

Com essa informação de primeira mão, trabalha melhor o mistério das Sete Lanças, pois a ele, em um sentido específico que a lei do silêncio me impede de comentar, tu estás ligado por laços ancestrais. Trabalha-o melhor e não temas as consequências, pois, se com uma lança de longa envergadura o guerreiro é respeitado, então temidos são os que portam as sete lanças. Entendidos?".

Aqui fecho o parêntese desta observação do Mehi Tranca-Ruas e confesso que eu, Benedito de Aruanda, não sabia que o regente natural da Ancestral Ordem dos Templários fosse o Sagrado Mehi Ogum yê Sete Lanças. Só sabia que seu regente humano é o grande Mago da Luz Dourada, Mehi Se-li-ye-ach-ho-iim-hê.

Grato por esta revelação de primeira mão, irmão Tranca-Ruas.

Após esses comentários introdutórios, ingressemos na biografia do Mehi Selmi Laresh.

Ele nasceu na carne e foi educado no grande Templo Cristalino da Luz Azul que, simbolicamente, está ligado ao amor, à fé e ao conhecimento. Cada reino era regido por um grande Templo e todas as diretrizes eram emanadas do Colegiado de Magos Regentes.

Selmi Laresh, por ter sido um Mehi ou Guardião natural antes de encarnar pela primeira vez, foi recepcionado pelo Mago regente do grande Templo, que o recolheu de seus pais naturais ainda em tenra idade.

Com 3 anos, começou a ser preparado para sua missão no plano material e respondeu positivamente ao que dele esperavam, pois era uma criança intelectualmente superdotada.

Aos 7 anos, como era hábito da tradição religiosa, foi iniciado ritualmente e sua preparação básica como Mehi humano teve início. E assim permaneceu estudando, em regime de internato, até os 13 anos.

Com 13 anos completos, foi conduzido para fora do grande Templo da Luz Azul, no ponto de força natural guardado pelo Sagrado Mehi Ag-iim-lach-me-yê ou Senhor Ogum Sete Lanças, onde o ritual de apresentação lhe foi consagrado e ele foi ungido com a iniciação natural.

Dos 13 até os 21 anos de idade, passou um ano em cada um dos grandes Templos consagrados ao Arco-Íris Sagrado.

O primeiro ano passou no da Luz Verde, depois se seguiram os da Luz Vermelha, Lilás, Dourada, Rosa e, finalmente, o da Luz Cristalina, em que assumiu seu grau de Mehi iniciado na origem.

Esse era o procedimento comum a todos, mas ele assumira uma característica muito especial: antes de encarnar, Selmi Laresh havia sido portador do grau natural Mehi Ag-iim-lach-me-yê ou, como é conhecido esse grau de Ogum yê no Ritual de Umbanda, Senhor Ogum Sete Lanças.

O grande Mago que o apresentou ao Mehi natural sabia disso, assim como o próprio Ag-iim-lach-me-yê. E ambos sabiam que ao jovem iniciado na origem, Selmi Laresh, uma dolorosa missão estava reservada, mas nem o grande Mago nem o Guardião natural revelaram a ele a razão de toda a intensa preparação que dele era exigida.

Aquele Ogum Sete Lanças limitou-se a comunicar-se mentalmente com Selmi para dizer-lhe: "Servo da Lei e da Vida, se em algum momento de tua existência sentires que te falta a compreensão dos acontecimentos, lembra-te de que aqui estarei para aclarar tua mente conturbada".

Laresh respondeu:

– Não me esquecerei de tão generosa recomendação, meu amado Senhor Ag-iim-lach-me-yê.

Já dentro do grande Templo da Luz Cristalina, o jovem Selmi perguntou ao grande Mago da Luz Cristalina:

– Amado Mestre iniciador, por que recebi do Sagrado Guardião aquela recomendação?

– Jovem Selmi, tu tens ouvido comentários sobre revoltas em reinos localizados em outros Continentes, não?

– Ouvi, sim, amado Mestre. Isso me assusta!

– A mim também, meu filho. Parece que uma era de paz está chegando ao fim.

– O que o Senhor quer dizer com "fim", amado Mestre?

– O que "fim" significa, filho meu?

– Bem... acho que é quando algo termina, não?

– Isso mesmo. Nossa era está chegando ao fim. Nosso ciclo está próximo de encerrar-se e um novo ciclo está prestes a eclodir na face da

Terra. Nossos esforços em preservar a paz não têm surtido efeito, pois algo inusitado tem acontecido: guerras entre povos ou mesmo dentro de um reino. E isso jamais aconteceu em milênios e milênios.

— Por que está acontecendo agora?

— Acho que falhamos em algum sentido. E o Criador não está satisfeito com nossa conduta perante os nossos semelhantes, creio eu.

— Mas o Senhor é bom, nobre, virtuoso e um querido e amado grande Mago da Luz Cristalina. Logo, não é com o Senhor que Ele está insatisfeito.

— Filho, um ou alguns apenas não são o bastante. Todos deveriam julgar-me como tu me julgas. Mas será que eu sou mesmo assim como tu me vês? Afinal, se algo não está bem, parte da culpa também me cabe.

— Neste reino não há fome, revoltas ou guerras. Logo, o Senhor é um ótimo Mago Regente.

— Não nos devemos isolar do mundo, Selmi. Se em nossa casa tudo está bem, mas na do nosso vizinho não está, então nós devemos auxiliá-lo a superar suas dificuldades, senão, amanhã, elas nos atingirão da forma que menos esperamos.

— O Senhor está fazendo isso em relação aos outros reinos?

— Todos estamos. Mas os resultados que colhemos estão se mostrando como o prolongar da doença num corpo enfermo: a cada dia novos tecidos são contaminados e os antigos não se curam nem se refazem.

— Então deixai de enviar auxílio aos reinos conturbados, oras!

— Tu ainda és muito jovem para compreender certas atitudes. Mas saibas que não fazer nada é a pior opção, pois, mesmo auxiliando-os, já estão escapando-nos ao controle e, se nos isolarmos, isso só antecipará a contaminação de todos os reinos ou Continentes. Por isso te digo: prepara-te, iniciado! Prepara-te para o pior, está bem?

— Ouvindo essa exortação do Senhor e ligando-a à recomendação do Sagrado Guardião, começo a pensar que nasci na carne em um tempo errado.

— Ninguém nasce na carne em tempo ou lugar errados, Selmi Laresh. Sempre estamos onde devemos estar e sempre temos de agir como o Criador espera de nós. Nunca te esqueças disso.

— Sim, Senhor.

— Vai descansar, pois tiveste um dia intenso, meu filho.

— Sim, Senhor.

O jovem Selmi Laresh recolheu-se ao seu aposento na ala residencial, mas demorou a adormecer por causa da conversa que tivera com o grande Mago da Luz Cristalina, seu Mestre iniciador.

Quando acordou, sem uma explicação plausível, começou a soluçar repentinamente e, aos poucos, foi possuído por uma tristeza tão grande que irrompeu em choro convulsivo.

Por hábito, todos os internos do Templo realizavam um culto às 6 horas da manhã e, pela primeira vez, o jovem Selmi não comparecia, deixando todos preocupados, principalmente porque no dia anterior assumira o grau de Mehi Templário.

Findo o culto do amanhecer, no qual se agradecia ao Criador pela dádiva de mais um dia, alguns dirigentes, apressados, foram até o aposento do jovem Selmi. Quando abriram a porta, viram-no debruçado no leito, chorando baixinho.

– O que aconteceu contigo, Mehi Laresh? – perguntou o grande Mago iniciador.

A única resposta que obteve foi o explodir do pranto abafado, alcançando os ouvidos das pessoas que transitavam pela ampla ala residencial. Após várias tentativas para acalmá-lo, o grande Mago pediu para que todos se retirassem, ficando a sós com o jovem Selmi Laresh, e, recorrendo ao seu imenso poder, restituiu-lhe o equilíbrio emocional.

Algum tempo depois, pediu:

– Meu filho, fala comigo. Conta-me o que aconteceu, o que te entristeceu tanto. Vamos, fala comigo, por favor!

Após inspirar profundamente, mas sem deixar de soluçar, Selmi contou o que acontecera.

– Amado Mestre, acordei muito triste e, sem saber por que, senti vontade de chorar e, aos poucos, fui me recordando de um sonho que pareceu ter durado uma eternidade e não mais controlei meu emocional. Meu Criador, que horror!

Tendo ele voltado a chorar convulsivamente, o grande Mago pegou-o pelo braço e levou-o para uma caminhada, saindo para o pátio interno, que era todo ajardinado e servia como área de leitura e meditação.

Quando parou de chorar, o jovem Selmi falou:

– Amado Mestre, vaguei a noite toda pelas trevas. Andei por entre espíritos caídos no lado negativo dos pontos de força, abarrotado de irmãos nossos que falharam em seus estágios de evolução. Vi também milhões, bilhões de seres naturais caídos e afastados do lado luminoso da Vida. Vi o horror dos desequilibrados, dementes, viciados, revoltados e desencantados. Vaguei por entre seres deformados em muitos sentidos que, no seu desespero e aflição, a mim estendiam suas mãos carcomidas e clamavam por ajuda. Caminhei entre figuras, as mais estranhas e inimagináveis, todas revoltadas, mas ainda assim eu sabia que eram meus irmãos. Ainda que não tivessem feições humanas, comigo falavam e externavam sua revolta por se sentirem abandonados. Tudo isso eu vi no lado negativo dos pontos de força, amado Mestre. Mas, sempre seguindo em frente, comecei a afastar-me deles e entrei em uma faixa escura, assustadora mesmo, onde milhões e milhões de espíritos caídos pelas mais diversas razões estendiam suas mãos na direção onde havia uma mancha negra e impenetrável. E todos clamavam:

– "Lu-ci-yê-fer, ampara-nos em nossas dores, mágoas, sofrimentos e desespero! Vinga-nos por termos sido abandonados, poderoso Senhor da força e do poder!"

– Sagrado Ya-yê*, que horror! – exclamou o jovem Selmi Laresh, não mais contendo sua vontade de chorar.

E em um gesto natural e aos prantos, caiu de joelhos e bradou:

– Pai, Pai Amado, por que escolheste a mim também, meu Criador? Por que, Amado Senhor da Luz e da Vida? O que fiz de errado para merecer este destino tão sombrio e doloroso? Quando te ofendi ou pequei contra tuas Leis, Amado Criador?

Com as mãos estendidas para o alto, ele ainda lançou mais algumas indagações desesperadas ao seu Criador e Senhor para, a seguir, deixar a cabeça pender sobre o peito e cobrir o rosto e os olhos com as mãos, como que querendo tapar o horror que teimava em se mostrar a ele e em apavorá-lo.

O grande Mago abraçou-o e tentou consolá-lo, mas, vendo que o que atormentava o jovem Selmi era algo muito terrível, optou por aplicar-lhe um sedativo, que o lançou em um sono profundo.

Ele foi levado de volta ao seu aposento e vários Mestres ficaram vigiando seu atormentado sono induzido por um poderoso sonífero. De vez em quando, ele se debatia, como se quisesse agarrar-se a alguma coisa ou balbuciava palavras desconexas, como: Não eu... eu não quero isso... escolhe outro... não suportarei esse sofrimento todo... não... não... não eu!

– Foi pior para ele esse sono induzido – comentou um dos Mestres ali presentes.

– Foi, sim – murmurou o grande Mago da Luz Cristalina que, no dia anterior, havia iniciado mais um Mehi.

E de seus olhos correram lágrimas, ainda que ele sufocasse o pranto para não deixar seus auxiliares mais aflitos do que já estavam.

O jovem Selmi Laresh ainda teve um sono agitado por mais umas duas horas, mas aos poucos se foi acalmando, até silenciar totalmente, enquanto o único sinal de que estava vivo eram as lágrimas que corriam de seus olhos cerrados.

Mais algum tempo e elas deixaram de correr, indicando que ele devia ter acalmado seu emocional ou superado o tormento que tanto o incomodava.

---
* Ya-Yê – Senhor da Luz, Deus

Só despertou por volta das 11 horas da noite, mas permaneceu deitado em consequência dos efeitos da droga.

Cerca de meia hora depois, já senhor de sua mente e movimentos e vendo-se cercado por Mestres com ar de cansaço, falou-lhes:

– Eu estou bem, amados Mestres. Obrigado por vosso apoio e amparo. Podeis descansar, pois aceitei meu destino. Já não relutarei mais quanto ao que espera de mim o meu Criador nem decepcionarei o Sagrado Iá-fer-ag-iim-yê.

– Falemos sobre isso, filho – pediu o grande Mago regente do grande Templo da Luz Cristalina.

– Não desejo falar, amado Mestre. Por favor, deixai-me só, pois preciso refletir bastante sobre tudo o que vi e ouvi.

– Tens certeza de que estejas bem, filho meu?

– Sim, Senhor. Podeis descansar, pois tudo já foi resolvido.

– O que é que foi resolvido, iniciado Selmi Laresh? – perguntou o Mestre Guardião do Templo.

– Talvez amanhã eu fale a respeito... e talvez não fale nunca... não sei se devo ou não... não sei... por favor, deixai-me sozinho.

– Atendamos ao pedido e necessidade de nosso irmão Selmi – sugeriu o grande Mago Regente do Templo.

Pouco depois, já sozinho, o jovem Selmi foi até o armário onde guardava seus pertences e dele retirou a espada simbólica que só os Mehis iniciados portavam, pois eram Guardiões por excelência. Desembainhou-a e ficou a olhar sua lâmina afiada por um bom tempo, só desviando seus olhos quando percebeu que ela ficou rubra e coberta de sangue. Algum tempo depois, voltou a olhá-la e, mais uma vez, ele a viu rubra e coberta de sangue.

Aquilo que ele viu era algo que só no futuro se realizaria. Então, murmurou:

– Se assim tiver de ser, então que seja, mas nunca me culpeis de não ter desejado a via luminosa, pois outra opção não tive nem me foi oferecida.

Algum tempo depois, novo murmúrio:

– Tenho de ser forte, senão falharei.

Mais um tempo de reflexão e mais um murmúrio:

– As razões ao Senhor pertencem, meu Criador, mas as causas estão em nós, tuas criações. Longa, muito longa será minha noite nos tempos vindouros!

O jovem Selmi Laresh animou-se a sair de seu aposento. Dirigiu-se ao pátio externo do grande Templo e lá ficou a olhar o céu estrelado, como se nunca o tivesse visto antes ou, talvez, fixando-o em sua memória, pois não desejava esquecê-lo.

Uma voz o despertou daquela contemplação ao perguntar-lhe:

– Sente-te melhor, irmão de senda e destino?

O jovem Selmi virou-se e se deparou com o taciturno Mestre Guardião do Templo a observá-lo com olhos penetrantes.

– Sinto-me, sim, Mestre Guardião.

– Longa será tua jornada na noite povoada pelas sombras, meu Senhor.

– Não sou Senhor de ninguém, Mestre. Que conversa é esta?

– Eu já te aguardava há muitos anos, meu Senhor.

– De que estás falando, Mehi yê?

– Não precisas temer-me, pois também sou um dos escolhidos para trilhar a longa noite, Mehi Laresh. Sei o que aconteceu contigo... e acho que não foi diferente do que comigo aconteceu há muito tempo. Eu estava aguardando tua vinda, Mehi Lach-me yê.

– Eu?... Tens certeza?...

– Sei de tudo, meu Senhor.

Após meditar algum tempo, o jovem Selmi pediu:

– Conta-me tudo o que sabes, Mehi yê.

– Fomos os escolhidos para sustentar as hordas de caídos, Mehi Laresh. Fomos condenados à noite dos tempos vindouros, pois ficamos ao lado do Regente do estágio humano da evolução, que encarnou com a missão de acolher em seus domínios todos os caídos. Longa será nossa noite – sentenciou o Guardião do Templo, um tanto melancólico e inconformado.

– Fala-me mais, Mehi yê.

– Falo, meu Senhor. Nós, que optamos pela via humana ou reencarnatória, teremos de sustentar os caídos de uma forma ou de outra e, no ponto de força do Sagrado Iá-fer-ag-iim-yê, nós, os Mehis, é que seremos os aplicadores da Lei.

– Isso significa exatamente o quê, Mehi do Templo?

– A mancha escura que viste nos atrairá e tentará aprisionar-nos nos abismos das esferas cósmicas.

– A mancha está deslocando-se continuamente, Mehi do Templo. Não viste?

– Já acompanho essa mancha há mais de vinte anos, meu Senhor – falou o Mehi do Templo, com os olhos brilhantes de lágrimas que desejavam correr em abundância também nele, um velho Templário.

– Também tiveste teu espírito atraído por aquela mancha assustadora?

— Até hoje, quando durmo, sou atraído por ela em espírito. E agora mesmo, acordado, caso eu fixe minha visão, já a vejo bem na minha frente.

— O mesmo está acontecendo comigo, Mehi Laribor. Eu a temo, mas sei que um dia terei de ir até ela e descobrir o que ela realmente oculta.

— Por trás dela estão os horrores humanos, meu Senhor.

— Quem te disse?

— Quando fiquei muito atormentado, consultei o gênio das revelações, o oráculo, e ele me revelou tudo.

— Que "tudo", Mehi Laribor?

— O novo ciclo que se avizinha, meu Senhor.

— Fala-me tudo o que sabes, por favor!

— O gênio das revelações mostrou-me que, há dois séculos, o Regente planetário do estágio humano da evolução e Regente natural da Tradição Religiosa Humana, insatisfeito com o grande número de espíritos humanos retidos no lado negativo dos pontos de força, cedeu aos clamores dos que os "guardavam" e aceitou encarnar para iniciar um novo ciclo, no qual eles, os caídos, reencarnarão sucessivamente, até que se tenham reequilibrado em todos os sentidos e tenham adquirido uma consciência plena. Mas algo saiu errado e ele falhou, levando consigo tantos caídos que não suportou tão pesada carga, mesmo um ser celestial como ele. Então, a partir daquela mancha absorvente, ele está atraindo todos os iniciados possíveis a fim de auxiliá-lo a sustentar a imensa massa humana que a ele se foi ligando automaticamente.

— Por que essa atração natural, Mehi Laribor?

— Nós éramos os Mehis naturais, sustentadores dos pontos de força e Guardiões dos Mistérios, Mehi Laresh. A nós compete sustentar os caídos.

— Meu Criador! Que destino trevoso nos aguarda!

— Nada nos aguarda. Já estamos vivenciando nosso destino, Mehi Laresh, pois somos atormentados por nossa visão ultradimensional e por nosso magnetismo mental, os quais, de uma forma ou de outra, estão sendo influenciados por aquela mancha assustadora. O gênio revelou-me que, por trás dela, está o Trono celestial que atrai magneticamente todos os espíritos que entram em desequilíbrio energético-magnético, emocional, racional e consciencial. As ligações se estabelecem por afinidades vibratórias, meu Senhor.

— Então, cada vez que um encarnado "cair", mais pesado ficará o Trono celestial que está oculto por aquela mancha negra, não?

— É o que está acontecendo e, por isso, ela está deslocando-se continuamente nas esferas cósmicas.

— Se ninguém deter as quedas...

— Exatamente! O Trono celestial acabará ultrapassando os limites das esferas cósmicas.

— E nós, os Mehis ligados àquele Trono celestial, seremos arrastados juntos, não?

— Temo que sim, meu Senhor.

— Por que me chamas de "meu Senhor", Mehi Laribor?

— Teu grau é superior ao meu.

— O corpo carnal não iguala a todos nós?

— Aparentemente, sim. Mas eu, antes de tua vinda ao plano material, te conheci como um Mehi Ag-iim-lach-me-yê e sei que és portador de um mistério natural muito poderoso que, se conseguires conservar tua vida em equilíbrio no plano material, tu te tornarás um Mehi cósmico muito poderoso.

— Que mistério natural é esse, Mehi Laribor?

— Acompanha-me até meu aposento que te mostrarei, meu Senhor.

O jovem Selmi Laresh seguiu-o e, pouco depois, Laribor descobria uma poderosa tela cristalina (um quadrilátero de quartzo hialino medindo 77 centímetros de cada lado) e, recorrendo ao seu poderoso mental, fez surgir todo um degrau das Sete Lanças da Lei e da Vida.

O degrau colossal tinha, em seu ápice, um Trono cristalino muito brilhante, mas muitos dos graus daquele degrau já se mostravam tão negros quanto o ônix. Curioso, o jovem Selmi perguntou:

— Qual a razão para esses graus estarem negros, muitos outros opacos, alguns já quase sem brilho e só uns poucos ainda brilhantes e irradiantes?

— São graus caídos, ou em queda ou atormentados por suas consciências, meu Senhor. Este meio sem brilho, à direita do Trono Regente deste degrau, me pertenceu... e o Trono Regente pertenceu a ti.

— Incrível!!!

— Aterrador, meu Senhor. Tenho tentado ser forte, mas, ao vê-lo atormentado, meu grau neste degrau perdeu quase todo o brilho que meu virtuosismo lhe emprestava, pois ele reflete exatamente minhas vibrações. E elas, neste momento, são sombrias, sabes?

— Por que esse desequilíbrio momentâneo, Mehi Laribor?

— Nosso último grau encarnou, meu Senhor.

— Como sabes disso?

— Venho acompanhando esse degrau desde que ouvi as revelações do gênio. Daí em diante, não deixei de ativar essa tela um só dia. Assim, descobri que, sempre que um dos graus dele encarnava, a cor e o brilho deixavam de ser puros e se tornavam hialinos, por causa da vinda de seu ocupante natural para a matéria.

— Mehi Laribor, parece que tens muito a ensinar-me e desejo aprender tudo o que me for possível ou permitido, certo?

— Estás sugerindo que desejas ter-me como teu Mestre instrutor, meu senhor?

— Sugerindo?

— Sim, Senhor.

— Estou te pedindo, Mehi Laribor! E desejo possuir uma tela igual a esta e aprender a ativá-la mentalmente, pois se este é o "nosso" degrau e está escurecendo, então tenho de saber quantos dos "nossos" conseguirão manter seus graus luminosos.

— Esta tela só recebi após o Mistério dos Quarenta e Nove, meu Senhor. O próprio Mehi natural a consagrou e a ativou no lado espiritual, assim como a tornou multidimensional. Só receberás a tua após venceres a prova dos Quarenta e Nove, meu Senhor.

— Posso acompanhar nosso degrau na tua tela consagrada, Mehi Laribor?

— Claro que sim! Mas, por favor, esforça-te para, um dia, possuíres a tua também, pois já sou velho e, um dia, também encerrarei minha passagem pelo plano material e esta tela voltará a ser só um pedaço de cristal, pois o encantamento se quebrará com minha morte para esta dimensão da Vida.

— Haverei de conquistar meu grau de Mehi iniciado no Mistério dos Quarenta e Nove!

— Tenho certeza de que o conquistarás, meu Senhor. Eras um Trono do Sagrado Iá-ag-iim-yê e trazes, em ti mesmo, muito mais conhecimentos que o plano material pode oferecer-te.

— Realmente, não tenho encontrado dificuldades em aprender os conhecimentos que tenho de dominar no meu grau de Mehi.

O jovem Selmi Laresh instruiu-se com o Mehi Templário e dominou tantos conhecimentos quantos ele lhe abriu. E, além dessa instrução, uma outra ele recebia, que lhe era ministrada pelos Mestres Magos, que também sabiam que ele era o Senhor do Trono de um degrau do Sagrado Iá-fer-ag-iim-yê.

Quanto mais mistérios da Luz ele dominasse, menores seriam as possibilidades de sofrer uma queda acentuada, tal como vinha ocorrendo com tantos iniciados na origem, os mais visados pela estranha mancha negra localizada nas esferas cósmicas, sem luz própria.

O jovem amadureceu e conquistou o 33º grau, recebendo, então, a missão de visitar outros Continentes e observar o estado em que se encontravam.

Seis anos já haviam passado desde a partida dele em missão de reconhecimento, quando conheceu a mulher que seria seu grande amor:

uma Mestra da Luz Rosa em um grande Templo localizado no reino dos povos de pele vermelha.

Foi amor à primeira vista e a atração foi mútua, pois ela correspondeu a ele em todos os sentidos. Mas aí residia o maior problema para ambos, pois uniões conjugais entre grupos étnicos diferentes não eram permitidas no reino onde ele nascera e vivia.

No reino dos povos vermelhos, já muito enfraquecido quanto às regras da Lei, essas uniões eram toleradas. Mas ali ele teria de residir, caso desejasse vivenciar seu grande amor.

Retornou ao grande Templo Cristalino, onde era um Mehi Templário, e comunicou sua decisão ao Mehi Laribor, que o desaconselhou a fazer tal coisa.

– Mas nos amamos muito, Mestre. Não é justo eu renunciar à única mulher que realmente despertou o amor em mim.

– Entendas que isso afronta nossas leis, as quais tu muito bem conheces, Mehi Laresh. Como Guardião delas, devias ser o primeiro a respeitá-las.

– É estranho, mas creio que, em muitas coisas, o Regente humano Lu-ci-yê-fer tinha razão, sabes?

– Só por causa de uma separação racial já observada há muitos milênios?

– Os sentimentos não têm cor, Mehi Laribor. Eu sou branco e ela vermelha, mas nosso amor transcende essas coisas humanas, pois é um sentimento!

– Leis são leis, Mehi Laresh! Só nos resta respeitá-las e velar para que todos as obedeçam, até mesmo nós.

– Vou desligar-me do meu posto e retornar para junto de minha amada, onde, ao menos, terei um pouco de felicidade.

– Não faças isso, meu Senhor. Lembra-te de que ainda restam poucos graus luminosos no nosso degrau e tu és o Senhor do Trono dele que, por enquanto, ainda se mantém luminoso.

– Será?

– Vamos olhar a tela de cristal?

– Sim, bom amigo.

O trono do degrau não estava tão luminoso como o Mehi do Templo imaginava e isso o decepcionou muito, pois reagiu com irritação quando o Mehi Laresh falou que ia retornar para junto de sua amada.

– Não sejas estúpido, Mehi Laresh! Honra teu grau e sustenta teu degrau no ponto de força do Sagrado Ag-iim-yê!

– Não vejo desonra nenhuma em me casar com a mulher que amo, Mehi Laribor. Isso é tolice e racismo. Essas leis impedem as pessoas de serem felizes e isso explica parte da descida à carne do Regente planetário do estágio humano da evolução. Quem criou a lei que impede a união entre raças diferentes?

– Nós, os Mehis, não discutimos as leis. Apenas as cumprimos. Se insistires nessa afronta, serei obrigado a destituir-te do teu grau de Guardião do Templo e os Mestres Magos retirarão teu grau de Mestre auxiliar nos processos mágicos.

Depois daquela ameaça, Mehi Laresh recolheu-se ao aposento e começou a refletir sobre muitas coisas que antes lhe pareciam lógicas, coisas que, na verdade, só serviam para tornar as pessoas infelizes. Ele concluiu que os dissidentes tinham razão em muitos pontos de vista. E foi, então, procurar o grande Mago Regente para comunicar-lhe que desejava desligar-se da hierarquia dos Mehis Templários e do Colégio dos Magos, onde desempenhava a função de aprendiz auxiliar.

Uma reunião foi convocada para discutir seu pedido. Tentaram dissuadi-lo de tamanha loucura, mas, tudo em vão, pois estava decidido a ir ao encontro de seu grande amor.

Os dirigentes, cientes de que não o convenceriam a desistir de ir embora, tomaram uma atitude que marcaria para sempre o Mehi Selmi Laresh: destituíram-no de todos os seus graus e o desterraram para uma região onde os caídos nos vícios carnais eram isolados para que não contaminassem a sociedade e servissem de exemplo para outros que pensassem como eles, os caídos.

Reduzido a um pária só porque ousara amar uma mulher de outra raça, o Mehi Laresh foi confinado em uma ilha, bem afastada do Continente e onde seria impossível tentar qualquer fuga, porque lá não existiam árvores para se construir embarcações. Além disso, as águas eram um hábitat natural de temíveis predadores marinhos.

– Pensastes em tudo, não é mesmo, Mehi Laribor?

– Sim, Selmi Laresh.

– Não sou mais um Mehi para o Senhor?

– Tu perdeste teu grau, Selmi Laresh.

– E quanto ao grau que disseste que eu possuía antes de encarnar? Ele simplesmente desapareceu?

– A carne iguala a todos.

– Se é assim, então onde está o erro em me casar com uma mulher de outra raça?

– Não discuto as leis. Apenas as cumpro, Selmi Laresh.

– Talvez aí resida a resposta para a pergunta que, um dia, o grande Mago Regente fez: Onde temos errado para que um sistema tão perfeito entre em derrocada? Aferram-se às leis ancestrais e se esquecem do elemento humano, ao qual elas deveriam beneficiar. Medita sobre isso,

Mehi Laribor. Talvez encontres a resposta para aqueles caídos aflitos que vimos estendendo as mãos para a mancha escura e clamando por Luciyêfer, o Regente humanizado.

— Eu me apego ao que a mim ensinaram, Selmi Laresh. Não me concedo o direito de discutir as leis ancestrais.

— Omissão não soluciona problema nenhum, Mehi. Devemos ter coragem de discutir leis impróprias e ousadia para alterá-las, caso estejam atrapalhando a convivência e a harmonia entre os seres.

— O Criador fez branco o branco e vermelho o vermelho, assim como fez cada pássaro igual aos seus iguais, cada cobra igual às suas iguais... Se assim não tivesse de ser, assim Ele não nos teria criado, Selmi Laresh. Tu estás errado e pagarás pelos teus erros.

— Já estou pagando, Mehi, mas tenho minha consciência tranquila, pois descobri a tempo que o sistema que eu servia é perverso em suas interpretações das necessidades humanas.

— Foram os que assim pensavam que criaram as condições necesssárias para as revoltas nos outros Continentes, Selmi Laresh. E, para nós, os Mehis naturais, criaram aquelas faixas cósmicas que nós dois temos visto o tempo todo, sabias?

— Não creio, Mehi Laribor. Para mim, foi nosso Divino Criador que as abriu aos espíritos humanos para punir os que não sabem interpretar suas Leis Divinas e apegam-se excessivamente a leis humanas falidas. Os intolerantes certamente serão recolhidos àquelas faixas assustadoras e lá aprenderão que deixaram de ser humanos quando impediram seus semelhantes de vivenciarem justamente o sentimento mais virtuoso que existe: o amor.

— Em nossos reinos existem milhões de mulheres, Selmi Laresh, mas nenhuma te serviu e foste optar logo por uma caída vermelha. Que loucura!

— Sentimentos tão íntimos brotam espontaneamente, Mehi Laribor. Ou nunca amaste?

— Casei-me com a mulher que a mim indicaram e vivi ao lado dela até o dia em que ela partiu. Tenho certeza de que a amei a meu modo.

— Tudo tem de seguir regras, Mehi. Criaram um sistema e a ele a massa humana tem de se adaptar ou é punida e estigmatizada com a pecha de "caída". Isso, sim, é uma afronta às Leis Divinas, sabias?

— Tu estás enganado, Selmi Laresh. Tanto quanto eu, tu podes ver outras dimensões da Vida, certo?

— Isso é certo, Mehi Templário.

— Então, diz-me: por que o Criador isolou os reinos naturais vegetais dos minerais, os aquáticos dos ígneos e assim procedeu com os sete tipos de vida elemental?

– Estás adentrando em mistérios divinos, Mehi. Nós, agora, estamos aqui no plano da matéria, que é formado justamente pelos sete reinos básicos da Vida. Aqui, tudo se mescla, miscigena e confunde-se. Não devemos confundir os amarelos com os seres minerais, os vermelhos com os ígneos, os negros com os terrenos e os brancos com os aquáticos. Não é correta esta comparação, Mehi, mas quando descobrires isso, já será tarde para o senhor.

– Veremos, Selmi Laresh. Mas...

E o Mehi Laribor calou-se e partiu sem concluir o que ia ponderar.

A Selmi Laresh, vendo-se prisioneiro em uma ilha deserta e longe de seu grande amor, só restou assistir à partida dos Mehis que o haviam desterrado e chorar sua tristeza.

Só ao entardecer ele começou a preocupar-se com sua sobrevivência naquela ilha, uma vez que alimentos ou vestimentas não lhe haviam deixado. Frutos silvestres e algumas raízes comestíveis foram seus alimentos, pois lá nada mais existia. Ou comia ou morria de inanição.

Os dias foram passando e sua única distração era olhar o mar revolto chocar-se contra as rochas ou contemplar a nascente de água doce que brotava delas.

Também providenciou uma pequena plantação de raízes para alimentar-se quando cessasse a época de certos frutos silvestres, como o nosso caqui, abundantes no dia em que chegara à ilha, mas que logo acabariam.

À noite, para dormir, recolhia-se a uma caverna coalhada de ossadas humanas, único vestígio de que outros já haviam estado ali antes.

A ilha tinha uns cinco quilômetros quadrados e era quase toda recoberta de vegetação rasteira, com algumas árvores frutíferas.

Aos poucos, aprendeu a capturar moluscos entre as rochas onde o mar quebrava e, em dias de melhor sorte, conseguia algum peixe suculento, que comia lentamente como se fosse sua última refeição. De qualquer forma, sua alimentação melhorou.

Sete meses depois, uma nave chegou à ilha para deixar mais um caído. Mehi Laresh correu para recepcioná-la e chegou a tempo de ver o Mehi Laribor cumprir sua última missão como Templário: deixar na ilha a própria neta.

Após cumprimentá-lo, Laresh perguntou:

– Mehi do Templo, o que aconteceu para aqui trazeres tua própria neta?

Um nó na garganta o impediu de responder de imediato. Afastaram-se da nave e, já distantes dos outros Mehis, ele deu vazão ao seu pranto de dor e externou o que o atormentava:

– Shel-çá, minha neta amada, caiu, Laresh. A desgraça abateu-se sobre minha descendência e manchou toda uma vida dedicada a preservar as leis e a conduta.

– Qual foi a causa da queda, Mehi?

— Ela ousou ter relações sexuais antes da idade permitida.
— Compreendo. As tais leis humanas, tidas como sendo a vontade do nosso Divino Criador, atingiram mais um ser humano, certo?
— As leis devem ser respeitadas, Laresh.
— Onde está a justiça dessas leis, Mehi? Tua neta é ainda uma criança e não pode ter todo o discernimento dos usos e costumes, assim como não conhece suficientemente o próprio corpo para evitar sentimentos ou desejos que possam torná-la uma caída aos olhos das leis humanas!...
— Estou tão atormentado que talvez tire minha própria vida!
— Por que suicidar-te, Mehi?
— Não suporto a vergonha de ter uma caída em minha própria família, Laresh.
— Que absurdo! Shell-çá deve estar apavorada com o que lhe aconteceu e tu só te preocupas com teu grau e tua honra? Meu Pai Divino, que sistema desumano é este que distorce todos os sentidos da Vida? Tua neta é um ser humano, Mehi! Ela não é uma posição social, mas, sim, um bem divino que deveria estar sendo amparado em vez de estar sendo desterrado!
— São pontos de vista, Laresh. Os nossos são diferentes... sempre foram!
— Já com tantos anos de idade, não aprendeste nada, sabias? Encontrei muitas ossadas humanas espalhadas pela ilha e presumo que muitas pertencem a caídos que trouxeste aqui. Estou certo?
— Sim, Laresh. Não foram poucos os que foram desterrados para esta ilha. Mas era necessário fazê-lo, senão outros se achariam no direito de imitar seus erros e, aí, toda a sociedade ruiria.
— Queres saber de uma coisa, Mehi?
— Dize, Laresh.
— Certa vez, há muito tempo, tu me mostraste em tua tela cristalina que muitos graus do nosso degrau haviam caído. Mas eu acredito que a razão para aqueles graus estarem escuros deve-se unicamente a condutas iguais à tua, um "não caído"!
— Há muitos tempo eu não olho para aquela tela, Laresh.
— Pois devias! Descobri, nas águas cristalinas, um meio de visualizar nosso degrau, pois o grau que um dia ocupaste está negro como o ônix, Mehi. Se não caíste, então qual é a razão do escurecimento dele?
— Talvez isso tenha acontecido após tua queda, já que muito me entristeci por ter visto a ti, meu Senhor e um dos meus, cair na hierarquia natural. Tudo aquilo me abalou muito, pois, sem ti, todos os graus caídos não serão resgatados pelo Sagrado Ag-iim-yê. O Trono tem de estar positivo para que seus graus auxiliares possam voltar às hierarquias naturais e aos seus reinos originais, na Natureza, onde viviam. E tu, Senhor do nosso degrau e Trono regente dele, caíste, Laresh.

– Estás enganado, Mehi. Naquele degrau, o único ponto luminoso é o Trono. E se é verdade o que me disseste, sou o único que ainda não caiu diante da Lei, mas não das leis humanas e, sim, da Lei Divina. Consulta tua tela, Mehi. Consulta-a e descobrirás que ela mostra a luminosidade dos que não afrontaram a Lei e a obscuridade dos que dela se afastaram. E tu, infelizmente, és mais um caído diante da Lei Divina, Mehi Laribor! – sentenciou Laresh.

– Não aceito esta tua afirmação, Selmi Laresh! Tu caíste quando não cumpriste com teus deveres de Mehi e afrontaste as leis ancestrais.

– Não vou discutir isto agora, Mehi. Mas, um dia, ou talvez em uma noite sombria, tu te convenças dos erros que tens cometido. Só que será tarde demais para corrigi-los!

– Chega, Laresh!

– Está certo... faze o que tua consciência te ordena, Mehi do Templo. Só não reclames depois de tua desencarnação.

Mehi Laribor virou as costas para Laresh e dirigiu-se à nave para consumar o desterro da própria neta, ainda uma criança com 13 ou 14 anos de idade.

Laresh ficou assistindo, a distância, ao triste simbolismo daquela loucura. Shell-çá despiu e devolveu o camisolão negro que todos os caídos usavam até que fossem desterrados e abandonado, nas ilhas a eles reservadas para que nelas vivessem ou... morressem. Viu, com lágrimas nos olhos, o ventre crescido da menina quando ficou nua e chorou comovido quando ela, aos prantos, clamou:

– Vovô, não me abandones, por favor!

Ele respondeu a tão doloroso clamor:

– Sinto muito, Shell-çá! Tu caíste e tenho de cumprir a lei!

Em seguida, virou-lhe as costas e entrou na nave que o levaria de volta ao Continente e ao conforto do grande Templo da Luz Cristalina, onde era o Mehi Templário, Guardião das leis.

Shell-çá, vendo a nave decolar e afastar-se a grande velocidade, sentiu-se mal e desmaiou.

Laresh correu para junto dela e a recolheu nos seus braços fortes, apertando-a contra o peito, enquanto chorava convulsivamente, magoado com tamanha injustiça cometida por homens tidos como sábios e guardiões de seres humanos.

Sempre chorando, levou Shell-çá para a caverna e começou a reanimá-la, até despertá-la.

Ela voltou a chorar e encolheu-se toda por causa da aparência desleixada dele, com os cabelos e barbas longos e emaranhados e com as unhas compridas e sujas, pois estava cultivando raízes, tão preciosas à sua sobrevivência. Vendo que ela o temia, falou:

— Nada tens a temer, Shell-çá. Ainda sou o mesmo Selmi Laresh que te carregou no colo quando tu eras um bebezinho. E tudo farei para tornar agradável tua estada nesta ilha.
— Tu és mesmo o Mehi Laresh?
— Sou, sim, ainda que não pareça por causa das condições subumanas em que vivo nesta ilha. Mas tenho preservado meus sentidos, minha moral e meu juízo... e tenho sobrevivido.
— Por que, Mehi?
— Por que o quê, Shell-çá?
— Por que nos abandonaram nesta ilha deserta?
— Leis, querida. Mas não te preocupes com isso e procura descansar agora, está bem?
— Estou tão assustada e amedrontada!...

Shell-çá voltou a chorar e a lastimar seu triste destino, incomodando ainda mais o já atormentado Laresh, que a tomou pelas mãos e falou:
— Vem, vamos conhecer a ilha. Aos poucos descobrirás que, apesar da falta de recursos e conforto, até que é um lugar agradável para se viver.

Ele ia falando das coisas ali existentes, tentando distraí-la e deteve-se por mais tempo, distraindo-se, quando mostrou a ela uma área cultivada com umas plantas minúsculas, carregadas de frutos também minúsculos, mas deliciosos, segundo ele. Todo orgulhoso, disse:
— Logo estarão maduros e aí provarás o mais doce fruto existente aqui, Shell-çá! Quando aqui cheguei, só encontrei uns poucos pés dessa fruta, mas guardei todas as sementes das que comi que, agora, temos tantas que nos fartaremos delas.

Selmi falava com tanto entusiasmo que contagiou Shell-çá, a qual, menos temerosa quanto ao futuro, perguntou:
— O que mais tens nesta ilha, Mehi?
— Estás vendo, lá adiante, aquelas folhagens?
— Sim.
— Saibas que semeei todo aquele pedaço de terra com umas sementes que colhi de um pé, no alto daquelas rochas. É um milagre termos essa planta aqui.
— Por quê?
— Tu não sabes o quanto ela é saudável, Shell-çá. As folhas são pura energia para nosso organismo e umas poucas por dia são suficientes para nossa boa saúde.
— Entendes bem de plantas, Mehi?
— Passei anos estudando os vegetais, Shell-çá. Se houvesse sementes ou mudas, esta ilha seria outra. Vem, vou mostrar-te minha horta, formada unicamente com o que aqui encontrei!

Selmi passou o resto do dia a lhe mostrar as culturas desenvolvidas por ele.

Ao entardecer, ele falou:

– Shell-çá, agora te levarei até a nossa melhor fonte de alimentos!

– Deve ser interessante, pois a deixaste por último, Mehi.

– Tu és a primeira pessoa a quem revelo esta minha fonte de alimentos...

Selmi começou a rir do que acabara de falar, mas, aos poucos, seus olhos se encheram de lágrimas e ele exclamou:

– Meu Criador! – e nada mais falou porque começou a soluçar.

Shell-çá não entendeu o que havia acontecido, já que ele demonstrara alegria momentos antes.

– Mehi, estás passando mal?

Como ele nada respondia, ela pediu, preocupada:

– Fala comigo, Mehi! Não me assustes mais ainda!

Com uma profunda inspiração, Selmi sufocou sua tristeza por ter que viver naquela ilha e, com as costas das mãos, limpou as lágrimas que molhavam suas faces e recompôs-se para não vê-la chorar também. E justificou sua fraqueza:

– Desculpa, querida. Às vezes, isto acontece... mesmo a um Mehi, sabes?

– Eu só tenho a ti, Mehi. E se algo te acontecer, nós também morreremos.

– Nós?

– Eu e o filho, ou filha, em gestação.

– É mesmo, Shell-çá. Mas... e se forem gêmeos? Aí serão três a me fazerem companhia, não? – perguntou ele, já sorrindo novamente.

– Gêmeos?! Tens certeza?

– Eu só estava brincando, querida. Vem, vamos ver o que o generoso mar nos reservou para o jantar!

– É essa a fonte secreta de alimentos, Mehi?

– É, Shell-çá. Só sobrevivi graças aos frutos do mar.

– Eu nunca apreciei peixes.

– Trata de mudar teus gostos, caso não queiras perder teu filho. Tens de alimentar-te bem de agora em diante!

– Eu sei.

– Então, vamos ver que espécimes a mãe das águas nos enviou para a refeição de hoje!

– Vamos, Mehi!

Chegando ao local, Selmi mostrou a Shell-çá as armadilhas que preparava para capturar peixes graúdos. Ele se surpreendeu tanto com o tamanho e a quantidade de peixes em suas armadilhas que até disse:

— A mãe das águas sabia de tua vinda, querida! Olha só que belos e suculentos peixes ela nos enviou para o jantar de hoje!

Selmi convidou-a a orar em agradecimento à generosa mãe das águas pelo alimento a eles reservado e, só após a oração, retirou as armadilhas com três enormes peixes. Mas só fisgou o maior, pois os outros ele deixou dentro das armadilhas para o dia seguinte.

— Procede sempre assim, Shell-çá. Jamais retires da Natureza algo que não irás usar. Só assim ela é generosa conosco e nunca nos nega o mínimo necessário à nossa sobrevivência. Estes peixes aí viverão e, se amanhã não precisarmos deles, eu os devolverei ao mar profundo, onde haverão de multiplicar-se.

— Teu grau de consciência é muito elevado, Mehi. Por que te desterraram?

— Ousei amar uma mulher de outra raça.

— Só por isso?

— Para um Guardião da Lei, tal coisa é uma queda imperdoável. Mas tenho minha consciência tranquila, ainda que não possa dizer o mesmo do meu coração.

— Por que, Mehi?

— Nunca mais verei a única mulher que amei, Shell-çá. A esta altura, ela deve ter-se cansado de esperar por mim.

Enquanto preparavam o peixe, umas raízes e um bom maço de folhas alimentícias junto à fonte, Selmi perguntou a ela o que havia realmente acontecido para ter engravidado.

— Eu sentia muito desejo por um rapaz, Mehi. E tudo aconteceu como eu imaginava. Só não contava com a gravidez. Foi bom enquanto ninguém desconfiou de nada, mas...

— Tudo terminou, certo?

— Tudo acabou para mim.

— Quem é o rapaz, Shell-çá?

— Isso não vou te dizer, Mehi.

— Ele não foi desterrado também?

— Eu não revelei a ninguém quem era ele e está protegido neste momento.

— Tu o amavas muito, não?

— Eu não o amava. Apenas sentia-me atraída por ele, Mehi. De certa forma, eu o seduzi.

— Compreendo. És sexualmente precoce e decidiste saciar tua libido, em vez de aguardares o tempo em que pudesses contrair núpcias.

— Agora pago o preço. Mas não o acusei e o preservei da desonra.

— Muito justo o teu procedimento, Shell-çá.

— Tu aprovas o sexo sem compromisso, Mehi?

— Não, isso não! Eu me refiro ao fato de teres preservado teu amante. Afinal, se não tivesses te insinuado, nada disso teria acontecido. Mas, quanto às liberalidades com relação ao sexo, sou contra. A multiplicação da Vida tem de ser ordenada, senão a sociedade entra em desarmonia e os alicerces da base familiar são corroídos rapidamente, pois as descendências perdem seus pontos de referência. Os filhos devem espelhar-se nos pais, Shell-çá!

— Nunca te casaste, não é mesmo?

— É verdade. Nunca me senti atraído o suficiente para unir-me a uma mulher. E quando isso aconteceu, bem, aqui vim parar.

— Nunca possuíste uma mulher, Mehi?

— Não, Shell-çá!

— Não, mesmo?

— Claro! Por que eu iria negar se tivesse tido alguma amante?

— Puxa! Quantos anos de idade já tens?

— Tenho 36 anos.

— E nunca provaste as delícias do sexo...

— Estás tentando seduzir-me, Shell-çá?

— Não estou, não. Mas é que esse teu belo corpo nu, queimado pelo Sol, é provocante. Confesso que é, sabes?

— Trata de refrear teus instintos ou me afastarei de ti, está bem?

— Desculpa minha franqueza, Mehi. Prometo não falar mais sobre sexo contigo.

— Assim é melhor. Agora vamos para a caverna assar nosso peixe. Verás que estavas enganada ao não apreciar os frutos do mar!

— Com a fome que estou sentindo, até estas verduras parecem saborosas. Posso comer algumas folhas agora?

— Claro!

O Sol já se punha no horizonte quando o peixe ficou pronto. E foi devorado com satisfação pela faminta Shell-çá, que despertou em Selmi este comentário:

— Eu devia ter assado dois peixes, Shell-çá!

— Não imaginas como eu estava com fome!...

— Agora já sei que as refeições deverão ser para três! Ah, ah, ah!...

— Comi tanto assim?

— Nada que uma gestante não faça. Só isso.

— Parece que entendes um pouco de tudo, não?

— Procurei aprender um pouco de tudo, o que me tem ajudado muito neste momento de minha vida. E, quanto às gestantes, trabalhei um bom tempo com a mestra parteira, com quem aprendi muito sobre o assunto.

Por isso, é bom que te alimentes bem, pois, quando teus filhos nascerem, terás bastante leite para amamentá-los.

— Meus filhos? Novamente usas o plural. Por quê?

— Bem, posso ver que terás gêmeos, Shell-çá. Será um par de filhos que darás à luz.

— Tens certeza?

— Absoluta! E vou cuidar bem de ti para que teus filhos nasçam saudáveis e bem-nutridos. Amanhã, vou pescar um tubarão para produzir um pó com os ossos dele, que é vitamina pura e, com as barbatanas e pele, um caldo que te fornecerá uma grande quantidade de gorduras animais.

— Vou engordar muito? – perguntou ela, preocupada.

— Não. Apenas fornecerás ao teu organismo as vitaminas, proteínas e sais necessários a uma saudável gestação. Afinal, estás muito fraca e um tanto magra devido à tensão a que foste submetida nos últimos dias.

— É verdade. Eu não vinha alimentando-me muito bem.

— Ótimo! Então, está decidido: amanhã prepararei um suculento tubarão!

Naquela noite, Shell-çá dormiu na "cama" de Selmi, feita de folhas. No dia seguinte, sentada em uma rocha à beira-mar, assistiu a Selmi capturar um enorme tubarão, que foi atraído para as pedras com a carne e o sangue dos dois peixes capturados no dia anterior.

Selmi atraía os tubarões para perto das pedras e, depois, espetava uma vara pontiaguda naquele que entrasse em um corredor de pedras ficando preso em uma cerca de ramos de árvores frutíferas. O mais difícil era retirá-lo de dentro da armadilha. Mas não lhe faltavam engenhosidade e criatividade no preparo das carnes, dos ossos e vísceras de sua presa. Em potes de barro cozido, ele curtia as carnes com água do mar. No fogo, extraía a gordura em grande quantidade e torrava os ossos, para depois triturá-los com pedras e fazer um pó que, segundo ele, era vitamina pura para o organismo humano. O fato é que, ao trabalhar intensamente, ele ocupava seu tempo e não ficava lembrando-se do passado. E o mesmo sugeriu a ela, para que vivesse melhor naquela ilha deserta.

Com o passar do tempo, ambos se tornaram muito unidos, partilhando os afazeres no cultivo das espécies selecionadas por ele, as quais lhes eram úteis à sobrevivência e, futuramente, aos dois filhos dela também, os quais logo se juntariam às bocas a serem alimentadas. O tempo passou rápido para Selmi e ele até conseguiu recuperar sua antiga alegria dos tempos de iniciação.

Em uma noite muito fria, ela acomodou-se junto ao corpo de Selmi para dormir e ele sentiu os gêmeos se mexerem no útero dela. E, pela primeira vez, acariciou aquele ventre crescido. De certa forma, ele já havia adotado aquela gestação e ansiava pelo nascimento dos bebezinhos, cujos movimentos serviam para fortalecer ainda mais o afeto que ele já alimentava por Shell-çá. Mas o desejo não latejava nele nem o incomodava, embora o mesmo não ocorresse a ela, pois, ao amanhecer, fê-lo despertar com as suas carícias.

— O que estás fazendo, Shell-çá? Foi para isso que quiseste dormir comigo?

— Eu... eu... não resisti ao meu desejo quando acordei e vi tua excitação.

— Isto é fisiológico, sabias? Sempre que adormeço, meu organismo assume os meus sentidos e desperta a minha libido. Mas, assim que reassumo meu emocional, tudo volta a funcionar como deve e não mais sou incomodado por essa excitação passageira.

— É por causa dela que bem cedo te levantas e vais caminhar pela ilha, Mehi? Eu te incomodo?

— Em absoluto! Sou assim desde jovem e assim faço todas as manhãs.

— Eu sou mulher, Mehi, e também sinto desejos e fico excitada. Isso é natural nos seres humanos!

— Não te vejo senão como uma filha que devo proteger, Shell-çá!

Ela olhou-o por um instante. A seguir, levantou-se abruptamente e saiu correndo da caverna. Meio confuso com aquela atitude, Selmi não reagiu, preferindo ir cuidar de sua horta, só voltando à caverna ao entardecer. Mas não a viu. Preocupado, vasculhou toda a ilha à sua procura e só a encontrou ao anoitecer.

— Por que fugiste de mim, Shell-çá,?
— Tu não me queres, Mehi.
— Não tenho cuidado bem de ti?
— Como a uma filha, sim, mas, e quanto à mulher que sou? O que tens feito por mim, Mehi?

— Estás confusa quanto aos teus sentimentos. Nós podemos controlar nossos desejos, Shell-çá.

— Somos diferentes, Mehi. Eu desejo ser uma mulher e tu desejas que eu me sinta uma criança desamparada. Eu te desejo como homem e tu me desejas como filha... sem que ao menos tenhas sido pai. Tudo está errado entre nós, Mehi.

— Sinto muito, Shell-çá. Eu me sentiria um canalha se me aproveitasse de ti.

— Sou uma caída, Mehi. Conheces a razão de minha queda... e da tua. Desejo viver o presente e tu estás preso a uma lembrança do passado. Tens sido muito bom e atencioso comigo, mas eu tenho esperado uma palavra ou um gesto que me demonstre poder ser mais do que tenho sido. Mas nada acontece, Mehi!

— Se, ao menos...

E Selmi Laresh calou-se, preferindo não externar o que lhe passava no íntimo. Mas ela pediu:

– Conclui o que iniciaste, Mehi.

– Se fossem outras as nossas condições de vida...

– Aí não estaríamos juntos e nem tão dependentes um do outro. Ou isso não te ocorreu?

– E talvez, não estivéssemos juntos. Vem, vamos retornar à caverna, pois já escureceu.

Voltaram calados e calados permaneceram enquanto comiam e mesmo quando foram deitar-se... separados. Mas ele não dormiu logo. Quando ela acordou, ele já havia saído da caverna, só voltando ao meio-dia, trazendo alguns peixes para o almoço.

Houve uma ruptura entre eles e o relacionamento já não era natural. Cada um estava entregue aos seus pensamentos mais íntimos e preferia nada comentar.

Com o passar dos dias, voltaram a se falar, mas só por meio de monossílabos ou, no máximo, sobre o momento que se aproximava: o nascimento dos filhos dela e seu estado de saúde.

E o dia chegou com fortes contrações e gemidos profundos, até que os gêmeos nasceram. Selmi realmente entendia de partos e de como cuidar de recém-nascidos, mas a precariedade em que viviam tornava as coisas muito difíceis, pois não tinha nada para envolver as tão frágeis e delicadas crianças. Só havia umas esteiras de fibras vegetais que ele fizera para se cobrirem. E ali era tudo tão diferente dos partos realizados nas dependências do Grande Templo, onde havia tecidos, alimentos apropriados...

O fato é que os gêmeos sobreviveram! No início, nutriam-se do farto leite materno e das frutas, já amadurecidas, que Selmi preparava em forma de fortes extratos, diluindo-as em água e servindo-as, em gotas, aos bebês. Com seis meses de vida, os gêmeos já eram alimentados com peixes e caldo de carne de tubarão, afastando o medo de Selmi de que pudessem adoecer... e morrer.

Certa noite, depois que os bebês adormeceram, Shell-çá falou:

– Mehi, meus filhos não têm pai. Mas se eu pudesse dar um a eles, gostaria que fosse alguém igual a ti. Obrigada por tudo o que tens feito por nós. Jamais me esquecerei do quanto tens sido bom e generoso conosco.

– Eu não tenho filhos, Shell-çá, mas se pudesse tê-los, acredita-me, eu gostaria que fossem...

– Que fossem iguais a eles, Mehi?

– Não, Shell-çá. Eu gostaria que fossem essas duas lindas crianças, às quais já considero parte de mim mesmo.

Ao calar-se, dos seus olhos correram algumas lágrimas, que foram enxugadas com as costas das mãos.

— Acreditas no amor, Mehi?
— Que pergunta tola, Shell-çá! É claro que sim!
— Então, por favor, não te ofendas com o que vou dizer-te, está bem?
— Fala, Shell-çá.
— Eu te amo, Mehi... e não tem nada a ver com desejo sexual. Tens te mostrado tão humano e tão atencioso, que já não me imagino sem tua companhia em minha vida.
— O que sentes tenha talvez outro nome, Shell-çá: gratidão!
— Também, Mehi, mas o que sinto é muito mais. É amor, amor e amor! E se não o externo, é para não te magoar novamente, já que sou como uma filha para ti.
— Eu te admiro muito. Tens demonstrado tanta maturidade ao lidar com teus filhos que te acho encantadora.
— Não me vês mais só como uma filha?
— Não, Shell-çá. De fato, tu és uma mulher completa e ficaste muito mais bonita e atraente após o parto.

Dos olhos de Shell-çá lágrimas correram como se duas fontes ali houvesse. Mas nem um soluço ela emitiu, levando-o a perguntar:

— Por que choras em silêncio, Shell-çá?
— Ainda que mentisses, eu gostaria que dissesses que me amas, Mehi. Não imaginas como eu gostaria de ouvir isso de ti!

Selmi a olhou em silêncio por um longo tempo para, então, abraçá-la e dizer-lhe:

— Eu te amo muito, Shell-çá. E não estou mentindo. O Sagrado Senhor da Luz e da Vida é minha testemunha de que não estou mentindo!

Shell-çá aconchegou-se ao corpo dele e irrompeu em um choro convulsivo que o comoveu ainda mais, levando-o a chorar também. Selmi ficou mais emocionado ainda quando ela lhe perguntou:

— Mehi Selmi Laresh, aceitas ser o pai dos meus filhos e...
— E... o que, Shell-çá?
— Meu marido, também?
— Sem nos casarmos?
— A vida nos uniu, Mehi. E não há melhor união que esta para nós, os caídos.
— Não somos caídos, Shell-çá! Apenas fomos incompreendidos quando ousamos dar vazão aos nossos sentimentos. O Sagrado Senhor da Luz, da Lei e da Vida é testemunha de que fomos incompreendidos, e nada mais.
— Então me aceitas como esposa?
— Mulher mais valorosa não conheci e, tão bela, só a que não pude ter. Quanto à sinceridade, bem, alguém mais sincero nunca encontrei antes.
— Estás dizendo "sim", Mehi?
— É claro que estou! Só me dês tempo para assimilar o que acabei de assumir.

– Já me assumiste há tempos, Mehi. Agora, só tens de vivenciar de direito o que já é de fato. E quero que saibas que procurarei ser uma esposa digna do teu amor e do amor daquela que desejaste como esposa, mas que não te permitiram. Honrarei o lugar que ela ocupa em teu coração e nunca tentarei anulá-la em teu íntimo. Apenas peço que concedas a mim um pequenino lugar junto a ela nesse teu imenso amor!

– Grande é o lugar que ocuparás, Shell-çá, porque te amo muito! E teus filhos também são amados como se fossem meus!

– Tenho certeza de que nos ama, Mehi, e sei que de "pai" eles te chamarão assim que começarem a balbuciar as primeiras palavras.

– "Pai"... É... Acho que vou gostar de ser chamado assim por esses meus dois amores de filhos!

– Gostarias de acrescentar mais alguns amores a esses dois, Selmi, meu marido? Ou devo chamar-te de Mehi Selmi Laresh?

– Chama-me como preferires, pois, de agora em diante, serás Shell-çá, minha esposa diante do Sagrado Senhor da Luz, da Lei e da Vida. E quanto a novos amores de filhos, bem, não tenho prática nessas coisas...

– Não é tão difícil... Basta deixares teu emocional livre de teu controle mental e inundar-me com teu amor... Aí, tudo acontece... E viste como teu organismo já reage com vigor?

O fato é que o Mehi Selmi Laresh amou Shell-çá com todo o seu vigor físico e com todo o seu amor e gostou do prazer que ambos sentiram.

Alguns anos depois, já eram cinco os seus amores de filhos: o casal de gêmeos e mais três filhos que ela lhe dera.

Olhando as crianças, ele comentou certo dia:

– Dizem os Magos que um cataclismo ceifará vidas neste planeta, mas acho que, se um só casal sobreviver, a vida não cessará, querida Shell-çá. Olha para nós, sem quase nada nesta ilha, mas vivos e saudáveis!

– A vida é uma bênção divina, Selmi. E onde houver quem a ame, ela prosperará e se multiplicará sempre. Olha esta vida! Vê como ela suga o leite do meu seio?

O despertar de um Mehi

Sete anos após a chegada de Shell-çá à ilha, o casal já possuía sete filhos. Foi quando uma nave aterrissou na ilha com um único homem.

O Mehi Selmi o recepcionou com certa desconfiança, já que não se vestia como um membro da guarda do Templo:

— Por que desceste em nossa ilha, estrangeiro?

— Não sou estrangeiro, Mehi Selmi Laresh. Apenas minha veste é que é. Também sou um "caído", se isso te tranquiliza.

— Deves ser mesmo, estranho. Quem és tu, afinal?

— Sou um Mehi, também... caído, mas consciente de meus deveres com os Sagrados Regentes da Natureza. Meu nome é Iafershi e estou vivendo em um reino do Continente habitado por aqueles de pele negra.

— Iafershi? Iafershi yê?

— Iafershi lach-me yê, Mehi Laresh.

— Tu és um lach-me yê encarnado?

— Sou, sim!

— É impossível, Iafershi. Um lach-me yê jamais cairia!

— Há queda e "queda". E o meu caso é a segunda, pois induzi todos a acreditarem que eu havia caído a fim de que, sem despertar suspeitas, eu me infiltrasse entre os servos do demiurgo caído e destruísse a fonte de seus poderes extra-humanos.

— Demiurgo caído... poderes extra-humanos... um lach-me yê caído... do que estás falando, Iafershi yê?

— É uma longa história para resumi-la em poucas palavras, Mehi Laresh. Recolhe tua família imediatamente que vos conduzirei a um lugar seguro, já que aqui correis perigo de vida.

— Vivemos em paz nesta ilha abandonada, Iafershi yê. Aqui é o nosso lar e aqui permaneceremos!

— Por favor, Mehi, vem comigo enquanto eles não chegam.

— Eles quem?

— Os escravos do caído Laribor. Descobri que ele pretende matar-te, pois és uma prova viva da queda dele.

— O Mehi Laribor é um caído? Que absurdo!

— Não temos tempo, Mehi Laresh. Vai buscar tua esposa e teus sete filhos que mais tarde te conto tudo, está bem?

— Como sabes tanto sobre nós, Iafershi yê?

— Vejo que não acreditas e nem confias em mim, não?

— Não mesmo, Iafershi yê! Como posso confiar em um caído que não conheço e que vive entre o mais desarmonizado dos povos?

— Mehi Ag-iim-sehi lach-me yê enviou-me até aqui, Mehi Laresh.

— A Divindade que me rege como Mehi?

— Ela mesma! E, como prova, repito algo que só tu e ele sabeis. Lembra-te do que ele te disse durante tua apresentação ao grau dos Vinte e Um?

— Lembro-me, sim, Iafershi yê. Repete e te seguirei sem mais perguntas.

— Foi mais ou menos assim: Servo da Lei e da Vida, se em algum momento de tua existência sentires que te falta a compreensão dos acontecimentos, lembra-te de que aqui estarei para aclarar tua mente conturbada.

— Incrível!!!

— Ocultemo-nos, imediatamente, pois já estão chegando os matadores enviados pelo caído Laribor!

Após olhar ao redor, Iafershi praguejou:

— Que droga de ilha! Nem ocultar-se da morte é possível aqui?

— Vamos para a caverna, Iafershi! Minha família estará em segurança dentro dela.

— Não, Mehi! A caverna será uma armadilha, pois nos cercarão em um cubículo sem saída. Vai proteger tua família, que darei combate aos enviados de Laribor, o traidor.

Três naves desceram bem próximas de onde estavam e delas saíram vários homens armados, cercando-os rapidamente. Iafershi, em uma saída inusitada, saudou-os e falou:

— Este homem é meu prisioneiro, companheiros. Podeis recolher vossas espadas, pois ele concordou em ser conduzido até o grande Mago do Templo da Luz Negra, no Continente Vermelho.

— Temos ordens de executá-lo imediatamente, Mehi. Ele não pode viver nem mais um minuto. São ordens do poderoso Laribor!

— Meu Senhor não gostará de saber que Laribor executou uma possível fonte de preciosas informações e conhecimentos. E não vou permitir que ele se irrite comigo!

– Quem és tu, Mehi?
– Sou Iafershi, genro dele.
– Tu és Iafershi, o Senhor do...
– O próprio, companheiros. Meu Senhor enviou-me pessoalmente. Este homem interessa muito aos planos dele, pois descobriu há pouco ser portador natural de um mistério.
– Se é assim, ele é todo teu, poderoso Senhor. Retornaremos imediatamente e comunicaremos ao poderoso Laribor que o poderoso Mago da Luz Negra cuidará pessoalmente do Mehi Laresh. Com tua licença, poderoso Iafershi!
– Esperai! Vós ainda usais somente espadas, não?
– Não tivemos, ainda, acesso às poderosas armas recebidas pelo nosso Senhor.
– Acompanhai-me, que vos presentearei com armas novas que já estamos usando. Ou preferes continuar portando somente espadas?
– Armas poderosas nunca são desprezadas.
– Eu sabia que gostaríeis de tê-las só para vós... e as usareis com discrição, certo?
– Claro! Ninguém mais saberá que as possuímos! Ah, ah, ah!...
– Segui-me até minha nave, companheiros.

Os homens seguiram aquele caído poderoso, crentes de que iriam ganhar poderosas armas, mas, quando ele saiu da nave segurando uma delas, surpreendeu a todos: matou os homens de uma só vez com a arma e disse:

– Até outro encontro nas trevas, escravos do Mal!

O Mehi Laresh, aturdido com o que acabara de presenciar, caiu de joelhos junto aos corpos já sem vida e exclamou:

– Meu Criador! Que loucura acabaste de cometer, Mehi caído!?
– A loucura que cometi salvou tua vida e a dos teus familiares. Vem! Ajuda-me a dar sumiço aos corpos deles e às naves que os trouxeram.
– Não vou participar desse crime, Shefershi!

O Mehi Laresh pronunciou "Shefershi" com desprezo e asco, pois esta palavra significa força negativa do sexo ou força sexual mortal.

– Não é o que imaginas, Mehi... ainda que eu também seja Shefershi, pois vivenciei em espírito todo o meu negativo para poder sobreviver em meio aos traidores servos do Mal. Vamos! Ajuda-me a levar estes corpos para dentro das naves. Vou afundá-las no oceano e nunca mais serão encontradas pelos escravos de Laribor.
– Não mancharei minhas mãos com sangue humano!
– Tudo bem! Mas vai reunir tua família, enquanto me livro desses caídos.

— Como posso confiar em ti?

— Eu te dei uma prova que só tu sabes, não?

— Deste. Mas és um caído em todos os sentidos e despertaste, em teu negativo, um mistério do lado sombrio dos pontos de força.

— Realmente, fiz isso, Mehi Laresh, mas meu Regente tanto exigiu isso de mim como me conduziu durante todo o processo, quando, então, ocultou minha luz para confundir os verdadeiramente caídos em todos os sentidos. Confia em mim, Mehi!

— Para onde irá nos levar?

— Conheço um local ideal para ocultar-vos até que tu também despertes teu negativo conscientemente e deixes de ser mais um Mehi cobiçado pelos Magos caídos.

— Tu falaste para estes caídos mortos que és o genro do grande Mago do Templo da Luz Negra no Continente Vermelho, certo?

— Isso mesmo!

— Conheces uma mulher chamada Cinaref?

— Claro que sim! Foi com ela que me casei, pois só assim conquistaria a confiança do pai dela, o caído grande Mago da Luz Negra.

Como estava ocupado com os corpos dos guardas mortos, Iafershi não viu a expressão de espanto no rosto de Laresh e nem quando ele apanhou a arma letal e ficou aguardando que ele, Iafershi, consumasse o sumiço das naves inimigas. Quando retornou para junto de Laresh, foi surpreendido com a arma apontada para si. Perguntou:

— Mehi Laresh, salvar tua vida, mesmo assumindo o ônus de tirar a vida daqueles caídos, não te convenceu de que estou tentando proteger-te?

— Ainda não confio em ti. Podes ter armado tudo isto para iludir-me. Fala-me de Cinaref.

— Tu a conheces, Mehi Laresh?

— Digamos que eu tenha a curiosidade de ouvir o que tens a me dizer sobre ela.

— Casei-me com ela há três anos, Mehi. É uma caída, mas a envolvi de tal maneira que agora ela me tem servido como uma escrava.

— Onde ela caiu, Iafershi?

— Em um Templo dominado por um Mago caído, mas isso não tem a menor importância, já que ele a usava para seduzir quem interessasse aos seus planos. Isto ela mesma revelou-me. E, se não estou enganado, tu deves ter sido um daqueles aos quais ela impressionou, não?

— Impressionou-me muito quando estive visitando aquele grande Templo, há uns oito anos.

— Eu ainda não havia iniciado minha missão nesse tempo, Mehi; ela só começou há cinco anos.

— Cinaref era virgem quando se casou?
— Virgem?! Estás brincando, não?
— Não estou, não, Iafershi!
— Compreendo. Tu te apaixonaste por ela.
— Eu a amei. É diferente.
— Acho que é, sim. Eu também já amei e sei como é doloroso não vivenciar o amor em sua plenitude.
— Um caído no sexo não sabe o que é o amor, Iafershi!
— Não vou perder tempo com discussões estéreis, Mehi! Fiz por ti tudo o que o sagrado Ag-iim-yê exigiu. Ou acompanha-me até um lugar seguro para ti e tua família ou mata-me logo! Decide, Mehi Selmi Laresh!
— Some de nossa ilha, Iafershi! Deixa-nos longe de tua queda diante da Lei.
— Está bem, Mehi! Caso venham outros enviados do maldito Laribor, não reveles que estive aqui, senão muitos Mehis que ousaram combater o Mal serão mortos e a culpa será debitada em teu destino pelo Sagrado Ag-iim-yê, a quem tu abandonaste por pura covardia, negando teu grau e degrau ancestral!
— Não abandonei meu juramento de servir ao Sagrado Ag-iim-yê, Iafershi!
— Então por que não assumes teu dever de Mehi?
— Não sou mais um Mehi!
— Nunca deixaremos de ser o que sempre fomos! Sinto pena de ti, pois teu retorno às hostes de servos do Sagrado Ag-iim-yê será mais doloroso!
— Meu Trono continua luminoso, Iafershi, e luminoso o conservarei até o dia de meu retorno ao meu ponto de força original!
— Só o teu Trono continua luminoso, Mehi.
— Como sabes disso?
— Assisti ao encontro de Laribor com o grande Mago caído. Ouvi quando ele disse que extrairia de ti o mistério do Trono regente do degrau que, no passado, tu ocupaste quando eras um Mehi natural. Foi por isso que vim até aqui... depois de consultar teu par natural, que me recomendou salvar tua vida e a de teus familiares. Reflete, Mehi! Eles vigiam todos os Mehis e Mehas encarnados para lançá-los no tormento da queda ou extraírem deles o segredo do mistério que trazem em si, pois são portadores de mistérios duais. A eles interessam a posse do negativo e a anulação do positivo.
— E tu desejas apossar-te de meu negativo?
— Estúpido!
— Cala-te ou te mato, Iafershi!

— Com tuas mãos, Mehi Laresh?
— Não, com esta tua arma esquisita!
— Sem isto ela não funciona, Mehi. Ou imaginaste que eu iria deixá-la ao teu alcance, carregada?

Iafershi mostrou um pequeno tubo cristalino a Laresh e pediu:
— Devolve minha arma ou puxarei de minha espada, Mehi!
— Terás coragem de matar-me, Iafershi?
— Jurei diante de meu Regente que não falharia em minha missão. Logo, não será por escrúpulo ou pena que deixarei um covarde pôr tudo a perder. A arma, Mehi! — ordenou Iafershi, já desembainhando a longa e afiada espada.

Laresh a devolveu, pois o brilho mortal dos olhos de Iafershi não deixava dúvidas de que ele usaria aquela lâmina afiadíssima. Quando Iafershi a retomou, deu um disparo com ela e falou:
— Vejo que se Laribor te pegar não terá dificuldade em apossar-se do mistério que trazes em ti, Mehi!
— Tu mentiste sobre a arma!!!
— Claro que menti! Estás tão ausente da vida atual que não só não sabes mentir, como ainda acreditas em tudo o que te dizem. Vamos!
— Para onde?
— Vamos apanhar tua família, pois aqui não vivereis mais que o tempo necessário até Laribor extrair de ti aquilo que dará a ele o domínio sobre todos os graus auxiliares que, um dia, ocuparam assentos em teu degrau.
— Não vou contigo, Iafershi!
— É melhor que venhas ou serei obrigado a matar todos vós, Mehi!
— Até meus filhos matarias?
— Se eu não o fizer, Laribor irá torturar-vos para arrancar de teu subconsciente tudo o que ele deseja.
— Ele não faria isso com os próprios bisnetos...
— Bisnetos? Disseste...
— Sim. Meus filhos são bisnetos dele, Iafershi.
— Shell-ça yê está aqui?
— Tu a conheces?
— Sim, eu a conheço, Mehi. Que canalha!
— Não sou canalha, Iafershi!
— Estou me referindo a Laribor, Mehi Laresh. O maldito ia entregar a própria neta ao grande Mago. Eu o ouvi prometendo-a, Mehi!
— Por que, Iafershi?

— Ora, Shell-çá yê, segundo o grande Mago, é uma Meha portadora de um poderoso mistério e isso interessa tanto a ele que até prometeu elevar Laribor ao grau de Mago como recompensa.

— Shell-çá realmente é uma Meha Ach-me yê, pois isso eu vi na fonte cristalina.

— Vamos, apressemo-nos ou será tarde, Mehi!

O Mehi Selmi Laresh ficou preocupado com o que acabara de ouvir e não mais relutou em sair da ilha. Afinal, se aquele caído sabia que Shell-çá era uma lach-me yê, deveria estar dizendo a verdade. Às pressas, reuniu sua família para fugir da ilha. Assim que decolaram, Iafershi lançou um projétil contra a entrada da caverna e a explodiu, destruindo provas que pudessem revelar a fuga deles. A seguir, projetou a nave a grande velocidade e os levou para bem longe dali. Em pouco tempo, chegaram ao extremo sul do Continente e aterrissaram em uma ravina onde havia uma construção multimilenar abandonada.

— Aqui estareis seguros e ocultos até que eu vos auxilie a anular a luz dos vossos Tronos... e deixar de ser cobiçados pelos malditos caídos no mal da vida eterna no plano material.

— O que é isso, Iafershi?

— É uma longa história, Mehi. Quando eu retornar, falarei tudo. Ajuda-me a descarregar alguns alimentos para que subsistais, até que eu possa voltar com mais suprimentos e vestes apropriadas para o clima deste lugar.

— Quando voltarás?

— Não sei. Também sou vigiado. Os caídos, em todos os sentidos, desconfiam de todos e uns dos outros. Mas se eu não voltar, é porque terei morrido... então vivei ocultos que nunca virão procurar-vos aqui, neste antigo Templo abandonado, cuja localização só sei porque a Divindade me revelou.

— Até isso foi o Sagrado Mehi Ag-iim sehi lach-me yê quem te revelou, Iafershi?

— Sim, Mehi! Até isso ele me revelou. E amparados pelo poder natural dele, todos vós ficareis aqui até que eu possa retornar. Toma, fica com minha arma e usa-a, caso seja preciso. Guarda também esta carga extra, pois não se sabe o que o futuro vos reserva. Eu te mostro como se troca a carga desta poderosa arma e como deves fazer para disparála corretamente.

Depois de instruir Laresh, Iafershi retornou ao grande Templo da Luz Negra, já mais tranquilo quanto ao futuro dele.

Muitos dias se passaram antes que ele retornasse ao grande Templo abandonado. Quando voltou, trouxe roupas e alimentos suficientes para muitos meses, pois o inverno logo chegaria.

Laresh recebeu-o com alegria, mas apreensivo.

— Relaxa, Mehi. Está tudo bem e ninguém desconfiou que fui eu quem te ajudou. Além disso, Laribor desconfia de que foi traído pelo Mago maldito e o Mago acha que foi Laribor quem o traiu. Triste será a sina deles nas trevas!

— Estão erigindo um mundo de ilusões, não?

— Um mundo falso, Mehi.

— Fala-me desse novo mundo que ainda desconheço, Iafershi.

— Vamos sentar-nos, pois longa será nossa conversa, Mehi Selmi Laresh.

Quando Iafershi deu por encerrado tudo o que deveria transmitir-lhe, Selmi perguntou:

— Então Laribor está irreconhecível?

— Está, sim. Ele não aparenta mais que uns quarenta anos de idade, Mehi.

— Quando o vi pela última vez aparentava uns oitenta anos de idade, Iaferhi.

— Eu já vi muitos velhos remoçarem até os vinte anos de idade.

— Que loucura! Se isso for verdadeiro, contraria todas as leis da Natureza.

— Esta é a nossa missão, Mehi: destruir esse elixir e todos os que conhecem o segredo de fabricá-lo, custe-nos o que custar. Família, vida, nada nos deverá deter. Nem amores, Mehi! Usando de meus recursos, descobri que Cinaref tinha ordens do grande Mago de te seduzir e de te afastar de tua função de Mehi e Mago auxiliar. Mas Laribor ainda não havia caído. Ele só se perdeu após ter desterrado a própria neta. Creio que ele não resistiu à ideia de ser arrastado para as trevas humanas após desencarnar e tornou-se um escravo dos Magos caídos, os quais também estão temerosos quanto ao que os aguarda após a morte.

— Tomaste o tal elixir, Iafershi?

— Não.

— Mas ousarias tomá-lo?

— Se for necessário, até isso farei, Mehi. Meu Regente não impôs limites nos meus procedimentos, desde que eu cumpra meu juramento de eliminar da face da Terra essa afronta ao Criador.

— Como age o elixir, Iafershi?

— Não sei ao certo. Mas o fato é que ele atua no núcleo das células e renova todos os tecidos em pouco tempo. Quem o inventou descobriu o mistério mais oculto da Lei Maior. E só podem ter sido os auxiliares do demiurgo encarnado, ou o próprio, ao que tudo indica. Mas isso descobriremos... antes de morrer.

– Esse mistério, se estudado a fundo, pode levar a outras descobertas mais assustadoras, não?

– Pode, sim! E algum maluco pode tentar criar novas formas de vida, achando-se superior ao Divino Criador!

– Que loucura, Iafershi!

– Junta-te a nós nesta luta, Mehi Laresh!

– Dá-me algum tempo para meditar, está bem?

– Reflete, mas volta a ativar teus poderes mentais e consulta os Regentes da Natureza, por favor!

Aquele estranho havia surgido em sua vida de forma intempestiva e, aos poucos, estava envolvendo-o com revelações assustadoras, levando-o a refletir sobre um novo mundo, onde os homens iriam assumir o próprio destino. E se não estava enganado, pressentia que o futuro seria pior do que as profecias revelavam. O Mehi Laresh recordou-se das revelações do Mago da Luz Cristalina e, aos poucos, reviu a mancha negra que tanto o assustara. Sacudiu a cabeça para afastá-la imediatamente, mas, à noite, voltou a sonhar que dela lhe chegava um chamado assustador: "Ajuda-me, Mehi Selmi Laresh! Vem cuidar dos teus caídos!". Quando conseguiu despertar daquele pesadelo, estava com o corpo gelado e banhado de suor.

– Que horror, Sagrado Iá-yê! Eu me via como um Mehi natural, Guardião deste Templo, quando ele ainda se encontrava em plena atividade. Como isto é possível? Será que estou delirando ou retornando ao meu passado? E aquele salão? Quando amanhecer, vou vasculhar as ruínas para saber o que elas ocultam.

Ao amanhecer, ele apanhou uma tocha e entrou no velho e abandonado Templo, procurando indícios do que vira no sonho. Depois de avançar bastante, deparou-se com o primeiro sinal de que ali havia muitos mistérios ocultos... à sua espera. Cauteloso, examinou tudo com muito cuidado e atenção, só retornando à claridade do dia quando a tocha deu sinal de que ia apagar-se.

– Onde estava? – perguntou Shell-çá.

– Vasculhando o interior desta construção, querida. Esta noite sonhei que, aqui, bem neste lugar, já fui um Mehi natural que recepcionava os iniciantes encarnados e que aqui vivi por milênios.

– Não foi influência da conversa com aquele homem estranho?

– É possível, mas, por que o Sagrado Mehi Ag-iim sehi lach-me yê mostrou este Templo a ele e lhe ordenou que nos trouxesse para cá?

– É muito estranho, não?

– Vou levar várias tochas de reserva comigo e tentar encontrar o recinto mais oculto deste Templo, querida.

– Cuidado para não seres picado por alguma serpente escondida nestas ruínas, querido. Já vi algumas aqui fora.

— Tomarei cuidado. E quanto a ti, cuida das crianças para que nada aconteça, está bem?

— Ficarei atenta. Mas não demores!

— Assim que encontrar o que procuro, retornarei.

Selmi encontrou coisas muito interessantes à medida que descia para níveis inferiores, os quais foram descobertos quando atravessava uma passagem semiobstruída por trepadeiras espinhosas. E só não desceu mais porque a última de suas tochas estava chegando ao fim. Voltou para junto de Shell-çá, mas prometeu a si mesmo que, no dia seguinte, adentraria ainda mais nos níveis subterrâneos daquele Templo. Enquanto comiam, contou a Shell-çá que havia descoberto um ótimo esconderijo onde nunca seriam encontrados.

Quando dormiu, novamente reviu em sonho tudo o que vira na noite anterior, e muito mais: via-se como um Mehi Ag-iim-sehi lach-me yê que ali recebia oferendas e ungia iniciações. Dominou seu medo e procurou entender o que lhe estava sendo mostrado. Então, começou a ver a si mesmo com nitidez. Via-se sustentando um ponto de força e seres naturais encarnarem e caírem no lado negativo do ponto de força que guardava, e que as quedas aconteciam em razão dos desequilíbrios emocionais e racionais e das deficiências conscienciais. Via milhares, talvez milhões, de espíritos caídos clamando por auxílio, mas se sentia impossibilitado de conduzi-los ao lado positivo e luminoso do ponto de força guardado por ele, um Mehi Ag-iim sehi lach-me yê, o Senhor de um Trono celestial.

Ao acordar, ainda era noite. Então ficou a contemplar o céu estrelado até que o dia raiou, tal como fazia quando vivia na ilha.

Quando Shell-çá acordou, ele já havia preparado o desjejum separado alimentos e tochas para passar o dia todo no interior da imensa construção.

— Já vais recomeçar a busca, querido?

— Vou.

— Por que estás tão triste, Mehi?

— Esta noite vi a mim mesmo, neste Templo, ungindo os Mehis iniciantes e vi milhares de espíritos que se tornaram negativos ainda no corpo carnal e que foram atraídos para o lado negativo do ponto de força guardado por mim. Já fui um Mehi Ag-iim-sehi lach-me yê, Shell-çá!

— Não foi tua imaginação que te induziu a sonhar isso, querido?

— Foi tudo muito real para ser induzido pela imaginação, Shell-çá. Dominei meu medo e acompanhei tudo como se estivesse acontecendo esta noite mesmo.

— Cuidado, querido! Tudo isto, este Templo e como aqui chegamos, é estranho e assustador.

— Sinto que voltei ao lugar onde sempre estive. Isto aqui, de alguma forma, me pertence. Hoje devo encontrar a câmara mais oculta deste antiquíssimo Templo, que deve estar abandonado há séculos ou milênios.

— Toma cuidado!

— Não te preocupes senão com nossos amores e partes de nossas vidas, querida!

O Mehi Selmi Laresh penetrou nas ruínas e, em pouco tempo, alcançava o nível em que havia chegado no dia anterior. Deixou ali uma tocha ardendo e iniciou a descida para os níveis mais inferiores. No terreiro nível encontrou uma colossal biblioteca; no quarto, grutas cavadas nas pedras que serviam de túmulos; no quinto, câmaras que deviam ter servido para iniciação ou recolhimento dos iniciados; no sexto, um amplo salão cavado nas rochas cristalinas. A chama da tocha refletia nas paredes e iluminava o amplo átrio, pois milhares de pequenos cristais refletiam o fogo que ardia. Finalmente, ele viu um pórtico que, com certeza, o conduziria à câmara mais oculta daquele Templo.

Percebeu as irradiações poderosas que ali vibravam e o medo voltou a incomodá-lo, mas resolveu decifrar o enigma de sua vida e dirigiu-se, resoluto, até o pórtico. Abriu uma das folhas da porta e entrou na câmara mais oculta. O que viu assustou-o mil vezes mais do que quando sonhava com milhares de espíritos clamando por Lu-ci-yê-fer. Toda a câmara era revestida de uma espessa camada de quartzo hialino e, através dela, ele viu milhões de espíritos clamando por ele, o Mehi Selmi Laresh!

Sentiu seu espírito ser arrancado do corpo carnal e ser puxado para dentro daquele horror humano. Milhões de espíritos imploravam, aos seus pés, sua ajuda, seu amparo e sua força para que os resgatasse. Olhou mais adiante e viu a mancha negra bem próxima. Mais e mais a mancha aproximava-se dele e, em um momento, seu espírito foi envolvido por ela. Quando viu o que estava oculto dentro dela, ele emitiu um grito de pavor.

Aqui abro mais um parêntese para que o próprio Mehi Tranca-Ruas revele o que ele viu naquele momento:

> "Niyê he, irmão de destino, senda, Lei e Vida, a ti falo, neste momento, sem a interferência do Mehi Benedito de Aruanda. O que vi dentro daquela mancha escura assustou-me tanto que, se fosse possível, eu teria "morrido" em espírito. Vi o poderoso Lu-ci-yê-fer, o demiurgo que se havia humanizado além da conta e assumido o destino dos caídos, dos iludidos, dos desequilibrados e dos perdidos

no meio dos caminhos. Vi um ser celestial humanizado e um ser humano bestificado com ou pelos erros humanos. Vi o horror de um ser horrorizado, o pavor de um ser apavorado e o desespero de um ser atormentado pelos vícios humanos. Entendi que aquela mancha negra não passava de energias negativas irradiadas por espíritos humanos caídos nos vícios de seus negativos.

Refazendo-me um pouco do susto inicial, perguntei-lhe:

— Por que me tens atraído, demiurgo caído?

— Vem assumir o destino dos teus, Mehi Selmi Laresh.

— Quem são os meus, demiurgo?

— Eles são os que eu tenho sustentado na dor, enquanto tu só pensas em vivenciar teus amores.

— Como posso assumi-los se nada sei sobre eles, demiurgo dos caídos?

— Clamando ao Criador que te conceda a oportunidade de amparar os teus, Mehi Sehi yê, pois os caídos no lado negativo do ponto de força que guardavas, agora estão sendo sustentados por mim.

— Eu os assumirei, demiurgo, mas, antes, vou consultar meu Regente natural, senão acontecerá comigo o mesmo que contigo aconteceu e serei só mais um a atormentar-te com minha dor.

— Assume os teus, Mehi Sehi lach-me yê!

— Só depois de consultar meu Regente natural, Lu-ci-yê-fer! Ou faço isso conscientemente ou logo me tornarei em mais um dos teus tormentos! Ou não são estes caídos tormentos para ti?

— Tu os iniciaste, Mehi Sehi yê! Eles são teus!

— Consultarei meu Regente antes, demiurgo caído. Caso ele me ordene que o faça, não tenhas dúvida, eu o farei! Com tua licença! Vou voltar ao meu corpo carnal no plano material para poder consultar meu Regente natural.

— Não me abandones, Mehi. Precisas assumir os teus, pois foste tu que recebeste a iniciação deles!

— Sustenta-os até que eu aqui retorne, Luciyêfer!

— Farás como todos os outros, Mehi Sehi yê. Tentarás fugir às tuas responsabilidades e abandonarás os teus!

— Se eles são meus, aqui voltarei e os assumirei, demiurgo, mas só o farei conscientemente, pois não desejo tornar-me em mais um dos teus tormentos humanos.

— Se não retornares aqui conscientemente, inconsciente te atrairei, Mehi Sehi yê!

— Farei o que meu Regente determinar. Se ele ordenar que eu volte aqui e recolha todos os espíritos, cuja iniciação recepcionei, então o farei, Luciyêfer! Isto eu prometo, pois não acho justo que sejas atormentado pelos espíritos caídos que a mim foram confiados. Sou parte responsável pela queda deles e não fugirei às minhas responsabilidades! Eu te prometo!

– Tu prometeste, Mehi Sehi yê!

– Prometi, Lu-ci-yê-fer! Aguarda e verás que não fugirei às minhas responsabilidades. Com tua licença!

– Licença concedida, Mehi Sehi yê!

Conscientemente, retornei ao meu corpo carnal e, pouco a pouco, via parede de cristal hialino voltar a ser o que era: uma câmara cristalina onde, no passado, eu havia recebido a iniciação de milhares, talvez milhões, de encarnados, dos quais muitos haviam caído no lado negativo do ponto de força regido por mim, um Mehi Ag-iim-sehi Lach-me yê, um Ogum Sete Lanças, como tu o conheces no ritual de Umbanda Sagrada.

Eu havia me reencontrado conscientemente com o meu passado e com o meu elo perdido. A partir dali, deveria religar-me com o meu Regente natural e descobrir como resgatar os "meus". O estranho daquele encontro é que não fiquei perturbado ou desequilibrado emocional e mentalmente, Niyê he. Eu havia entendido que tinha responsabilidades com os caídos e que deveria encontrar um meio de resgatá-los das trevas da ignorância.

Meu outro temor também desapareceu. Luciyêfer, o temido demiurgo caído, já não me assustava. Havia entendido que, se ele tentava atrair-me, não era para destruir-me, anular-me ou perverter-me. O que ele desejava era que eu assumisse minha parcela de culpa pela queda dos espíritos desequilibrados e que recolhesse os meus que eram regidos pelo meu Regente natural. Enfim, ele queria um Mehi apto a auxiliá-lo na sustentação de tantos espíritos caídos nas trevas da ignorância. Ajudá-lo-ia, pois, se havia recebido oferendas e espíritos haviam confiado suas iniciações a mim, eu teria de fazer algo por eles.

Niyê he, observa este detalhe que explica as iniciações: quem as recepciona, no astral, automaticamente torna-se responsável pelo destino dos iniciados e terá de auxiliá-los durante suas evoluções. Muitos dos famigerados "demônios" do inferno, petrificados em domínios sombrios, nada mais são do que antigas Divindades que recepcionaram milhões de espíritos e, não suportando o chamado dos que caíam, sucumbiram diante do horror humano e em horrores acabaram tornando-se. Os imbecis encarnados, acostumados ao escapismo, não atentam para isso e julgam que as Divindades vivem nas delícias do paraíso. Mas a verdade é bem outra, pois são responsáveis pelo destino de todos os que por elas são recepcionados. Falando por mim, e só por mim, posso revelar-te que, quando o Divino Mestre Jesus Cristo desceu aos infernos, eu fui um dos hierarcas que o acompanhou em sua descida e assumi um mistério que me habilitou a recepcionar os cristãos que caíssem nos meus domínios, nas trevas da ignorância.

Aqui devolvo a palavra ao Mehi Benedito de Aruanda, M. L."

O Mehi Laresh retornou à superfície, subindo uns 50 metros ou mais e com a certeza de que já não temia o lado escuro do astral.

Após ouvir Selmi, Shell-çá perguntou:

— Mehi, tens certeza de que tudo isso realmente aconteceu?

— Quando estava regressando ao meu corpo, eu o vi caído ao chão e o observei por um bom tempo antes de retornar a ele. Mas, para ter certeza, quero que vigies meu corpo enquanto projeto meu espírito no astral para confirmar se Iafershi realmente não está mentindo para nós.

— O que tens em mente?

— Vou projetar-me até o grande Templo e confirmar se o Mehi Laribor realmente rejuvenesceu.

Mehi Laresh concentrou-se e projetou-se no astral. Em pouco tempo, dominou a arte de deslocar-se. Fixou sua mente em Laribor e volitou até onde sua mente o conduziu, pois a projeção astral é um deslocamento mental que pode ser controlado.

Quando viu Laribor jovem, teve a certeza de que o estranho havia dito a verdade. Então aproveitou para ouvir o que Laribor falava com um outro Mehi. Os dois tramavam desestabilizar emocionalmente um Mestre Mago até que pudessem dominá-lo e submetê-lo aos seus desejos de poder. Mas algo inimaginável aconteceu para Selmi Laresh.

Sentiu-se envolvido por uma rede e arrastado para um lugar escuro. Imediatamente uma horda enfurecida o agarrou e o agrediu com violência. Quando o largou, ainda envolvido por aquela estranha rede, não conseguia volitar. Além de sentir-se muito fraco, também sentia dores em todo o corpo espiritual.

Muito tempo já havia passado no plano material desde que se projetara e Shell-çá começou a ficar preocupada. Sacudiu o corpo inerte dele e nem um sinal obteve. Assustada, auscultou seu peito para certificar-se de que não havia morrido. Depois de muitas tentativas para despertá-lo, ela o cobriu bem, pois a noite estava fria, e pôs-se a orar. Shell-çá passou a noite toda vigiando o corpo do marido. Só ao amanhecer adormeceu um pouco, mas logo foi acordada pelo choro da filhinha mais nova. Ainda cansada, amamentou-a, enquanto novas lágrimas correram de seus olhos inchados. Mais tarde, alimentou os outros filhos e retornou para junto do corpo desacordado do marido.

Somente ao entardecer do dia seguinte, Iafershi chegou e, assim que soube o que ocorrera, falou:

– Vou projetar-me no astral e resgatar o espírito de teu esposo, Shell-çá.

– Vou ter mais um corpo a vigiar e a prantear?

– Não te preocupes comigo. De mim os espíritos trevosos não só não ousam aproximar-se, como ainda me temem, pois sou implacável com eles. A última vez que tentaram atingir-me foi a última coisa que fizeram nas suas imundas existências.

– Odeias os caídos, Iafershi?

– Acho que os odeio, sim. Às vezes, tento imaginá-los como desequilibrados, mas quando percebo que só pensam em prejudicar aos equilibrados, revolto-me e aí...

– És implacável, não?

– Sou, sim. Eu os reduzo ao que são: nada!

– Tu odeias, Iafershi! Isso irá prejudicar-te após tua desencarnação.

– Tenho mais com que me preocupar após minha desencarnação, Shell-çá. Agora vou dar uma lição nos canalhas que aprisionaram teu esposo. Os vermes haverão de pagar caro, principalmente porque derrubaram Laribor. Malditos!

Iafershi mal se deitou e já deixava o corpo, seguindo o cordão luminoso que mantinha o espírito do Mehi Laresh ligado ao seu corpo carnal. Em um instante chegou ao lado dele e o libertou da rede que o aprisionava. Recolhendo-o nos braços, retornou ao meio material, mas não o devolveu ao corpo carnal. Preferiu antes energizá-lo para que não desencarnasse em razão do esgotamento energético ocorrido durante o período em que estivera retido na faixa vibratória negativa.

Quando o Mehi Laresh despertou da letargia, Iafershi o acalmou, reequilibrou-o emocionalmente e o devolveu ao corpo carnal. E só retornou ao próprio corpo depois de averiguar que não havia ocorrido nenhum dano irreparável em Laresh.

– Como estás te sentindo, Mehi Laresh?

– Mais uma vez te devo minha vida, Iafershi. Como conseguiste libertar-me daquele lugar horrível?

– Depois te contarei. Agora, que já sei onde se escondem os canalhas que inspiram Laribor, vou dar um fim neles!

– Estás louco? Lá existe uma horda insana, Iafershi!

– Minha lâmina não se incomoda com a quantidade, Mehi. Ela só exige que eu lhe proporcione os "piores", ah, ah, ah!... – e Iafershi deitou-se e projetou-se no instante seguinte, indo acertar contas com os caídos que inspiravam Laribor. Mais ou menos uma hora foi o tempo que ele ficou fora do corpo. Quando seus olhos carnais se abriram, um brilho de satisfação indicava que sua lâmina havia atingido os piores caídos.

— Já te vinguei, Mehi! Aquela horda de caídos não incomodará mais ninguém!

— O que fizeste com eles, Iafershi?

— Eu os reduzi ao que são: vermes humanos. De agora em diante, rastejarão e serão comidos pelos vermes astrais. Ah, ah, ah!... E o mesmo, um dia, farei com Laribor. Quando puser minhas mãos nele, pagará caro por ter voltado as costas ao Sagrado Ag-iim-yê!

— Imenso é teu ódio aos caídos, Iafershi! — sentenciou Shell-çá.

— É maior do que imaginas, Shell-çá.

— Eu te temo, Iafershi. Tu me assustas com tua frieza e implacabilidade para com os caídos. Eles são nossos irmãos, sabias?

— São tão irmãos que, se soubessem como romper o cordão da vida, teu esposo já teria morrido, Shell-çá. E se eu não fosse como sou, o espírito dele ainda estaria nas trevas e, mais alguns dias, o corpo carnal dele se esgotaria e aí...

— Alguma Divindade ouviria minhas orações e libertaria meu esposo!

— As Divindades ouviram tuas orações! Tanto ouviram que o Sagrado Ag-iim-sehi lach-me yê ordenou-me que viesse até aqui, pois o Mehi Laresh estava em perigo de vida.

— Foi ele quem te avisou do perigo que eu corria? — perguntou Laresh.

— O próprio, Mehi! Tu deverias invocá-lo e reassumir conscientemente o teu grau, pois o que aconteceu contigo está acontecendo com milhões de encarnados.

— Tens certeza?

— Absoluta! Os malditos Magos caídos estão abrindo os mistérios das magias negativas aos seus escravos que, despreparados e vibrando negativamente, não atinam com o mal que estão cometendo e ativam as forças mágicas ou o astral inferior contra seus desafetos. Acorda para o novo mundo que começou com o ciclo regido pelo demiurgo caído, Mehi! Religa-te com teu Sehi lach-me yê enquanto é tempo, pois o que provaste é só uma pequena amostra do que nos aguarda na longa e sombria noite que está envolvendo toda a humanidade.

— Eu vi outra realidade, Iafershi. Vi milhões de caídos clamando por auxílio.

— Esses que viste são os tolos e inconsequentes. Mas há outros!

— Os que me encarceraram?

— Sim! São eles, Mehi Selmi Laresh!

– Com o que atingiste aquela horda, Iafershi?
– Com minha espada de Mehi Ia-fer-ag-iim-ior hesh-yê!
– O quê?!?
– O que ouviste, Mehi. E não vou te repetir isto nunca mais! Uso minha espada quando projeto meu espírito para dar combate aos caídos que ousam ultrapassar seus limites ou para romper o cordão da vida de algum canalha encarnado.
– Tu és um Ior-hesh-yê, Iafershi?
– Não vou responder a essa pergunta ou a outra qualquer que se relacione com esse nome, Mehi. Só quis te dar uma prova de que podes confiar até tua vida a mim, que não te trairei e que não tolerarei a traição. Afinal, não estou combatendo inocentes ou tolos.
– Um Iór-hesh-yê! – murmurou Laresh, como se estivesse ausente dali.

Iafershi o sacudiu e o censurou, irritado:
– Cala-te, Mehi! Eu te proíbo de pronunciares novamente esse nome sagrado. Saibas que o ar é um ouvido que tudo escuta. Vai ao encontro do Sagrado Sehi-lach-me yê e assume teu grau conscientemente antes que seja tarde.
– Conduz-me até ele, Iafershi.
– Estou impedido de aproximar-me dele, Mehi.
– Então, como te comunicas com ele?
– Isso não vou te revelar. Apenas te digo que deves reunir-te com ele.
– Eu irei, Iafershi. Depois te direi como foi meu reencontro, está bem?
– Nada me dirás, Mehi. Apenas assume teu grau e, a partir daí, procede como te for ordenado. Quanto a mim, vou afastar-me de vossas vidas para preservar-vos, pois, se me seguirem, acabarão vos descobrindo. E aí...
– Tu me assustas, Iafershi – falou Shell-çá.
– Acho que assusto mesmo, Shell-çá. Mas não precisas temer-me, pois não sou desleal ou falso com os que considero merecedores de minha confiança. Se um dia nos encontrarmos fora deste lugar e em condições adversas, finji que nunca me vistes antes. Negai conhecer-me ou saber quem sou, pois negarei conhecer-vos ou saber quem sois.
– Por que tanta precaução, Iafershi? – perguntou o Mehi Laresh.
– Porque devemos preservar-nos ao extremo até que eliminemos a falsa ilusão da vida eterna no corpo carnal.
– Usaste o plural. Então, outros também estão lutando contra os cultuadores da vida eterna na carne?

— Vai ao encontro do Sagrado Ag-iim-sehi lach-me yê, Mehi. Agora vou retornar para junto dos vermes e...

— E...? – perguntou Shell-çá.

— E tornar-me mais um sobrevivente entre eles, pois, só assim, os iludirei e conquistarei sua confiança. É estranho tudo isso...

— Por que, Iafershi?

— Os vermes caídos e viciados têm tanto medo de revelar que já não são seres humanos que não confiam em pessoas confiáveis. Que tempo horrível para entrar no ciclo reencarnatório! Ah! meu Sagrado Ia-yê, em que noite sombria lançaste teus servos mais dedicados!...

Os olhos de Iafershi ficaram brilhantes e, sentindo tornar-se emocionado, despediu-se e partiu. Já sem ele por perto, Laresh comentou:

— Iafershi se mostra frio e implacável, mas tenho certeza de que só se mostra assim porque está fazendo algo que outro não ousaria fazer e nem aceitaria conscientemente.

— Acho que ele não voltará aqui, querido. Veremos...

O Mehi Laresh precisou de alguns dias para recuperar-se fisicamente e, quando já se sentia bem foi até o ponto de força onde se invocava o Sagrado Ag-iim-sehi lach-me yê que, a partir de agora, reduziremos para Ag-iim-sehi yê ou Senhor Ogum Sete Lanças.

— Por que demoraste tanto em vir até mim, Selmi Laresh? – foi a resposta que obteve à saudação à Divindade natural.

— Desde que me julgaram um caído, tenho fugido de meus deveres, Sagrado Sehi yê. Imploro tua compreensão e teu perdão a este relapso servo da Lei e da Vida.

— Nunca mais confundas tuas dificuldades humanas com teus deveres ancestrais, Mehi Ag-iim-ior-hesh-yê!

— Estou aqui para religar-me com o meu passado ancestral e servir-te, Senhor meu.

— Projeta teu espírito para a dimensão espiritual, Mehi Laresh.

Assim que o fez, Laresh foi amparado pelo Sagrado Ag-iim-sehi-yê que, com uma poderosa irradiação de energia, envolveu-o com um denso plasma luminoso e o conduziu a várias dimensões da Vida, onde seres naturais viviam e evoluíam. Em cada dimensão, Ag-iim-sehi yê comentava sobre as coisas que mostrava ao Mehi Laresh, que tudo via e ouvia no mais absoluto silêncio. Depois de ter visto e aprendido o suficiente no lado positivo das dimensões, onde evoluem os seres naturais ou os encantados da Natureza, Ag-iim-sehi yê conduziu Selmi de volta à dimensão espiritual humana.

— Por que me mostraste todas essas coisas, Sagrado Sehi yê?

— Quero que tenhas uma fonte de referências para que possas comparar os procedimentos, Mehi Laresh. Com as referências, não sucumbirás diante de teu dever para com o Sagrado Ior-hesh-yê. Agora prepara-te, pois vou te conduzir às dimensões negativas, para onde seres naturais, que se tornaram negativos durante suas evoluções, foram enviados e lá permanecem. Dê-me tua mão direita, que te sustentarei energeticamente durante todo o tempo que lá permanecermos. Caso sintas precisar de mais explicações, pergunta-me, sim?

– Sim, Senhor.

O Mehi Laresh foi conduzido às dimensões negativas e ficou impressionado com tudo o que viu.

– Por que isto é assim, Sagrado Sehi yê?

– Estes são os seres que se tornaram emocionáveis em todos os sentidos e foram afastados das dimensões positivas.

– Eles estão condenados para todo o sempre?

– Não, mas permanecerão aqui pelo tempo que for necessário, até que seus emocionais se esgotem.

– Vendo isto, começo a ter dúvidas sobre a perfeição da Criação, Ag-iim-sehi-yê. Que horror!

– Tens dúvidas quanto à Criação ou ao Criador, Mehi Laresh?

– Estou confuso. Mas...

– Tu as tens quanto ao Criador, correto?

– Sim, Senhor.

– Saibas que os recursos do Divino Criador são infinitos e infinitos são seus objetivos. Logo, a Criação não atende a um só objetivo e, assim sendo, o Criador tem reservado outro meio apropriado para estes seres.

– Mas estes seres vivem assim, sem regras, leis, ou quem responda por eles?

– As regras são outras e as leis atendem a outros princípios, pois estas dimensões servem a outros objetivos do Criador. Quanto à guarda delas, existem Divindades que respondem pela ordem aqui existente, ainda que ela não seja, na aparência, a mesma que observaste nas dimensões positivas. Mas saibas que tu e todas as criaturas têm em seus negativos afinidades energético-magnéticas com estas dimensões.

– Temos?

– Têm, sim, Mehi Laresh. Todas as tuas vibrações positivas alcançam as telas planetárias positivas e todas as tuas vibrações negativas chegam até estas dimensões negativas.

– Se minhas vibrações forem negativas, elas chegarão a todas estas dimensões que já visitamos?

– Não. Cada sentimento vibrado está dentro de um padrão próprio. E em uma escala, o ódio vibra em um padrão e a inveja vibra em outro. Isto faz tuas vibrações de ódio refletirem na tela captora de uma dessas dimensões, enquanto que as vibrações de inveja refletirão em outra dimensão.

– Por que isso é assim, Sagrado Sehi yê?

– Na Natureza, cada coisa obedece a um fim e cada criatura é um ente individual em si mesmo, em todos os sentidos. Mas, em meio a essa individualidade, estão os objetivos maiores do Criador, o qual, de estágio em estágio, vai reunindo seres afins entre si, em dimensões ou planos que, em uma visão mais abrangente, atendem à Vontade Divina e a planos não cognoscíveis. Portanto, temos de compreender as coisas a partir deste raciocínio: essas criaturas, que assustam os seres humanizados (os espíritos), podem significar para outros seres apenas animais de estimação, tal como tu os possuías quando vivias no grande Templo. Lembra-te deles, Mehi Laresh?

– Lembro-me.

– Desde que atentes para esse raciocínio, encontrarás explicação para tudo o que estás vendo e entenderás que essas criaturas não são aberrações da Natureza. Elas apenas atendem a outros objetivos do Criador e destinam-se a outras dimensões, onde outras criaturas vivem e evoluem. Cada dimensão é um estágio preparatório para outro estágio posterior. Estas dimensões que estamos visitando são campos próprios do estágio em que essas criaturas vivem e é apenas mais um de uma série infinita de estágios já vivenciados e, ao mesmo tempo, é o primeiro estágio preparatório de uma série infinita que ainda vivenciarão. Nada é estanque na Criação e na Natureza, Mehi Laresh.

– Compreendo. Em um momento, estamos juntos de seres semelhantes a nós que, por vibrarem outros sentimentos, seguem outro rumo, correto?

– Isso mesmo, Mehi Laresh!

– Já tenho uma ideia meio vaga do que me tens mostrado e ensinado, Sagrado Sehi yê.

– Passemos para outras dimensões da Vida, Mehi Laresh.

Após Selmi visitar todas as dimensões que o Sagrado Senhor Ogum Sete Lanças reservara para que as conhecesse, ele foi conduzido a cada uma das Divindades cósmicas que regiam aquelas dimensões nada humanas, mas que atendiam aos planos superiores do Divino Criador. Sempre se surpreendendo, o Mehi Laresh foi conhecendo os mistérios que as Divindades cósmicas são em si mesmas, pois são sustentadoras da Vida e ordenadoras dos processos evolutivos daquelas dimensões.

Aqui usamos a palavra "cósmicas" como sinônimo de negativas. Assim, Divindades cósmicas são mistérios de natureza energético-magnética negativa, que ordenam dimensões onde as energias que as formam são altamente atraentes e densas, se comparadas às energias sutis que circulam no plano material. Mover-se nelas é como andar dentro da água, enquanto que, nas dimensões positivas, é como que se nos movêssemos no ar e sem a gravidade que nos torna pesados.

Mas o Mehi Laresh estava envolto por uma aura plasmada pelo Senhor Ogum Sete Lanças e volitava com a mesma facilidade como quando o fazia no plano espiritual.

Quando tomou conhecimento de tudo o que lhe fora reservado, foi conduzido de volta ao ponto de força no plano material, regido pelo Senhor Ogum Sete Lanças, o qual recomendou-lhe muitas reflexões e meditações sobre tudo o que lhe fora mostrado.

— Assim farei, Sagrado Sehi Lach-me yê! Mas eu gostaria de saber a razão de teres aberto esses mistérios da Vida para mim.

— Tu aceitaste conscientemente auxiliar o mistério cósmico Luciyêfer, não?

— Sim, aceitei! Porém, impus como condição uma consulta ao meu Regente natural. Só depois dessa consulta estarei em condições de saber se posso e devo fazer isso.

— Retorna aqui em sete dias para um novo encontro, Mehi Laresh. Agora volta ao teu corpo carnal.

— Sim, Senhor Sagrado Ag-iim-sehi lach-me yê.

Após saudar o Sagrado Sehi lach-me yê, ele se dirigiu ao grande Templo abandonado, onde sua família o aguardava. Shell-çá, por causa dos últimos acontecimentos, estava aflita.

— Não te preocupes comigo, querida. Tudo está bem e nada mais nos irá incomodar. Religuei-me ao Sagrado Ag-iim-sehi lach-me yê.

— Assim espero, porque os últimos dias foram de angústia, querido. Conta-me alguma coisa que possa alegrar-me.

Mehi Laresh calou-se e nada revelou a Shell-çá. Afinal, como revelar-lhe que começava a julgar o plano material um paraíso, se comparado com as dimensões negativas? Como lhe revelar que descobrira, ou melhor, que fora apresentado a Divindades Regentes tão poderosas quanto o poderoso demiurgo caído Luciyêfer? Ela só iria ficar mais perturbada se lhe revelasse que o horror que o assomara quando foi aprisionado por espíritos caídos não se comparava a nenhum dos pavores que presenciara. Como lhe revelar que os seres humanos que se desumanizam, caem em um padrão vibratório energético-magnético afim com aquelas assustadoras dimensões negativas, ligando-se a elas automaticamente por meio de seus emocionais desequilibrados? Como lhe revelar o que conhecera, se tudo era desconhecido? Como lhe descrever corpos humanos com várias cabeças ou cobras com duas, três ou mais cabeças, que eram verdadeiras hidras? Como lhe descrever dimensões, cujas vibrações são tão poderosas e cujas energias são tão deletérias para os espíritos humanos que, se forem lançados nelas, serão tão atormentados que em tormentos se tornarão?

O Mehi Laresh não havia aprendido magias. Na verdade, ele havia sido conduzido pelo Senhor Ogum Sete Lanças às fontes energético-magnéticas dos processos de magias negativas, vedadas aos espíritos humanos, mas em franca expansão no plano material por causa da ação nefasta dos grandes Magos caídos.

Como lhe revelar uma boa-nova, se pressentia que algo doloroso o destino estava lhe reservando? Como lhe revelar que logo ele iria tornar-se um ser parecido com Iafershi, o frio e insensível executor do Sagrado Ag-iim-ior-hesh-yê? A única coisa que lhe ocorreu naquele momento foi abraçá-la com ternura.

No dia seguinte, Laresh desceu ao subsolo do Templo abandonado e dirigiu-se à grande biblioteca empoeirada, à procura de livros não mais existentes no plano material no estágio em que se encontravam os encarnados. Encontrou vários livros que abordavam o lado negativo dos pontos de força e suas correspondências multidimensionais no todo planetário. Aos poucos, foi descobrindo que, a partir do lado negativo dos pontos de força, era possível ter acesso a outras dimensões negativas, muitas das quais ele havia conhecido pessoalmente, em espírito. Estudou a fundo tudo o que achou que se relacionava com os mistérios negativos e suas correspondências energético-magnéticas com os vícios humanos. Analisou profundamente antiquíssimos livros ocultos, só acessíveis aos grandes Magos que ali viveram em um passado distante, e obteve um manancial preciosíssimo de conhecimentos, chegando mesmo a estabelecer uma linha de raciocínio para desvendar certos procedimentos humanos inexplicáveis à luz da razão.

O Mehi Laresh aprendeu tanto a partir do que viu e estudou desde que se religou ao Senhor Ogum Sete Lanças que parecia ter amadurecido milênios em poucos dias.

Shell-çá notou as transformações que ocorriam em seu esposo e sabia, ou pressentia, que era isso que o Regente ancestral de Laresh queria que acontecesse. Quase podia sentir a presença do divino Ag-iim-ior-hesh-yê naquele Templo abandonado. E até as crianças, antes tão falantes, estavam meio caladas naqueles dias.

Foi com surpresa que Shell-çá viu uma perigosíssima serpente, bem próxima de sua filha de três anos, afastar-se e sair dali assim que Laresh olhou para a rastejante, pronunciou algo indecifrável e lhe ordenou que saísse e levasse consigo, para longe, todas as serpentes que ainda estivessem nas ruínas do Templo.

Ao ver dezenas de víboras mortais rastejarem apressadas para bem longe das ruínas, teve a certeza de que forças poderosas estavam manifestando-se em seu amado esposo. E muito mais o amou, pois sentiu que ele se encontrava sob grande pressão.

Viu Laresh pousar a mão esquerda sobre a picada de escorpião no pé de um de seus filhos e, em seguida, correr um sangue escuro e cessar o mal-estar do menino. Observou-o pousando a mão direita no ventre de sua filha mais velha enquanto ela dormia e centenas de longos vermes (lombrigas) serem evacuados por ela, sem que ao menos emitisse um gemido. Presenciou seu esposo realizar certas coisas, que seriam impossíveis a um mortal comum e até a um Mehi Templário. Viu-o pedir licença às árvores frutíferas antes de colher seus frutos e pedir licença também à terra antes de abrir sulcos para depositar nela sementes de alimentos que desejava cultivar.

Ele estava transformando-se tanto que, até para amá-la, ele pedia licença. E quando a tocava era tão meigo e carinhoso, que ela passou a amá-lo mil vezes mais.

No sétimo dia, Selmi retornou ao ponto de força regido pelo Sagrado Ag-iim-sehi-lach-me yê. Após a invocação e a realização da oferenda ritual, foi novamente guiado e, desta vez, para conhecer o lado negativo dos pontos de força regidos pelo divino Ia-fer-ag-iim-ior-hesh yê, o divino Guardião Ogum yê que, no ritual de Umbanda Sagrada, é conhecido como o Senhor das Demandas.

Sempre conduzido pelo Sagrado Ag-iim-sehi yê, conheceu o lado negativo de todos os pontos de força do divino Guardião, o qual não se resume só à dimensão humana, pois o divino Guardião também guarda outras dimensões, além da nossa.

Foi apresentado a todos os Mehis Ag-iim-lach-me yê, Guardiões do divino Ag-iim, que são mistérios em si mesmos porque têm atuação planetária e alcance multidimensional, além de abarcarem muitos níveis energético-magnéticos.

Aprendeu que nenhuma ação deixa de ser captada pela tela refletora planetária e multidimensional, que é conhecida como tela de Ag-iim yê ou tela da Lei.

Recebeu, em espírito, uma espada simbólica de cada um dos Mehis Ag-iim yê. Quando foi conduzido ao Trono Iá-fer ag-iim-ior-hesh yê, depositou diante do divino Guardião Ag-iim yê cada uma das vinte e uma espadas no seu devido lugar, pois são vinte e um os Mehis Ag-iim-lach-me yê, ou vinte e um são os mistérios de Ogum yê: sete para o alto, sete para o meio e sete para o baixo.

E vinte e uma lanças lhe foram apresentadas pelo divino Guardião para que ele recolhesse uma e a tomasse para si. Como descobrira que já havia sido um Mehi Ag-iim-sehi-lach-me yê, que guardava um ponto de força regido pelo divino Guardião, recolheu para si a lança negra, vermelha e branca, que são as cores dos Guardiões da Lei no lado negativo dos pontos de força. O Sagrado Guardião fundiu as 21 espadas depositadas à sua frente, transformou-as em uma única espada e a entregou ao Mehi Selmi Laresh yê, que a recebeu diretamente das divinas mãos do divino Guardião. E, quando a prendeu na cintura, sentiu que um poderoso campo energético-magnético formou-se em torno de seu corpo espiritual. A seguir, foi reconduzido ao corpo carnal, no qual os 21 Mehis Ag-iim-yê o aguardavam para saudá-lo pela sua religação com o divino Guardião, estando ainda vivendo no corpo carnal. Foi saudado e saudou cada um deles. Dali em diante, atuaria em todos os campos regidos pelo Sagrado Guardião, ou seja, no baixo ou lado negativo da Vida, e sua atuação estaria fundamentada na dimensão humana, mas suas ações teriam alcance multidimensional.

A partir daquele momento, o Mehi Selmi Laresh yê era um Mehi Ag-iim-mahar-lach-me yê ou um Guardião de Ogum yê, que atua no lado negativo da Vida e que traz em si a força e o poder da Lei nas trevas. Passou a ser um Mehi Mahar ou Guardião das trevas.

Um parêntese para o Mehi Selmi Laresh:

> "Niyê he: 'Mahar', na língua ancestral falada no tempo dos grandes Templos Cristalinos, tem o mesmo significado que 'Exu' no ritual de Umbanda Sagrada: Guardião da esquerda ou das trevas. Na época em que fui ungido com o título de 'Mehi Mahar', o termo 'Exu' não existia. Ele só apareceu no plano material, em solo africano, cerca de quatro mil anos atrás, quando uma Divindade negativa começou a ser cultuada. No decorrer desta minha biografia, saberás como as Divindades positivas e negativas foram sendo incorporadas à evolução humana, mas já te adianto que os Mahar são ancestrais dos atuais Exus da Umbanda, ou mesmo das religiões e rituais africanos. A partir desta informação, recolhe de tua biblioteca os livros que descrevem 'Exu' como ordenador da Criação, etc., pois tal diletantismo não tem fundamento e nem ecoa como uma verdade na Criação. Toda a Criação parte do Divino Criador, pois Nele tudo se encontra e tudo é sustentado por Ele.
>
> Devolve esses livros a quem te deu, pois são disseminadores do mais abjeto abstracionismo.
>
> Mehi Selmi Laresh, Mehi Mahar, Exu Tranca-Ruas".

Aqui fecho o parêntese e volto à história do Mehi Selmi Laresh que, sendo um Mahar, tinha por dever atuar a partir do lado negativo do ponto de força, cujo Trono Regente era o do Mehi Ag-iim-sehi lach-me yê, Senhor Ogum Sete Lanças. A partir dali, aquele lado negativo estava aberto para ele movimentar poderosas forças, caso precisasse.

Retornou ao grande Templo em ruínas, já de madrugada e, para não acordar Shell-çá, ficou observando o firmamento até o sol raiar.

Nos dias seguintes, Laresh voltou a estudar os livros antigos que mais lhe interessavam a fim de preencher algumas lacunas em seus conhecimentos. Esses mesmos livros que agora ele manuseava e que provavelmente nem existiam em Templos mais novos, eram vedados aos Mehis na época em que ele vivia no Templo antes de ser desterrado.

Os meses passaram rapidamente e mais uma filha Shell-çá deu à luz, aumentando o número dos bens divinos que eles tinham na conta de seus amores. Com a abundância de recursos, o Mehi Laresh cultivou uma extensa faixa de terra e proporcionou fartura à sua família. Durante o trabalho com a terra, às vezes via seres da Natureza e com eles ficava a conversar.

Ao entardecer, quando retornava ao Templo, muitas daquelas criaturas graciosas e irradiantes o acompanhavam e ficavam voejando dentro e ao redor das ruínas. E foi com aquelas criaturas da Natureza que ele começou a aprender muitos segredos sobre as ervas, os animais, as águas, o ar, a terra e o fogo. As que mais se encantavam com aquelas companhias luminosas eram Shell-çá e as crianças, que viviam cercadas das mais variadas criaturas elementares. Gênios benfazejos, delicados e carinhosos circulavam pela habitação com tranquilidade e confiança e diziam que os outros seres humanos, que já evitavam, estavam se tornando hostis com os seres naturais e agressivos com a Natureza.

Vários anos se passaram na mais completa paz. Os filhos, instruídos por Laresh, estavam se tornando ótimos cultivadores da terra, enquanto Shell-çá os instruía nas ciências, ensinando-lhes tudo o que aprendera. Os gêmeos, filhos mais velhos, já com dezesseis anos de idade e iniciados pelo pai, acompanhavam Laresh aos pontos de força da Natureza, onde iam sendo apresentados aos seus Regentes naturais e obtendo licença para realizarem oferendas votivas ou propiciatórias.

Ali, na mais perfeita paz, viveriam para sempre, se um acontecimento terrível não os tivesse atingido. Uma horda de esfarrapados e famintos, fugitivos de um grande Templo destruído em uma cruenta batalha, tomou de assalto as ruínas e devastou as reservas de alimentos que o Mehi Laresh guardava para o inverno vindouro. Só não foram trucidados por aqueles fugitivos porque Laresh recorreu à arma que, um dia, Iafershi lhe havia dado. Quase teve de matar para defender sua família, uma vez que aqueles homens olhavam para suas filhas com desejo e lubricidade. Laresh expulsou-os, mas pouco lhes restou do farto depósito de alimentos. A partir daquela ocorrência, foi obrigado a montar guarda todas as noites, e os gênios da Natureza prontificaram-se em avisá-lo da aproximação daqueles homens cruéis. Resolveu expor o problema a Shell-çá e aos filhos:

— Vamos ter de nos mudar para algum lugar seguro. Eu vivo aos sobressaltos com qualquer barulho nas proximidades. Sempre penso que vamos ser atacados novamente.

– Para onde poderemos ir, se só existem florestas à nossa volta?

– Os gênios disseram-me que existe um vale encantador a Noroeste deste lugar. Vamos preparar nossos pertences e suprimentos e aguardar o aviso de nossos protetores naturais, pois nos dirão quando será o melhor momento de sairmos sem que esses canalhas estejam nos vigiando.

Alguns dias se passaram e, em uma noite escura em que chovia torrencialmente, os gênios vieram avisá-los que deveriam acompanhá-los, pois seriam conduzidos em segurança até o vale isolado e distante dali.

– Justo com essa chuva, Mehi? – perguntou Shell-çá.

– Sim, querida. As águas apagarão nossas pegadas e os canalhas não nos seguirão; além do que, eles estão agora recolhidos em umas cavernas mais ao Sul. Quando aqui voltarem, já estaremos longe e em segurança.

– Que vida a nossa, não? Passaremos toda ela fugindo de um lugar para outro só para preservarmos nosso modo de viver isolado do resto da humanidade.

– Nossa vida tem sido boa, Shell-çá. Nossos filhos são bons, educados e saudáveis. A nosso modo, somos felizes, não?

– A nosso modo, sim. Mas, e quanto ao modo em que vivem nossos semelhantes?

– Não podemos retornar ao meio deles, pois fomos desterrados. Lembra-te?

– Não poderemos fugir para sempre. Um dia teremos de enfrentar a realidade à nossa volta e assumi-la, pois também somos parte deste mundo.

– Discutiremos isso quando estivermos longe daqui, certo?

Por volta das dez horas da noite, partiram debaixo de uma tempestade assustadora, sempre guiados pelas criaturas da Natureza, que se moviam com rapidez por entre as árvores.

Ao amanhecer, já se encontravam longe, mas não muito. Foram aconselhados a continuar a fuga até que atravessassem um rio, um pouco mais adiante. Deviam aproveitar a chuva, que não parava, para que o caminho que estavam trilhando nunca fosse descoberto.

O mais difícil para eles foi atravessar o rio, que transbordara com as águas da chuva.

Foi com muito cuidado que o Mehi Laresh atravessou o rio, algumas vezes, levando um filho pequeno de cada vez, enquanto os maiores, que sabiam nadar tão bem quanto o pai, não tiveram problemas para atravessá-lo.

Era meio-dia quando chegaram a uma caverna, onde se abrigaram. Continuava a chover torrencialmente. Shell-çá, esgotada, ainda teve forças para preparar uma refeição fria para todos. A seguir, dormiram profundamente, uns encostados aos outros para se aquecerem debaixo de umas pesadas mantas que, um dia, um estranho chamado Iafershi lhes dera. Dormiram a tarde toda e parte da noite, retomando novamente a caminhada debaixo de uma chuva fina e intermitente. Aquele fuga durou vários dias.

Quando chegaram ao vale, Laresh o contemplou e exclamou:

– Meu Criador! Isto aqui é um lugar encantador!

De fato, o vale era muito lindo, mesmo. O único problema era a acomodação para a família, pois ali não havia cavernas ou ruínas para se abrigarem. Então, debaixo de uma chuva fina, improvisaram uma cabana de madeira para se protegerem.

Após dois dias, o céu limpou totalmente, mostrando o quanto era realmente encantador aquele vale, cercado de altas montanhas, das quais corriam cascatas, talvez das chuvas.

Nos dias que se seguiram, o casal e os filhos mais velhos semearam a terra e construíram uma morada mais confortável, dando ao lugar uma nova aparência.

Em uma tarde, enquanto ajudava o Mehi Laresh a colher frutas, Shell-çá começou a rir muito.

– Qual a razão desse riso, querida?

– Voltamos à alimentação que tínhamos na ilha: peixes, frutas, folhas e raízes!

O Mehi Laresh também riu. Depois comentou:

– Brevemente nossa pequena semeadura dará muitos cereais... e aí, bem, ficarás livre dos peixes por algum tempo.

Dois anos mais se passaram, quando um abalo sísmico foi sentido. E tão intenso foi o terremoto, que o solo fendeu-se em vários pontos, deixando todos muito assustados. Depois de mais alguns abalos menores, tudo voltou à calma. Apreensiva, Shell-çá perguntou ao Mehi Laresh:

– Querido, notaste que, há dias, nossos amigos da Natureza não aparecem por aqui?

– Eu estava tão ocupado com a colheita que nem notei. Agora que percebeste, estou apreensivo também.

– Por quê?

– As profecias. Elas dizem que, quando as transformações iniciassem, todas as Divindades naturais se recolheriam para não assistirem ao desespero que brotaria no meio humano, de tão intenso que seria.

– Acreditas que esses abalos que sentimos sejam o prenúncio das profecias anunciadas?

— Como tu explicas o sumiço de nossos amigos da Natureza? Eles gostam de nossa companhia, não é mesmo?

— Eles gostam de nós.

— Onde quer que tenha sido o epicentro desse abalo sísmico, ele deve ter destruído tudo, pois foi muito forte. E se o centro dele foi ao Norte deste Continente, então a área dos grandes Templos foi arrasada. Vi rachaduras de mais de dois metros, querida!

— Estou com medo, Mehi!

— Confiemos na generosidade de nosso Divino Criador e oremos pelo bem-estar nosso e do resto da humanidade. Reúne nossos filhos, Shell-çá!

Naquele dia e nos subsequentes, todos oraram e realizaram oferendas de louvor.

No sétimo dia, com toda a família ao seu lado, Laresh invocou o Sagrado Ag-iim-sehi lach-me yê que, ao se mostrar, estava com o rosto triste e os olhos lacrimejantes.

O Mehi Laresh reverentemente perguntou:

— Sagrado Lach-me yê, o que está acontecendo para que estejas triste?

— Mehi Mahar Laresh, a Terra, o plano da matéria entrou em convulsão geológica. Os oráculos estão se concretizando e um novo ciclo, regido pelo demiurgo humano, terá início. As fúrias da Lei foram soltas no meio humano e irão confundir a todos e punir a maioria, a qual sucumbirá na hecatombe que alterará toda a configuração da superfície terrestre. Preparai-vos para os dias de lágrimas e as noites de horrores!

— O que isso significa, Sagrado Ag-iim-sehi-lach-me yê?

— Que deves preparar-te para uma nova era, na qual homens se tornarão deuses e as Divindades serão tratadas como escravas ou servas dos humanos.

— Homens se tornando Divindades e Divindades sendo escravizadas por homens? Que horror é esse que nos aguarda, Sagrado Mehi da Lei e da Vida?

— Será o tempo da colheita dos vícios disseminados no meio humano pelos adeptos do abstracionismo, Mehi Mahar. Será um tempo, que já começou, que só os fortes comandarão. Após a hecatombe, ele será cristalizado de tal maneira que teus semelhantes se mostrarão irreconhecíveis aos teus olhos.

— Sagrado Lach-me yê, que o Divino Senhor da Luz nos proteja desse tempo!

— Prepara-te para ser um forte, Mehi Mahar.

— Tenho-me preparado para um estágio superior mas, para um inferior, como me preparar?

– Como posso ensinar-te algo que não vivenciei, Mehi Mahar? Sê forte entre os fortes e sobreviverás!
– Nós te agradecemos, Sagrado Ag-iim-sehi-lach-me yê!
– Do meu ponto de força sempre vigiarei tua jornada humana, Mehi Mahar Selmi Laresh yê!

O Sagrado Sehi Lach-me yê recolheu-se, deixando muito mais apreensivos aqueles seres humanos cultuadores da Natureza e de suas Divindades naturais.

Redobraram os esforços na lida com a terra e semearam um vasto campo para que muitos alimentos pudessem ser colhidos e guardados para o futuro, que já parecia sombrio, ainda que tudo estivesse calmo. Mas o desaparecimento dos seres da Natureza era sinal de que o pior ainda estava para chegar. A colheita foi maior do que esperavam e comemoraram a generosidade da Natureza com várias oferendas e muitas orações de louvor às Divindades. Acreditavam que, pelo menos eles, passariam incólumes aos horrores anunciados. Mas não foi isso o que aconteceu.

O despertar do negativo do Mehi Mahar Laresh

Inicio este capítulo com um comentário do Mehi Mahar Tranca-Ruas:

"Niyê he, irmão de senda e destino, Vida e Lei, guardo em minha memória imortal esse período luminoso de minha vida humana. Tenho-o guardado em meu íntimo como o tempo em que vivi no paraíso... perdido.

Podes até achar que sou um saudosista de um tempo que é o 'meu' passado. Mas nesse período de minha vida cultivei o amor, a fé, as Divindades, o Sagrado Senhor da Luz e o prazer da companhia de seres muito humanos: minha querida Shell-çá e meus oito filhos, um filho e sete filhas, todos lindos, amorosos e respeitadores da Natureza e dos seres que nela vivem, mas em outras dimensões da Vida.

Guardo esse período como meu tesouro humano quando o Criador me mostrou que, se todos O amassem e O respeitassem como nós O amamos e O respeitamos, a vida no plano material seria a mais sublime das dádivas divinas. Pode durar milhões ou bilhões de anos minha jornada humana que desse período não me esquecerei, pois minha vida ia entrar em uma noite de horrores e eu não tinha mais o céu estrelado para contemplar.

A partir de agora, receberás, por meio do Mehi Hesi Guardião da Luz Benedito de Aruanda, a parte sombria de minha história. Não te choques, pois ela também é a história religiosa, cósmica e negativa da humanidade, em que o mais forte não titubeia em aniquilar o mais fraco e não se envergonha de tornar as Divindades suas escravas divinas. Ou não é isso o que a humanidade tem feito?

Enclausuram uma Divindade em uma redoma abstrata e depois a mercadejam como um simples objeto de adoração de alto custo, pois cobram bem caro pelos artigos da Fé. Nos assuntos da Fé é que gosto de atuar, Niyê he. É punindo os malditos, que vendem a Fé, que me realizo como Mehi Mahar ou Senhor Exu Guardião Tranca-Ruas, o fiel executor dos caídos diante da Lei e da Vida, do Amor e da Fé, da Razão e do Saber. É por isso, também, que guardo em minha memória imortal esse precioso período de minha vida, do qual tenho uma comparação e um referencial do que seja a vivenciação das virtudes humanas e, assim, posso julgar ausência de vida nos caídos que passam pelos meus domínios.

Como deves recordar, ontem à noite estive em tua casa e por um instante permaneci no teu Templo mais íntimo. Mas bastou um só momento para perceber que, no mais íntimo do teu ser, ainda vibra a saudade de um tempo que não voltará jamais. Tu também vivenciaste um instante do paraíso perdido, Niyê he. Mas o que todos nós, os humanos, perdemos não foi só o paraíso. Também nós, os Mehis e Mehas, perdemos a 'inocência' humana. Hoje somos como as virgens defloradas com violência e bestialidade: nelas, o sonho do amor transforma-se no pesadelo da dor e, em nós, o sonho de um paraíso transforma-se em um pesadelo infernal porque somos o que somos: Mehis Mahar ou Mehis Hesi e a preocupação de todos nós é uma só: os caídos!

Aqui, o Mehi Hesi Benedito de Aruanda assume novamente minha biografia".

Quando o Mehi Laresh e sua família dormiam, depois de terem realizado as oferendas pela colheita abundante, homens brutais e fortemente armados desceram de várias naves e os acordaram com violência.

– Em nome do Criador! – exclamou o Mehi Laresh. – Por que esta brutalidade com seres amantes da paz?

– Cala-te, imbecil! – Ordenou aquele que parecia ser o líder do grupo de guerreiros. – Onde ocultastes os cereais que acabastes de colher?

– Como sabes que colhemos cereais?

– Passei, por acaso, sobre este vale há algum tempo e vi extensas culturas de cereais. Agora vim confiscá-las em nome do meu Senhor.

– Quem é o teu Senhor?

– Meu Senhor é o grande Mago do Templo da morte, escravos!

– Escravos? Não somos escravos de ninguém, Guardião! Somos livres e donos do nosso destino!

– Éreis, pois agora toda esta região e tudo o que nela existe pertencem ao meu Senhor... até mesmo vós, escravos!

Não é preciso dizer que não possuía-nos vestes para cobrir os corpos, já que as que ganharam muitos anos antes não existiam mais. E a visão dos corpos seminus da esposa e das filhas, a mais velha com menos de 20 anos, despertou desejo naqueles homens brutais. Eram uns vinte e, após subjugarem o Mehi Laresh e seu único filho, violentaram sua esposa e cinco de suas filhas, só poupando as duas menorzinhas, com menos de sete anos de idade.

Foi o horror dos horrores para aquela família acostumada a um respeito humano incomum.

Amarrado e amordaçado, o Mehi Laresh nada pôde fazer para livrar seus amores daquelas bestas humanas. De seus olhos, lágrimas de desespero corriam aos borbotões enquanto se debatia, tentando libertar-se para acudi-las. De repente, um daqueles homens atingiu sua cabeça com um objeto duro e ele perdeu os sentidos, mas recobrou a consciência pouco depois. Continuou a debater-se, impotente, enquanto via, pela primeira vez em sua vida, a brutalidade do sexo humano.

Quando se sentiram saciados, obrigaram o Mehi Laresh e o filho a transportarem para as naves o fruto de suas semeaduras. Quando partiram, levaram as três filhas mais velhas como garantia de que continuariam a cultivar a terra e a produzir alimentos, pois, caso não estivessem ali quando voltassem para recolher outra safra, matariam as três.

Quando o Mehi Laresh viu as naves decolarem e levando suas filhas, seus maiores bens, caiu de joelhos, socou a terra, revoltado e, aos prantos, exclamou:

– Por que, Sagrado Senhor da Luz?

Aqui abro um parêntese para mais um comentário do Mehi Mahar Selmi Laresh:

> "Niyê he, irmão de senda e destino, a brutalidade de que minhas 'vidas', minha esposa e filhas, foram vítimas atormentou-me por incontáveis milênios. Só quem já foi submetido a semelhante tormento pode entender como é doloroso para um homem presenciar sua esposa amada ser violentada. E como fere tão profundamente ver as filhas amadas gritarem de desespero, enquanto malditas bestas humanas as violentam!
>
> Essa dor corta mais fundo que a mais afiada lâmina, pois corta o coração de nossa alma imortal e remédio algum é capaz de curar seus ferimentos, Niyê he!
>
> O coração de minha alma imortal está aberto até hoje, quando recebes minha história em primeira e única mão.
>
> Shell-çá, Si-há-n'iim-yê, meu filho, minhas amadas filhas e eu perdemos nosso paraíso, nossa inocência e nossa alegria de viver naquela noite. Por isso, divido minha vida em duas fases: a primeira

durou até aquela noite, pois ainda acreditava que o mundo não fosse tão cruel como Iafershi o descreveu para mim em nosso último encontro, nas ruínas do Grande Templo. A segunda começou ali, quando descobri que certos tipos humanos tornam o mundo um lugar difícil de se viver. Não imaginas o quanto sofri a partir daquela noite, Niyê he, meu irmão!

É certo que não fomos os primeiros a sofrer aquele horror. Depois de nós, a humanidade tem sido atormentada pela lei do mais forte, a qual subjuga suas vítimas e abre cortes profundos em suas almas imortais. Esses cortes dificilmente são fechados, Niyê he!

Pergunta aos espíritos que, em suas últimas encarnações, foram índios nas Américas. Eles poderão revelar-te como é dolorosa e marcante essa violência, pois as Américas, de Norte a Sul, foram violentadas pelos conquistadores europeus, bestificados pela luxúria e pela ambição. Os vermes que partiam da Europa só tinham em mente duas coisas: encontrar ouro e possuir as nativas, descritas pelos que retornavam à Europa como mulheres ardentes e sensuais. Os próprios governantes estimulavam a partida de milhares dessa canalha humana, pois assim livravam-se da pior espécie que havia em seus reinos.

Aqui tu começas a entender as causas do meu desprezo por certas espécies 'humanas' que classifiquei no início de minha história. São vermes! E como tal devem ser tratados: com nojo e esmagados com a sola das minhas botas!".

Aqui reassumo a biografia do Mehi Mahar Selmi Laresh, o Senhor Exu Guardião das Trevas Tranca-Ruas.

O fato é que ele e sua família foram lançados em um profundo tormento, pois o tal grande Mago do Templo da Morte, que não era outro senão o Mehi Laribor, quando viu as filhas de Laresh, apossou-se delas para seu próprio prazer. Quando soube que duas lindas menininhas virgens viviam em seus domínios, ordenou que os guardas fossem buscá-las para sacrificá-las à sua Divindade protetora. O Mehi Laresh, sabendo do destino que as aguardava, entrou em desespero total e agrediu os guardas que as levariam embora. Mas só conseguiu um corte profundo no peito. Foi acorrentado e levado preso junto com as meninas, que seriam sacrificadas. Aquela horda de caídos havia se instalado justamente no grande Templo abandonado e dado início à formação de um reino totalmente oposto aos dos antigos Templos Cristalinos.

Laribor, rejuvenescido pelo elixir da vida eterna, não reconheceu o velho Mehi Laresh, o qual não ousou apresentar-se, porque senão até a Shell-çá, uma yê, Laribor mandaria prender para extrair dela o mistério negativo que portava. Para minorar seu desespero e acalmar o choro das meninas, os guardas prenderam os três juntos em um cômodo transformado em cela. Laresh acalmou as meninas e refletiu sobre o que o Sagrado Ag-iim sehi lach-me yê lhe havia recomendado: "Sê um forte e prepara-te para o mundo novo que já chegou!".

Aos poucos, foi relaxando. As meninas adormeceram. Então projetou seu espírito ao espaço, mentalizando Iafershi: se ele ainda estiver vivo, ouvirá meu clamor!

De fato, Iafershi estava vivo, mas, em vez de mais velho, estava mais moço.

– Ele caiu! – pensou de imediato.

Mas, observando-o por algum tempo, descobriu que Iafershi ainda estava possuído pela ira contra os cultuadores da vida eterna no corpo carnal. Esperou que adormecesse e tocou seu espírito, retirando-o do corpo carnal.

– Quem és? – perguntou ao Mehi Laresh que, após responder à pergunta, teve a espada que Iafershi empunhava afastada do pescoço.

– Tu, em espírito, só andas com essa espada na mão, Iafershi?

– Devias saber que sim, Mehi! Estou sendo atacado, todas as noites, por hordas de seres infernais libertados das esferas negativas pelos malditos caídos que dominaram as chaves de acesso a elas e que, agora, libertam hordas e mais hordas desses seres poderosos. Só minha espada encantada para combatê-los!

– Há muito tempo, conquistei uma semelhante à tua. Mas desde que voltei ao corpo carnal, nunca mais a vi em minha cintura. E olha que saí muitas vezes do corpo só para ver se ela reaparecia junto ao meu espírito.

– Ah, Mehi! Como desconheces uma coisa dessas?

– Que coisa?

– Essas espadas encantadas ficam em uma posição tal que se tornam invisíveis, sabias? Olha o que acontecerá com a minha quando eu guardá-la na bainha, que também é encantada.

Quando viu o que acontecia, Laresh exclamou:

– Então ela sempre esteve comigo!?!

– Esteve, sim, Mehi! Se a ganhaste das mãos do Sagrado Ior hesh yê, ela será tua por toda a eternidade e só tu poderás tocá-la, pois, se alguém mais a empunhar, será fulminado. Se a tirarem de ti segurando-a pela lâmina, tu a ativarás mentalmente e a lâmina fulminará quem a estiver segurando. Caso a tirem de ti com ela na bainha, bastará elevares tua mão até certa altura e pensares nela que, no mesmo instante, ela se deslocará do lugar onde se encontra e virá até tua mão, mesmo que a tenham levado para outra dimensão! Mas se a confiares a alguém, ela permanecerá em repouso até que tu a queiras ou a peças de volta. Se a presenteares a alguém de livre e espontânea vontade, esse alguém se tornará o senhor do encanto que a anima e poderá usá-la até contra ti mesmo. Logo, não a dês e nem a confies a ninguém, certo?

— Certo! Isso faz sentido!

— Outra coisa: nunca volites sem estar com o cabo dela em tua mão, pois, com isso feito, será impossível alguém romper o cordão que te mantém ligado ao teu corpo carnal, em repouso. Além disso, poderás fulminar qualquer imbecil que ousar atentar contra tua mobilidade.

— Como descobriste tudo isso, Iafershi?

— Outros Mehis e Magos me instruíram, Mehi Laresh. Isso tem evitado que me arrastem, em espírito, para as trevas ou para alguma dimensão negativa, onde determinadas invocações mágicas ressoam e ativam mistérios inimagináveis aos encarnados comuns.

— Como está indo tua missão?

— Bem, eu diria, mas temos travado combates em várias frentes.

— Imagino que sim. Tomaste o tal elixir?

— Ou eu o tomava ou seria morto, pois o envelhecido Iafershi era muito conhecido dos Magos caídos e foi traído por um perverso Mehi que não resistiu aos chamados do maldito demiurgo caído.

— O que aconteceu com ele?

— Primeiro o amaldiçoei; depois, bem, aí…

— Compreendo. Tens tua missão e morrerás combatendo os adeptos da vida eterna no plano material, certo?

— Outra missão se incorporou a esta, Mehi. Agora também combato os cultuadores das Divindades negativas.

— Foi por isso que vim a ti, Iafershi. Só me ocorreu te procurar quando vi Laribor jovem e praticando sacrifícios a uma Divindade dessa natureza.

— Laribor? Eu ouvi certo, Mehi Laresh?

— Ouviste, Iafershi. Vem comigo que te mostro onde o canalha se estabeleceu.

— Não! Antes vou retornar ao corpo e aí tu me acordas, senão estarei inconsciente ao despertar meu corpo físico e não saberei se foi tudo verdade ou somente um sonho. Assim que eu reassumir meu corpo carnal, acorda-me gritando em meu ouvido o nome dele, entendido?

— Entendido!

Iafershi retornou ao corpo físico. Quando o Mehi Laresh fez o que ele pediu, deu um pulo e acordou gritando:

— Maldito Laribor! Estás me perseguindo? Sinto que estás por perto, canalha! Mas, onde te ocultas?

O Mehi Laresh mais uma vez gritou no ouvido dele e o despertou para o lado astralino. No instante seguinte, Iafershi já se projetava com sua espada encantada na mão.

– Sou eu, irmão de destino! Laresh! Lembra-te?
– Então não foi um sonho?
– Não foi, não. Eu sei onde ele se esconde.
– Leva-me até ele, Mehi.
– Lembra-te do Templo abandonado onde nos escondeste?
– Foi lá que aquele caído se escondeu?
– Lá mesmo! E formou um domínio só com os caídos que o seguem.
– Então, é por isso que eu não o encontro no plano material e nem no espiritual. Alguma Divindade negativa caída o está ocultando e isolando-o de minha visão.
– Ele sacrificará minhas duas filhas menores à Divindade negativa caída.
– Maldito Laribor! Ele é um exemplo vivo do quanto um ser humano desequilibrado é capaz de cair e regredir. Mas ele pagará caro em afrontar dessa maneira o Sagrado Ia yê! E se eu puder acrescentar minha ira ao preço, aí ele verterá lágrimas de sangue vivo no silencioso mundo dos espíritos mortos. Vamos deslocar-nos até onde o verme está escondido. Quero vê-lo, pois remoçou mais uma vez.
– Isso eu pude comprovar. E por sorte ele não me reconheceu, senão...
– Compreendo. Vamos até o canalha!

Ao chegarem, uma surpresa desequilibrou o Mehi Laresh: Laribor conversava com Shell-çá e a ameaçava:

– Descobri quem tu és, querida "neta"!
– Não acredito que tu sejas meu avô, ser desumano!
– Sou o mesmo Laribor, só que rejuvenesci, pois possuo o elixir da vida eterna. Caso me abras o mistério negativo que trazes em ti mesma, dar-te-ei uma porção do elixir e tu rejuvenescerás tanto que te tornarás uma mocinha!
– Nunca te apossarás dele, Mago caído! Prefiro a morte a revelar-te tal coisa!
– Tua morte não me interessa, Shell-çá, mas talvez a vida de tuas filhas te convença a abrir conscientemente teu negativo para mim.
– Tu estás louco, Mago Negro?
– Talvez, sim! Mas para provar-te que tenho o poder, vou rejuvenescer-te, cara neta. Aí, talvez ,tu abras teu negativo para mim.

Iafershi segurava o Mehi Laresh, impedindo-o de lançar-se sobre Laribor e falou-lhe duramente:

– Chega de te conduzir pelo emocional, Mehi Laresh! Quando usarás teu racional?

– Tu estás vendo o que eu vejo, Iafershi! Como consegues ser tão insensível diante do sofrimento alheio?

– Não sou insensível, Mehi! Apenas conheço e respeito meus limites e recorro às minhas possibilidades, em vez de agir de forma precipitada e inconsequente. Quando ajo, meus golpes são mortais. De nada adianta um ser, em espírito, agredir um ser igual a Laribor.

– Olha! Estão injetando o elixir em minha Shell-çá!

– Volta ao teu corpo carnal, Mehi! Nós já não estamos sós. Pressinto estarmos sendo vigiados por algum ente negativo, trazido até a dimensão espiritual por Laribor. Em teu corpo carnal estarás seguro, mas não soltes o cabo de tua espada encantada e finge adormecer, pois, com certeza, o canalha ou canalhas tentarão te arrastar para a dimensão deles. Quando se aproximarem, projeta-te para fora do corpo e os atinge com tua espada!

– E se eles fugirem?

– Depois que os vires, eles poderão ir para o outro lado do Universo que tu os atingirás com as energias que tua espada encantada irá irradiar, o que será mortal para eles.

– Como poderei prever a aproximação deles?

– Recolhe tua vibração bem próxima do ponto neutro, que pressentirás a aproximação de qualquer padrão vibratório. E o padrão vibratório deles é bastante alto, pois quase consigo localizá-los, mesmo estando escondidos.

– Vou tentar.

– Tua vida, teu espírito e tua família estão em perigo, Mehi! Por isso, não tentes, mas, sim, luta racionalmente, pois não és um ser comum. És um Mehi!

– Sim, sou um Mehi, Iafershi, e possuo um lado negativo que sempre mantive adormecido, mas que está acordando no mais íntimo de meu ser.

– Desperta teu negativo por meio da razão, Mehi Laresh! Faze isso ou em breve não serás diferente de Laribor. Nosso negativo, se se tornar emocionável, tende a nos transformar em monstros horríveis e assustadores. Nunca te esqueças disto, Mehi Laresh! Ser um Mehi Mahar não nos dá o direito de nos tornarmos emocionáveis!

– És um Mehi Mahar, Iafershi?

– Não falemos de mim, certo? Eu te proíbo, Mehi Mahar!

– Tua espada encantada é Mahar na mão esquerda, mas na direita ela é Hesi. Isto significa que...

– Que, se mais alguma coisa disseres ou pensares, usá-la-ei contra ti! E agora volta ao teu corpo carnal e faze tua parte, Mehi Mahar Laresh. Está na hora de honrares o grau com o qual foste ungido. Vai! Vai e deixa o resto comigo! – ordenou Iafershi.

O Mehi Laresh ficou a noite toda em repouso absoluto e nenhum ente se aproximou dele. Só adormeceu após o dia clarear. Tinha de aproveitar para dormir durante o dia para ficar alerta ao anoitecer.

Em um outro lugar, bem distante dali, Iafershi preparava um grupo para atacar Laribor e quem mais estivesse por trás dele, já que a experiência indicava que ele era apenas o instrumento de algum verdadeiro Mago caído, ou mesmo de alguma criatura negativa muito poderosa, trazida para a dimensão espiritual por meio de magias negativas. Por isso, reuniu-se com vários Mehis iniciados na origem, iguais a ele, e traçaram um plano de ampla envergadura e do mais profundo alcance.

À noite, voltou a reunir-se com o Mehi Laresh no astral e comunicou-lhe que deveria acalmar-se e aguardar mais alguns dias, já que estava sendo difícil formar uma legião de guerreiros leais para invadir o domínio de Laribor.

– Em três dias minhas filhas serão sacrificadas, Iafershi. Se não atacares até lá, então já não haverá pressa para mais nada!

– Estás enganado, Mehi Laresh! O canalha já sacrificou outras crianças e, se nada for feito, tuas filhas não serão as últimas vítimas desse demente.

– Mas elas são as "minhas" filhas, Iafershi!

– O mesmo disseram outros pais, Mehi. Portanto, sê racional, está bem?

– Iafer...

– Mehi! – atalhou Iafershi com rispidez. – Eu sei o quanto estás perturbado, mas temos de ser objetivos em nossas ações!

– Em quantos dias achas que reunirás teu corpo de guerreiros?

– No máximo, uns quinze... penso eu.

– Tanto assim? Aí já será tarde até para Shell-çá!

– Nós estamos guerreando contra vários Templos ao mesmo tempo sabias? Não é fácil sustentar vários combates de uma só vez.

– Está certo, Iafershi. Vejo que tens mais com que te preocupares do que com duas crianças inocentes...

– Milhares de vidas estão sendo ceifadas neste momento, Mehi. Mantenhas tua mão no cabo de tua lâmina encantada e tudo estará bem contigo, até que te libertemos, certo?

Os dois se despediram e marcaram novo encontro para a noite seguinte, mas Iafershi não retornou ao corpo carnal. Projetou-se para dentro de um cristal de quartzo transparente, em cujo interior e em outra dimensão vários Mehis o aguardavam. Mentalmente, começaram a se comunicar:

— O ente negativo estava vigiando-nos novamente, irmãos. Ele projeta uma irradiação que tem a capacidade de chegar até nós e captar nossos pensamentos, sentimentos e qualquer tipo de vibração humana. Creio até que essa criatura possa projetar-se sem sair de seu esconderijo.

— Essa é uma das piores de se destruir, irmãos. Temos de atuar em vários campos ao mesmo tempo e bem ajustados em nossos movimentos, senão ela fugirá de nós – falou um dos Hesi ali reunidos.

Outro falou:

— Já infiltrei guerreiros nos arredores do Templo de Laribor, que está acolhendo todos os fugitivos dos Templos que estamos atacando. Nossos homens logo estarão misturados aos internos e, no momento certo, um grupo atacará por dentro e outro por fora. Laribor não nos escapará desta vez!

— E quanto à criatura? – perguntou Iafershi.

— A Meha Hesi Há-ci-let-yê já foi admitida entre os caídos do Templo. Tu irás com um novo grupo que lá infiltraremos. Ela os introduzirá no interior e tu, no momento do sacrifício, projetar-te-ás e destruirás essa entidade negativa, já que só naquele momento ela sairá do esconderijo para receber sua sangrenta oferenda.

— Estarei sozinho?

— Não! Há-ci-let-yê também se projetará e te auxiliará. Vós tereis de achar um jeito de manter vossos corpos carnais protegidos durante os momentos decisivos. A entidade não se mostrará senão nos segundos que antecederão aos sacrifícios. Logo, só agiremos quando a lâmina do sacrificador for levantada. Terás somente alguns segundos para aprisioná-la, Iafershi.

— Esta vida de sobressaltos e escassez de tempo me emociona! Uma só falha e tudo se perde!

— Esta é a nossa vida, Mehi Hesi! – exclamou um dos Mehis ali reunidos, e que outro não era senão o Lach-me yê, que se mostrara ao Mehi Laresh. Ele era o Ag-iim-sehi yê que guiava aquele grupo de Mehis Hesi encarnados, com suas faculdades espirituais e mentais abertas em todos os sentidos.

Recorriam aos cristais de quartzo para se reunirem porque, na dimensão cristalina, nenhuma vibração ou onda mental exterior e negativa conseguia penetrar, e as vibrações e ondas mentais deles não podiam ser captadas a partir de qualquer das outras dimensões, até mesmo da humana.

Assim que toda a estratégia foi detalhada, cada um volitou de volta ao corpo carnal, enquanto o Hesi Lach-me yê ali permaneceu.

Na noite seguinte, conforme o combinado, Iafershi encontrou-se com o Mehi Laresh, que foi logo comunicando:

— Shell-çá yê rejuvenesceu e está a ponto de ceder às ameaças de Laribor!

— Verei o que posso fazer por ela, Mehi. Acalma-te, senão porás tudo a perder.

— Quando vós atacareis o Templo?

— Apressei os preparativos e, se tudo correr bem, no final da próxima semana já começaremos a nos deslocar em direção ao Sul.

— Até lá nós já estaremos mortos, sabes?

— Acredito que Laribor não vos matará. Só sinto nada poder fazer quanto às duas que irão sacrificar. Mas o Sagrado Ia-yê cuidará delas, Mehi! Por isso, não importa o que aconteça. Mantém-te no mais absoluto silêncio. Não emitas sequer um suspiro mais emotivo. Tens de ser, entre os fortes, o mais forte de todos, pois de teu silêncio dependem tua vida e a minha e assim poderei te ajudar.

— Pedes o impossível, Iafershi! Minhas filhas serão sacrificadas! Tu não sabes o que isso significa para um pai?

— Já tive filhos picados por serpentes encantadas por Magos negros e outros dois tiveram seus espíritos arrancados do corpo carnal enquanto dormiam. E nunca mais os vi. Tive esposas que me traíram e traíram o Sagrado Ia-yê. Logo, não me venhas com emotividades, certo? Estamos em uma luta, onde o que menos conta são os nossos sentimentos.

— Tu és frio, Iafershi!

— Mas sou eficiente, Mehi. E tu? És eficiente o bastante para anular teu emocional nos momentos mais críticos, a ponto de não te deixares trair nem por um simples olhar ou suspiro emotivo? Lembra-te de que naquele Templo há somente pessoas fortes, muito fortes. Todas são sobreviventes de um mundo de horrores, Mehi!

— Bestas-feras, queres dizer.

— Talvez sejam, mas sobreviveram anulando seus emocionais. Faze o mesmo e sobreviverás. No final, tripudiarás sobre os fortes caídos, Mehi Mahar Selmi Laresh. Só os realmente fortes não se deixam trair, em momento algum, pelos seus emocionais.

— Estás insistindo tanto nesse assunto! Tens algo a ocultar-me?

— Volta ao teu corpo carnal e procede, de agora em diante, como um forte, Mehi! Voltaremos a nos encontrar aqui mesmo, na noite do sábado da próxima semana, quando te revelarei o dia em que atacaremos aquele Templo do Mal. Até lá, não me procures, pois tenho de comandar o ataque a um Templo que está resistindo aos meus guerreiros. Assim que acabarmos com aqueles caídos, reunirei todos aqui e aí, e só aí, avançaremos para o Sul.

– Será tarde, Iafershi.

– Nunca é tarde para um Mehi. Temos todas as sombras da noite à nossa espera, sabias? Por isso, aprende a ver sem teres de fixar tua visão em nada ou em ninguém. E saibas como captar, em um rápido cruzar de olhos, tudo o que não pode ser dito ou explicado. Torna-te um verdadeiro Mehi Mahar, Selmi Laresh!

– Tentarei.

– Não tentes. Torna-te, e pronto! Até à noite do sábado da próxima semana, Mehi!

– E quanto às minhas filhinhas?

– Ora ao Sagrado Ia-yê para que Ele as ampare na carne e as proteja, em espírito.

Depois de reassumir o corpo carnal, o Mehi Laresh começou a chorar baixinho para não acordar as duas meninas, que logo seriam sacrificadas.

Umas duas horas depois de ter retornado ao corpo carnal, Iafershi vestiu-se igual aos guerreiros do Templo que estava sendo atacado e juntou-se a outros, também vestidos como ele. Alguns estavam feridos e outros só simulavam estar. Todos embarcaram em uma nave que os conduziu até bem próximo do Templo restaurado por Laribor.

As vestes sujas e fétidas e os corpos que eles mesmos sujaram emprestavam-lhes a aparência de verdadeiros fugitivos da guerra travada ao Norte do Continente. Avançaram como se estivessem esgotados e, já nos limites do Templo, foram cercados pela guarda de Laribor. Identificaram-se como guerreiros do Templo da Luz Dourada, já semidestruído pelas forças leais do grande Mago Regente dos reinos Cristalinos, e pediram acolhida, pousada e alimentos.

Os homens de Laribor de nada desconfiaram e, após desarmá-los, conduziram-nos ao interior do grande Templo, alojando-os em uma cela ao lado daquela onde o Mehi Laresh se encontrava.

– Somos vossos prisioneiros? – perguntou Iafershi, que se apresentara como Hefershi.

– Não, Hefershi, mas ficareis aqui até que o poderoso Laribor venha liberar-vos.

– Tens ao menos algo para comermos, Guardião?

– Vou ver o que consigo para vós, mas vou querer uma recompensa depois, Hefershi.

– Só nos restaram nossas vidas, Guardião.

– Eu as aceito!

– Estamos sob tua proteção? É isso?
– Claro, Hefershi! Aprecio guerreiros espertos e agradecidos!
– Não terás outros tão gratos à tua generosidade, Guardião. Teus amigos são nossos amigos e teus inimigos são nossos inimigos. Caso algum esteja te incomodando além dos limites, aponta o tal que nós...
– Aprecio tua lealdade, Hefershi! Vou trazer-vos mais que alimentos! Ah, ah, ah!...

O Guardião saiu gargalhando e Hefershi, ou Iafershi, olhou para o ocupante da cela ao lado, que estava cabisbaixo e com os olhos inchados de tanto chorar. Ao reconhecê-lo como o Mehi Laresh, meditou um instante e disse aos seus companheiros:

– Aqui estamos presos porque desejamos a liberdade!

Aquela frase era uma senha. Todos olharam para ele que, dissimuladamente, lhes mostrou o prisioneiro na cela ao lado e, em uma atitude ousada, perguntou ao Mehi Laresh:

– Eh, companheiro! Tu também fugiste do grande Templo da Luz Dourada, que está prestes a cair?

O Mehi Laresh voltou os olhos para o homem que lhe falava e demorou alguns segundos para reconhecer Iafershi. Mas este se adiantou e falou:

– Sou Hefershi e estes são meus guerreiros! E tu, quem és, companheiro? Afinal, não usas uma veste que te identifique de qual Templo fugiste!

– Hefershi? Tu não...
– Sim. Meu nome é Hefershi. E tu, quem és?

Meio atabalhoado, ele respondeu:

– Sou o Mehi Selmi Laresh.
– A qual Templo serves, Mehi Laresh?
– A nenhum, Hefershi.
– Então não és um Mehi... a não ser que sejas um falso Mehi, certo?
– Só fui destituído do meu grau e posto, Hefershi.
– Onde servias?
– No grande Templo da Luz Cristalina.
– O Templo dos canalhas que estão destruindo o nosso!
– Qual é o teu Templo, Hefershi?
– Agora é este, o qual serviremos. Até dois dias atrás, lutávamos pelo Templo da Luz Dourada, que, se já não caiu, está próximo de uma devastação. Mas... é assim que deixam os prisioneiros?
– Assim como?

— Do jeito que estás: nu em pelo! Ah, ah, ah!...
— Não achei a menor graça, Hefershi.
— Vamos, companheiro! Foi só uma observação espirituosa e nada mais. Sem rancores, certo? Afinal, amanhã é outro dia e poderemos estar combatendo juntos por um mesmo Senhor, não é mesmo?
— Sois mercenários, não?
— Lutamos por nossas vidas e pela de quem nos acolhe e supre nossas necessidades. Somos guerreiros, e dos bons! Não temermos perder nossas vidas, mas não as entregamos antes da hora. Não, se nos for possível evitar. Ah, ah, ah!...
— Eu não confiaria nem minha retaguarda a um bando de degenerados como vós, Hefershi. Vós sois parte da escória que tornou minha vida um tormento, sabias?
— Ouve uma coisa, companheiro. Tentei tornar-me teu amigo, mas isso não te dá o direito de me ofender. Então, cuidado como falas conosco, senão...
— Senão o quê?
— Deixa estar. Na hora certa saberás! — ameaçou-o Iafershi, dando ao diálogo uma aparência de extrema animosidade entre ambos.
— Vamos, deixa de discutir, Hefershi! — sugeriu um de seus companheiros. — Nós também somos prisioneiros neste Templo e não será bom para nosso futuro criar problemas para os senhores deste lugar. Olha nosso estado!
— Está certo. Mas esse canalha não tem o direito de nos ofender impunemente!
— Deixa-o em paz, Hefershi. Já temos muito com que nos preocupar. Ou não achas estranho nos terem prendido em vez de nos auxiliarem?
— É isto mesmo! Talvez tenham mentido quando nos informaram que este Templo acolhia todos os inimigos do grande Templo da Luz Cristalina! — falou outro homem de Hefershi.
— Não! O comandante Hefesher não iria mentir para mim. Não quando agonizava em meus braços. Ele não me iria indicar um Templo aliado dos nossos inimigos!
— Não estou gostando da demora daquele Guardião. Estou sem comer há dois dias! — exclamou outro "prisioneiro".
— Nesta região só há florestas e tu comeste umas frutas. Então, não reclames, pois nem isso comi — falou outro, muito ferido e gemendo de dor. — Vós devereis calar-vos, pois estais tornando mais difícil suportar estes ferimentos.
Todos se calaram e acomodaram-se na cela, mas, de vez em quando, Iafershi olhava rapidamente para o Mehi Laresh para tranquilizá-lo e

animá-lo. Alguns logo adormeceram e o resto do grupo ficou em silêncio. Já se haviam apresentado a quem os vigiava de um privilegiado ponto de observação. A referência ao comandante Hefesher iria abrir aquele lugar para eles, pois, tal como Laribor, ele também era um Mehi caído. Só não revelaram que, três dias antes, durante uma investida secreta contra o grande Templo da Luz Dourada, Hefesher fora degolado por Iafershi e agonizara nos braços de seu próprio executor.

Amanhecia quando o Guardião abriu a cela e, aos gritos, os acordou:

– Levantai-vos, guerreiros!

– Chegou a hora de nossa execução, Guardião?

– Quem te disse que sereis executados?

– Bem, de fome já estamos quase mortos! E se nossos companheiros feridos não forem tratados logo, morrerão!

– Eles serão tratados daqui a pouco, Hefershi.

– Isto significa que...

– Exatamente! De agora em diante, vós me servireis com vossas armas e vossas vidas. Se me trairdes ou desertardes, eu vos matarei pessoalmente, entendidos?

– Não somos de fugir, Guardião! Só abandonamos o Templo da Luz Dourada porque nosso comandante, antes de morrer em meus braços, instruiu-nos a fugir antes que o Templo caísse. Se ele estivesse vivo, ainda estaríamos lá!

– Já não estaríeis, Hefershi. Um ataque desfechado esta noite devastou todo o Templo da Luz Dourada. Segundo informações recém-chegadas, nossos inimigos mataram todos os guerreiros que ainda se encontravam dentro do Templo. Vinde, quero que vejais um companheiro vosso.

Pouco depois, entravam em uma sala onde um comandante do Templo da Luz Dourada conversava com Laribor. Hefershi, ao vê-lo, saudou-o.

– Comandante Guardião!!! O Senhor, por aqui?

– O que fazeis aqui, canalhas desertores? – censurou-os o comandante para, a seguir e aos berros, dizer: – Hefershi, verme maldito! Que fim levou o corpo de guerra do comandante Hefesher?

– Fomos emboscados, Senhor. Só à custa de alguns, que não estão aqui, conseguimos fugir. Nossa nave estava avariada e tivemos de fugir para o Sul, a pé.

– Eu devia degolar-vos por desertardes.

– Só tentamos sobreviver, Senhor. A frente defendida por nós caiu sob o domínio das tropas inimigas. Mas se julgas que não merecemos tua confiança, então, executa-nos!

— De agora em diante, vós lutareis por este Templo, servindo com lealdade e bravura na guerra que se avizinha.

— Estamos no nosso elemento, comandante. Somos gratos por continuarmos merecedores de tua confiança!

Mais tarde, já alimentados e vestidos como guardas do Templo, foram receber as ordens de serviço. O desaparecimento de Iafershi deixou angustiado o Mehi Laresh, que soube sustentar uma falsa animosidade, mas não sabia quais eram os planos para salvar sua família. Ao final da tarde, levaram-no ao primeiro subsolo do grande Templo, onde Shell-çá estava presa. Viu, entre os guardas, Iafershi, Laribor e o comandante de seu exército de canalhas, mas o que mais o incomodou foi rever as filhas levadas como reféns. O estado de prostração em que se encontravam suas queridas filhas demonstrava o quanto já haviam sido maltratadas por aqueles canalhas. Em um ímpeto, correu para junto delas em franco desespero.

Laribor, para atormentá-lo um pouco mais, perguntou a Hefershi:

— Hefershi, há quanto tempo teus comandados e tu não tocais em uma mulher?

— Já nem me lembro mais, poderoso Mago.

— O que achas daquelas, ali?

— Estão um tanto maltratadas, mas até que são atraentes.

— Depois de arrancarmos desta aqui o que queremos, poderás levá-las para tua diversão pessoal.

— Deixa minhas filhas em paz, maldito! Já não te basta o mal que nos fizeste? — esbravejou o Mehi Laresh.

— Ah! São filhas dele? — perguntou Iafershi. — Vou gostar de tê-las só para mim, pois esse idiota ofendeu-me!

— Ah, ah, ah!... São tuas desde já, Hefershi! — exclamou Laribor, ordenando que amarrassem o Mehi Laresh.

Quando já estava amarrado, Iafershi aproximou-se dele e, com sarcasmo, falou:

— Mehi, não te preocupes, pois sei como tratar belas e atraentes mulheres. Cuidarei muito bem de tuas filhas. Ah, ah, ah!... Viste como não deves ofender a quem só deseja ser teu amigo? Agora, a vida de tuas queridas filhinhas está em minhas mãos!

— Malditos canalhas! — esbravejou o Mehi Laresh.

Ofendido, Iafershi puxou de seu punhal, encostou-o na garganta de Laresh e disse:

— Repete! Vamos, repete se não tens amor à tua vida, Mehi! — obrigando-o a calar-se, pois o olhar duro, direto e silencioso estava a dizer-lhe que o melhor naquele momento era aquietar-se e aguardar os acontecimentos.

Laribor afastou Iafershi do Mehi Laresh e ordenou:

— Aqui o único que mata os prisioneiros sou eu, Hefershi! Se te trouxe até aqui, foi por outra razão. Agora, trata de controlar-te, senão porás tudo a perder.

— Perdoa-me, poderoso. Eu já ando um tanto cansado de ser chamado de "canalha" por esse idiota.

— Silêncio! O poderoso Mago da Morte está chegando. Ajoelhai todos! — ordenou Laribor, ajoelhando-se ante a chegada de um sujeito todo vestido de negro e segurando, na mão esquerda, uma assustadora serpente negra.

— Levantai-vos! — ordenou o temido Mago da Morte. — Chegou o momento de arrancarmos desses dois seus mistérios ou sacrificá-los.

O Mehi Laresh observou o Mago e falou:

— Podes matar-nos, Mago caído. Nada extrairás de nós!

— Veremos, Mehi Laresh! Veremos! Quando eu apossar-me de vossos negativos, também vós me servireis com total dedicação e submissão.

— O que tencionas, verme humano? — perguntou Laresh.

— Ou te deixas hipnotizar ou tua preciosa esposa alimentará minhas rastejantes... depois que tirarmos dela o que desejo.

Aquele homem era cruel e só ouvi-lo já incomodava a quem ali se encontrava. Shell-çá, encolhida em um canto, tremia de medo e ficou apavorada quando ele acariciou-a com o rabo da rastejante que carregava, como se fosse um bicho de estimação. Dali, ele afastou-se para um canto isolado e gritou:

— Laribor, traze aqui teu novo escravo!

Iafershi foi até onde estava o Mago e esse lhe perguntou:

— Tens certeza de que és capaz de extrair dela o que desejo?

— Sim, poderoso Mago da Morte. Mas não nessas condições em que ela se encontra. Desse jeito, o máximo que conseguirei será bloquear ainda mais o acesso ao subconsciente dela.

— Por que, se me informaram que tu és o mais eficiente hipnotizador de mulheres?

— É preciso toda uma preparação, poderoso. A mente é algo tão delicado que, se submetida a pressões muito altas, acaba levando um ser a responder o inverso do que desejamos. E se ela é realmente uma yê Meha, em vez de se abrir um negativo controlável, o que teremos é um negativo totalmente fora de controle e, aí...

— Tudo se perde, não?

— Sim, Senhor. Perdoa minha observação, mas eu costumava tratar muito bem quem ia ser hipnotizado. Adquiria uma certa confiança e colocava-o sob minha dependência. Então, quando ele menos esperava, eu o hipnotizava, abria seu subconsciente e chegava ao inconsciente, que é a verdadeira fonte dos mistérios.

— Tenho poucos dias, Hefershi.

— Confia em mim, poderoso. Preciso só de uns três dias, no máximo, para entregá-la totalmente passiva e aberta mentalmente.

— E quanto ao marido dela? O que podes dizer-me sobre ele?

— Talvez, depois de ver a esposa ceder, resolva cooperar. Não posso falhar com ela!

— Vou adiar a execução deles por três dias, Hefershi. Se tu falhares...

— Não falhei até hoje, poderoso. Confio nos meus recursos e métodos de persuasão, se é que me compreendes.

— Faze jus ao teu nome, que te compensarei com um harém de mulheres tão atraentes quanto ela e as filhas, Hefershi.

— Ontem eu achava que meu fim havia chegado, poderoso, mas eu estava enganado. Finalmente vou poder dar plena vazão ao meu poderoso negativo, tão incompreendido e, no entanto, tão humano!

— Mostra-me se teu negativo é tão poderoso como afirmas, Hefershi! – ordenou o Mago Negro.

— Aqui, na frente de todos, poderoso?

— Teu negativo, se é como dizes, não se incomodará em manifestar-se em público.

— Nunca o mostrei assim, poderoso.

— Meu negativo manifesta-se onde, quando e como eu desejo! Olha!

O Mago olhou fixamente para a enorme serpente, e ela, como uma rastejante obediente, deslizou pelo corpo dele, desceu ao solo e foi enrodilhar-se bem entre as pernas da paralisada Shell-çá, que quase desmaiou. Aí o Mago ordenou:

— Desdobra teu negativo, se poderoso ele é, vai até minha escrava predileta e a traze até minha frente, Hefershi. Só assim, com ela sustentada pelo poder do teu negativo, acreditarei que és digno do nome que ostentas: He-fer-shi. Ah, ah, ah!...

— Nunca fiz ou desejei fazer isto antes, poderoso. Uso-o para outras finalidades... menos perigosas...

— Eu sei, mas vou adicionar mais emoção à tua prova de poder, Hefershi.

— Fazer o que me ordenas já me emocionará bastante, poderoso.

– Preciso de estímulos muito mais intensos para emocionar-me. O que achas daquelas três lindas mocinhas?

– O poderoso Laribor presenteou-me com elas, poderoso.

– Elas são tuas, certo?

– Sim.

– Olha isto, Hefershi.

O Mago fechou os olhos e logo saíram, debaixo do grosso manto negro que o cobria, mais três serpentes, não tão grandes quanto a que o esperava. Mas tamanho era o de menos, pois o veneno delas já matava um homem assim que saíam dos ovos onde eram geradas. E ficaram, as três, bem na frente das três filhas do Mehi Laresh, que ia gritar, mas preferiu silenciar para não interromper a concentração daquele encantador de serpentes, que se divertia com o pavor que elas causavam em sua esposa e filhas. Anotou mentalmente o apego dele às serpentes e lembrou-se de uma das dimensões visitadas, quando o Sagrado Hesi lach-me yê mostrava-lhe as dimensões negativas. E pensou: "Este Mago caído deve ter descoberto um meio de manipular um dos mistérios ocultos daquela dimensão e, agora, usa-o para divertir-se. Mas não perde em esperar para conhecer tal mistério a partir do interior daquela dimensão. E isso proporcionarei a ele. É só uma questão de tempo".

O Mago então falou a Hefershi:

– Aí tens algo que tornará muito mais emocionante a tua prova, meu escravo. Se falhares, minha serpente predileta picará a ti e às tuas lindas escravas. O que achas?

– Ontem, eu achava que ia morrer e, há pouco, mudei de ideia. Mas acho que fui apressado, poderoso.

– Não confias no teu poderoso negativo?

– Confio. Mas nossa mente é uma fonte inesgotável de surpresas e algumas delas são desagradáveis.

– Um negativo poderoso, se bem controlado pela mente, nunca nos deixa em má situação, Hefershi.

– Eu confio no meu, poderoso.

– Prova! Então, acreditarei no que o teu comandante me disse, meu escravo, ou... ex-escravo, daqui a pouco.

– Um harém só para mim, certo?

– Isso mesmo, Hefershi!

Ele despiu-se ali mesmo e concentrou-se em todos os sentidos em seu negativo que, daquela forma, nunca antes havia sido provado. Quando o viu nu, o poderoso exclamou:

– Pelas dimensões externas, ele deve ser muito poderoso, Hefershi. Mesmo em repouso, ele já me impressiona!

Sem nada responder, Iafershi, ou Hefershi, continuou sua mentalização e lentamente foi despertando seu poderoso negativo, o qual se mostrou bastante vigoroso para que o Mago dissesse:

– Vou querer assisti-lo quando usares esse teu poderoso dom negativo, meu escravo!

Mais uma vez, Hefershi nada respondeu, mas, quando se sentiu senhor de seu negativo poderosíssimo, abriu os olhos e falou:

– Se tal coisa te proporcionar prazer, então permite que eu escolha minha companhia, poderoso!

– Ela está nesta sala?

– Não, Senhor. Eu a vi muito rapidamente enquanto ceava, mas foi o suficiente para que, ao lembrar-me dela, despertasse todo o meu poderoso negativo, que só repousará caso eu a possua.

– Quem é ela, escravo?

– Ela serviu-me a ceia, poderoso, mas não sei quem é.

– Tu a terás, Hefershi!

– Minha escrava recém-adquirida! – murmurou o comandante que recolhera Iafershi a uma cela.

– Tua ex-escrava, escravo meu! – sentenciou o Mago caído. – Se ele provar que é senhor do poder desse mistério negativo, ela nunca mais vai querer deitar-se contigo depois que ele possuí-la! Ah, ah, ah!...

– Tens certeza, poderoso Mago da Morte?

– Absoluta, escravo. Mas... esperemos para ver se ele é senhor ou escravo desse poderoso negativo, certo?

O Mehi Laresh assistia àquela prova sem piscar os olhos, de tão tenso que estava. Se de um lado a ideia de ter sua amada Shell-çá e suas três filhas entregues a um portador de tão poderoso negativo o assustava, do outro torcia para que ele fosse mesmo o senhor de seu negativo, pois, se falhasse, suas filhas seriam picadas e mortas dentro de poucos minutos. De suas têmporas corriam gotas de suor.

– Estou pronto, poderoso! – falou Hefershi.

– Podes iniciar tua prova, meu fascinante escravo!

Hefershi caminhou até onde estava a serpente, abaixou-se diante dela, concentrou todo o seu poder mental em seu negativo e viu a enorme e gelada serpente mover-se. Shell-çá assistia a tudo pasmada e à beira de um desmaio. Ali, bem diante dela, não mais que um palmo de distância de seu ventre, dois seres poderosíssimos estavam provando que eram senhores de seus negativos. Quando viu a serpente enrodilhar-se em Hefershi, duvidou que ele, já identificado por ela como Iafershi rejuvenescido, fosse capaz de levantar-se sustentando todo aquele peso. Mas o viu fechar os olhos e concentrar-se tanto, que grossos filetes de suor correram de seu rosto... levantou-se, sustentando a serpente sem deixá-la cair, e caminhou com passos lentos até ficar bem em frente do Mago caído, o qual estendeu as mãos, pegou a rastejante, sua escrava predileta, e falou:

– Hefershi, se só a escrava que te serviu à mesa desativará teu negativo, então, enquanto o comandante vai buscá-la, podes trazer minhas outras serpentes escravas?

– Como desejas que eu as traga para ti, poderoso?

– Do mesmo jeito, meu excitante escravo!

– Farei como desejas, meu Senhor!

Hefershi, já banhado de suor, continuou a provar que possuía um negativo poderoso e que era o senhor dele em todos os sentidos, pois, de uma em uma, devolveu ao Mago caído suas outras três mortíferas escravas rastejantes, até que lhe trouxessem Há-ci-let-yê, sua companheira de luta contra os caídos. O Mehi Laresh observou que aquele poderoso negativo continuava a vibrar com vigor, mesmo após todo o esforço despendido. Ora, se por um lado Iafershi havia afastado a morte de sua esposa e filhas, por outro, elas teriam de prová-lo também, pois Iafershi havia dito que até mataria um aliado se isso sua missão exigisse. E ele a estava cumprindo à risca e com todos os riscos que haviam surgido. "Só os mais fortes entre os fortes serão senhores!" lembrou ele. E se o Mago era um forte, ainda que fosse um caído, Iafershi também era tão forte quanto ele. E já estava subjugando-o, pois ficou à espera da tal escrava bem de frente para o Mago caído, um pervertido, a estimulá-lo visualmente com seu vigoroso e vibrante mistério, que o fascinava. Ali dois senhores de seus negativos haviam se confrontado e Iafershi já havia subjugado seu oponente, pois o Mago caído ficou tão excitado com o negativo de Iafershi que até acariciava sua grossa e lisa escrava rastejante, enquanto esperava a chegada da escrava que iria adormecer o vibrante e vigoroso negativo de Iafershi, cujo poder não impressionava só o Mago caído, mas também todos os outros, os quais ficaram no mais absoluto silêncio a admirar tão poderoso mistério negativo. Assim que a escrava entrou, o Mago caído, com voz trêmula e rouca, ordenou:

– Quero que sirvas este meu fascinante escravo, minha fiel e leal escrava!

– Meu senhor... eu...

– Tu te negas a proporcionar-me um pouco de prazer, escrava?

– Não, Senhor poderoso Mago da Morte... mas nunca vi antes nada igual em minha vida!

– Então, além de veres, terás o privilégio de servir a um mistério negativo, escrava!

– Eu... acho que não serei capaz...

– Talvez prefiras servir ao meu mistério negativo, escrava.

– Qual é o teu mistério, meu Senhor?

– Este! – falou ele, apontando para a sua enorme serpente que, imediatamente, levantou sua enorme cabeça, pronta para picá-la.

Sem nada responder, Há-ci-let-yê despiu-se e perguntou:

– Onde devo servir-te, meu Senhor?

– Posiciona-te ali adiante, onde melhor poderei assistir a Hefershi adormecer seu poderoso e fascinante negativo.

Ela olhou para a serpente, ainda a ameaçá-la, depois para Iafershi, e falou:

– Dos males, o menor...

– Não haverá mal algum em servir-me, pois, ao fazê-lo, também estarás sendo servida, bela e encantadora mulher! Tenho certeza de que, no final, não desejarás servir a outro mistério, não neste sentido.

– Tens certeza de que não serei ferida, meu Senhor? – ela perguntou, sem desviar seus olhos dos de Iafershi.

E tudo ocorreu como ele havia dito.

Então, o Mago caído ordenou:

– Vem comigo, Hefershi! Tenho uma surpresa para ti!

Posso saber que surpresa é essa, poderoso?

– Já a verás. Eu ia sacrificá-la esta noite pois ainda é uma virgem, mas teu poderoso mistério será honrado com o sangue virginal que extrairás dela.

– E quanto àquelas minhas escravas? – perguntou ele, apontando para as três filhas do Mehi Laresh.

– Como tu as queres, meu excitante escravo?

– Banhadas e alimentadas, meu Senhor. Detesto mulheres sujas e malnutridas. Desestimulam meu negativo e não resistem ao tempo que preciso para adormecê-lo.

– Laribor, cuida dessas escravas de meu novo escravo – ordenou o Mago caído, já caminhando para a saída da sala. Iafershi o seguiu sem ao menos recolher suas vestes.

Laribor olhou para a mulher ainda deitada no chão suspirando fundo. Depois olhou para o seu comandado e perguntou:

– Ainda a queres, Guardião?

– Depois do que aquele animal bestial fez com ela? De jeito nenhum, meu Senhor!

– Por que não? Temes que, na comparação, ela te ache inferior a ele?

– Eu devia ter matado aquele sujeito assim que o vi aproximar-se de nosso domínio, poderoso Laribor.

– Assim que o poderoso Mago da Morte cansar-se dele, tu farás isso, Guardião.

– Eu espero, meu Senhor.

– Enquanto esperas, leva essa aí também para que ele fique esgotado em pouco tempo. Aí...

– Entendi, meu Senhor.

– Tenho certeza de que, se o suprirmos com seu alimento preferido, logo ele não dominará seu poderoso negativo tão bem como o fez hoje. Então, sugestionarei o poderoso Mago da Morte a exigir que Hefershi carregue uma serpente um pouco maior que aquela que não o deixa um só instante.

– Grande ideia, meu Senhor. O próprio negativo dele, já esgotado, irá matá-lo. Ah, ah, ah!... és o mais astuto Mehi que já existiu ou existirá, poderoso Laribor!

– Não sobrevivi por ser idiota, Guardião! Vai cuidar delas enquanto cuido dos preparativos para invadirmos o grande Templo da Luz Cristalina. Desta vez, acabaremos com nossos inimigos definitivamente e depois dominaremos todos os reinos Cristalinos. E aí... o mundo estará sob nosso domínio.

Há-ci-let-yê, fingindo estar inconsciente, ouviu os planos de Laribor e ouviu também quando o Mehi Laresh perguntou a ele:

– Para que precisas de nossos mistérios negativos, se já tens tanto poder, Laribor?

– Não preciso do negativo de ninguém, Mehi Laresh. Quem os quer é o poderoso Mago da Morte que, de posse deles, dominará o aceso a dimensões negativas poderosíssimas, das quais retirará, via magia, seres poderosos que o servirão por toda a eternidade, tornando-o o mais poderoso dos Magos negativos.

– Isso não leva a nada, Laribor.

– É claro que leva, Laresh. Outros Magos negativos terão de se curvar diante dele e servi-lo ou...

– Serão mortos, não?

– Isso mesmo, Laresh! E sendo ele o mais poderoso de todos, eu serei o Mehi mais poderoso também, pois dominarei todo o planeta!

– Não serão nossos mistérios negativos que vos facultarão isso, Laribor.

– Serão, sim, Laresh. Teu negativo é capaz de paralisar outros negativos e o de Shell-çá é capaz de voltá-los naturalmente contra quem os ativou. Vós vínheis sendo procurados há anos por todos os Magos negativos. Quem vos recolheu daquela ilha?

— Um pássaro enorme, Laribor! Foi um enorme pássaro que lá pousou e de lá nos retirou! Satisfeito?

— Logo, logo tu não darás essa resposta, Laresh. O poderosíssimo Mago da Morte extrairá de ti tudo o que ele desejar, assim que sacrificar tuas filhinhas à Divindade negativa que protege este Templo.

— Se matarem minhas filhinhas, aí sim será impossível arrancar algo de mim, Laribor.

— Não estejas tão certo disso, Laresh. Não depois que o espírito delas for aprisionado na dimensão de onde vem a criatura negativa que protege este Templo.

— Então é esta a razão do sacrifício: chantagear-me?

— No teu caso, sim, mas, em outros, é só para acalmar a criatura.

— Que criatura é essa que precisa ser acalmada com vidas e espíritos humanos, Laribor?

— Ela se alimenta de sangue humano, Laresh. O sangue a vitaliza e torna-a muito mais poderosa e obediente ao poderoso Mago da Morte, servindo-o mais lealmente.

— Que mundo é esse que vós criastes, Laribor?

— Um novo mundo, Laresh. Um mundo onde as Divindades curvam-se diante dos homens e nos servem com lealdade e submissão total.

— À custa da vida de crianças inocentes?

— O que são algumas vidas se as criaturas nos defendem o tempo todo de nossos inimigos? E se até os matam se estiverem fora do alcance de nossas armas?

— Isso é loucura total, Laribor. Melhor terias feito se tivesses te suicidado enquanto ainda eras digno de teu grau de Mehi, pois já não és digno de ser chamado como tal; não tu, um caído em todos os sentidos!

— Também és um caído, Laresh.

— Não em todos os sentidos. Tenho minha consciência em paz e não temo a morte!

— Eu também não, Laresh. Tenho o elixir da vida eterna em tão grande quantidade que nunca morrerei. Junta-te a nós e rejuvenescerás do mesmo modo que tua amada Shell-çá. Aí a terás só para ti para todo o sempre.

— Prefiro morrer a ter de conviver com caídos de tua espécie!

— Veremos quando contemplares, através do cristal, o suplício do espírito de tuas queridas filhinhas, Laresh. Até hoje nenhum pai resistiu ao horror que se apossa dos espíritos enviados para outras dimensões da Vida, onde reinam Divindades negativas.

— Para uma dessas dimensões serás enviado um dia, Laribor.

— Talvez, mas não enquanto eu possuir o elixir e o poder, Laresh.

— Tu enlouqueceste...

– Daqui a pouco, também estarás louco, Laresh.
– Prefiro a morte.
– Ou matar, Laresh. Eu preferi matar do que morrer e tu não és diferente de nenhum outro ser humano. Vem, vou conduzir-te pessoalmente a uma cela muito especial.
– É alguma cela de torturas, Laribor?
– Mais ou menos. Tu serás torturado vendo tua amada e rejuvenescida Shell-çá sendo possuída pelo negativo da mais nova distração humana do poderoso Mago da Morte! Ah, ah, ah!...

O Mehi Laresh olhou para Shell-çá e pediu-lhe:
– Amada esposa e companheira em espírito, não importa a que te forçam. Resiste e fica sabendo que nunca deixarás de ser para mim o que és desde que nos unimos: minha amada esposa e o grande amor de minha vida! Entrega teu corpo, mas preserva tua consciência!
– Ora por mim, amado esposo... e pelos nossos amores.
– Orarei, vida de minha vida!

O Mehi Selmi Laresh, já preso a uma cela "especial" e da qual tinha uma visão quase total de um aposento ao lado, pôs-se a meditar sobre tudo o que Laribor havia revelado, julgando-o já condenado à morte. Rememorou Iafershi despertando seu poderoso negativo e pensou: "É hora de colocar em prática tudo o que aprendi com o Sagrado Hesi lach-me yê e com os livros das sombras que encontrei aqui mesmo, no subsolo deste Templo. Se tenho um negativo tão cobiçado, então vou assumi-lo e usá-lo contra os canalhas caídos.

Ele deitou-se, fechou os olhos como se estivesse dormindo, projetou seu espírito no astral e foi ao encontro de seu próprio negativo. Cerca de duas horas depois, já senhor daquilo que trazia em si mesmo, deu início ao que iria influenciar sua vida de forma tão marcante dali em diante. Projetou-se até o lado negativo de seu antigo ponto de força, do qual havia sido Guardião e, após assentar-se nele, em espírito, e desdobrar seu polo magnético negativo (seu dom negativo ou negativo ancestral, do qual era um em si mesmo, pois descobriu observando Iafershi), ousou o que todos temiam fazer: invocou mentalmente as Divindades Guardiãs das dimensões negativas, pois ali era um lugar neutro onde todas podiam manifestar-se, caso fossem invocadas. Elas surgiram e, a cada uma em particular e a todas ao mesmo tempo, o Mehi Laresh saudou, apresentando-se, e falou:

– Sagrados Guardiões ancestrais dos mistérios negativos, sou servo do Sagrado Ia-fer-ag-iim-ior-hesh-yê, sou um Mehi Mahar da Lei e da Vida e um Mehi Mahar completo desejo ser e servir ao meu Senhor em todos os sentidos, campos, dimensões e planos negativos. Mas quero ser um servo consciente de meus deveres, obrigações, direitos e limites, já que só assim serei e me sentirei um verdadeiro servo.

— Tens noção do que te propões a realizar, Mehi Mahar Selmi Laresh?

— Tenho, Sagrados Guardiões das dimensões negativas e das esferas extra-humanas!

— Ainda tens tempo de desconsiderar esse teu desejo, Mehi Mahar.

— Não é um desejo, Sagrados Guardiões. É minha vontade.

— Por que acreditas que isso que te move é tua vontade e não um simples desejo de acerto de contas pessoal com aqueles que te estão atingindo?

— Eu compreendi que eles, movidos pelo desejo que envolve de forma ampla todos os sentidos negativos, nada mais estão fazendo do que servi-los inconscientemente.

— O que te levou a acreditar que é isso que fazem os humanos caídos sob o domínio de seus negativos?

— Observei atentamente as ações negativas e descobri que, embora aparentemente controlam seus negativos, são escravos de si mesmos, pois desconhecem de onde provém o fluxo de energias cósmicas que os torna tão poderosos e incomuns entre seus semelhantes. E por isso desejam apossar-se dos mistérios negativos dos quais minha esposa e eu somos portadores.

— Sábia descoberta, Mehi Mahar! Eles temem o que manipulam mentalmente e buscam desesperadamente uma forma de neutralizar o fluxo energético que corre intensamente por meio de seus sentidos negativos. Por isso recorrem a processos mágico-energético-magnéticos para deslocar seres pertencentes às dimensões regidas pelos mistérios negativos e guardadas por nós, os ancestrais Guardiões deles. Assim, eles têm quem se alimenta das energias que por eles fluem e equilibrados se mantêm. Mas quando desencarnarem e forem atraídos pelo magnetismo das esferas cósmicas reservadas aos espíritos humanos negativos em seus magnetismos mentais, então não terão como se livrar dos acúmulos energéticos que se formarão em seus emocionais e serão lançados em um tormento desumano.

— E quanto aos que os têm combatido?

— Os que não sucumbirem aos seus negativos serão amparados pelo polo positivo e se manterão equilibrados. E não tenhas dúvida de que todos os espíritos humanos, caídos em seus polos negativos, serão atraídos às esferas cósmicas pela lei das afinidades magnéticas, quer queiram, quer não.

— E quanto ao elixir da vida eterna?

— No plano material nenhum ser vivente é eterno.

— Se assim dizeis, Sagrados Guardiões dos mistérios cósmicos, então estou pronto para servir-vos a partir do ponto de força onde meu negativo se manifesta em toda a sua plenitude energético-magnética e onde consigo manter-me em equilíbrio racional, emocional e consciencial.

— Desejas ser um Mehi Mahar cósmico, Selmi Laresh?

— Sim, Sagrados Guardiões das dimensões negativas e das esferas extra-humanas de polaridades negativas!

— Terás de submeter-te aos ditames da lei que rege os Mehis Mahar cósmicos, Selmi Laresh. Em momento nenhum poderás interferir nas ações humanas negativas, se a ti não for ordenado ou a ti não solicitarem auxílio. Servirás a nós, os cósmicos Guardiões das dimensões negativas e das esferas extra-humanas negativas, a partir do teu negativo e do ponto de força onde está fundamentado teu polo energético-magnético negativo, bem como nunca poderás atingir "pessoalmente" e com teu dom negativo qualquer ser vivente das dimensões guardadas por nós.

— Se assim serei limitado, como fazer para devolver às dimensões cósmicas os seres conduzidos à dimensão astral-humana por meio de processos mágico-energético-magnéticos?

— Nós te dotaremos de recursos extra-humanos para que possas devolver às suas dimensões de origem todas as criaturas que estejam fora delas, desde que a ti seja ordenado ou solicitado. Nunca agirás por conta própria, pois serás um servo e nunca um senhor dos recursos com os quais te dotaremos, caso aceites ser, a partir de agora, um Mehi Mahar Lach-me yê.

— Um Lach-me yê, em mim mesmo?

— Um Lach-me yê, Senhor de mistério em si mesmo, Mehi Manar Lach-me Laresh yê. Só um Lach-me yê pode entrar nas dimensões cósmicas ou nas esferas negativas extra-humanas sem ser desarmonizado pelas energias nelas existentes ou ser repelido ou atacado pelas criaturas que nelas vivem e evoluem.

— Estou pronto para assumir o que tanto tentei evitar, Sagrados Guardiões dos mistérios cósmicos!

— Então, neutraliza teu emocional, Mehi Mahar Selmi Laresh!

Ele neutralizou o emocional e, um a um, todos os Guardiões das setenta e sete dimensões cósmicas dotaram-no de recursos extra-humanos que o transformaram em um Lach-me yê, pois movimentaria mentalmente processos energético-magnéticos poderosíssimos e desconhecidos da maioria dos espíritos humanos. Quando ele se tornou um Lach-me yê, à sua frente foram depositados setenta e sete símbolos de poder, identificadores dos Setenta e Sete Sagrados Guardiões da Lei e da Vida nas dimensões cósmicas. E foi-lhe ordenado:

— Consagra-te por inteiro e em todos os sentidos ao Sagrado Senhor da Luz, Mehi Mahar Lach-me Laresh yê!

Após se consagrar por inteiro e em todos os sentidos, todos aqueles símbolos fundiram-se em um plasma muito denso. Foi-lhe ordenado que estendesse as mãos e recebesse os símbolos sagrados que o identificariam como um Mehi Mahar Lach-me yê. Em seguida, o plasma energético deu forma a uma espada cósmica e a um cetro simbólico, que aqui nos é proibido descrever. Então, ordenaram-lhe:

— Volta-te e submete-te ao teu ordenador Divino, Mehi Mahar Lach-me Selmi Laresh yê!

Ele se voltou e viu-se diante do Sagrado Mehi Ag-iim-sehi Lach-me yê ou Senhor Ogum Sete Lanças, pois "Sehi" significa Sete Lanças e a tradução correta desse nome sagrado é Senhor do Mistério das Sete Lanças Sagradas de Ogum ou, simplificando, Senhor Ogum Sete Lanças. Este, então, falou:

— Mehi Mahar Lach-me Selmi Laresh yê, estás apto a assumir tua primeira lança da Lei e da Vida?

— Estou, meu Senhor.

— Sabes o que significa ser portador de uma lança de Iá-fer-ag-iim-ior-hesh-yê?

— Sei, meu Senhor. Deverei submeter-me, em todos os sentidos, aos ditames do mistério Ag-iim guardado pelo Divino Ia-fer-ior-hesh-yê.

— Serei teu ordenador, servo do meu Senhor. Terás de executar, dentro dos teus limites humanos e dentro dos limites cósmicos a ti concedidos pelos Sagrados Guardiões das dimensões cósmicas, todas as missões que a ti confiarei. E a mim terás de comunicar todos os pedidos a ti direcionados, pois só assim os dois lados do ponto de força do mistério das Sete Lanças da Lei e da Vida permanecerão em equilíbrio energético-magnético.

— Assim será e assim agirei, meu Senhor.

— Se ultrapassares teus limites, os mistérios agora assentados em ti ordenadamente te punirão, servo do meu Senhor.

— Responderei pelos meus atos, meu Senhor, e nunca culparei a quem quer que seja, caso eu venha auto punir-me. Mas se isso acontecer, tudo farei para reequilibrar-me diante da Lei e da Vida, do Sagrado Iá-yê, do Sagrado Ior-hesh-yê, dos Sagrados Guardiões dos mistérios e dos próprios mistérios, os quais, sei muito bem, são manifestações parciais do meu Divino Criador, o Sagrado Iá-yê, Senhor da Luz, da Lei e da Vida!

— Recebe tua primeira lança da Lei e da Vida, servo do meu Senhor. De agora em diante, a cada religião que servires dentro de teus limites, receberás uma lança simbólica que incorporarás a esta que recebes do Sagrado Ia-fer-ag-iim-oir-hesh-yê. Em cada lança tu incorporarás uma cor que, embora seja ainda negra, haverás de torná-la em uma expressão simbólica do Sagrado Arco-Íris.

— O meu Senhor me distingue como um dos seus servos e por mim será honrado por toda a eternidade, Sagrado Iá-fer-ag-iim-sehi-lach-me yê!

— Assim será, Mehi Mahar Lach-me Selmi Laresh yê! Retorna ao teu corpo carnal, pois, a partir de agora, servirás com todo o teu potencial humano ao Sagrado Ia-yê por meio do Sagrado Mistério Iá-fer-ag-iim-ior-hesh-yê. Com tua mente, movimentarás teus recursos e, com tua consciência a guiar-te, recorrerás aos processos mágico-e-nergético-magnéticos mais afins com as ordens que receberás de mim ou os pedidos que a ti serão endereçados por teus semelhantes e não semelhantes, mas também servos da Lei e da Vida, assentados em dimensões não humanas.

Aqui abro um novo parêntese para que o Mehi Mahar Lach-me Selmi Laresh yê faça mais um de seus sapientíssimos comentários:

> "Niyê há, observa que fiz tudo isso ainda vivendo no plano da matéria. Foi uma verdadeira iniciação, pois assumi conscientemente deveres e obrigações diante da Lei e da Vida. Isso, sim, é uma iniciação, pois é o religamento com nosso passado ancestral, quando possuíamos inconscientemente as mesmas obrigações e realizávamos os mesmos deveres.
>
> Muito me incomoda o abastardamento no qual falsos iniciados lançaram os rituais de iniciação. Reúnem-se com alguns tolos, invocam Divindades sobre as quais nada sabem, exceto seus nomes humanos, realizam rituais sem a menor ressonância nas esferas espirituais ou nas dimensões planetárias e, logo que os encerram, saem felizes e crentes de que já estão 'religados' com seu passado ancestral. Mas, algum tempo depois, todos estarão perturbados ou desequilibrados emocionalmente, pois manipularam um mistério que desconhecem.
>
> Alguns tolos iludidos tentam reduzir em sete o número de orixaás dentro do ritual de Umbanda Sagrada, mas tu bem sabes que é outro o significado das Sete Linhas de Umbanda. E também sabes que o Setenário Sagrado é regido por Sete Essências Divinas e que os orixás Regentes Naturais dos pontos de força planetária

servem-se de mistérios, que são sempre múltiplos de sete. Alguns orixás são multiplicados por três, sete, nove ou onze, perfazendo o número de dimensões onde as essências neles refletidas se projetam e se manifestam na forma de mistérios unidimensionais localizados. Os orixás Naturais são refletores dos orixás Ancestrais ou das Sete Essências Sagradas. Uns assumem a forma de mistérios negativos e outros a de mistérios positivos, mas todos são mistérios celestiais ou Tronos regentes da evolução das espécies. Por serem o que são, ou seja, mistérios, regem todos os estágios evolutivos das espécies afins com suas qualidades ou Essência Sagrada neles projetada pelo Setenário Sagrado.

Tudo isso os iniciadores de médiuns da Umbanda desconhecem e é por essa razão que tantos médiuns se afastam de sua religião, que tem quase tudo para religá-los com seus mistérios ancestrais. E é nesse quase tudo que está faltando o conhecimento dos mistérios, Niyê há.

Um bom médium não se forma com a ausência de conhecimentos básicos e fundamentais. E só a boa vontade dos iniciadores não é o bastante para quem irá manipular poderes que nem sequer conhece.

Nos meus limites humanos, a tolerância para com os inocentes é um dos meus recursos e é por isso que raramente me incomoda o despreparo dos médiuns em ativarem ou anularem o mistério Tranca-Ruas. Mas outros mistérios não têm a tolerância como um de seus recursos e reagem com violência quando são invocados por tolos e inconsequentes. Nessas reações é que estão as causas de muitos dissabores por que passam os médiuns umbandistas mal preparados, mas portadores de uma notável vontade de auxiliar seus semelhantes.

Ainda comentarei em profundidade sobre o sagrado e cósmico mistério Exu. Mas já adianto que, entre aqueles Setenta e Sete Guardiões Negativos ou Cósmicos, o mistério Exu é um deles e não todos eles, como falsos iniciados têm divulgado em seus escritos. Mostrarei quando, onde, como e por que a Divindade negativa, o mistério energético-magnético Exu, foi concretizada no plano material, o que chocará os falsos iniciados que pululam no ambiente do Sagrado ritual de Umbanda. Idiotas é o que são, Niyê há, pois tu bem sabes que existem as Divindades cósmicas, tão necessárias e fundamentais às religiões humanas. Com exceção do mistério cósmico Exu, todas elas são mistérios cósmicos, mas não são Exu. Eles não perdem por esperar, Niyê he!

Sou o Mehi Mahar Lach-me Selmi Laresh yê ou Mehi Mahar Selmi Laresh Lach-me yê que, ao assumir no ritual de Umbanda

Sagrada um Trono cósmico, ou seja, Tranca-Ruas, que sustenta um de seus mistérios, perfiz setenta e sete religiões, que já servi ou ainda sirvo como Mehi Mahar Lach-me yê, e conquistei minha setuagésima sétima lança e cor simbólica, adquirindo o grau de Sehi perante o Divino Iá-fer-ag-iim-ior-hesh-yê, o Ancestral Guardião Ogum yê do ritual de Umbanda Sagrada.

Aqui também revelo que o servo da Luz que o Catolicismo cultua como São Jorge é um Sehi Lach-me yê, incorporado ao ciclo reencarnatório pelo Sagrado Ia-fer-ag-iim-ior-hesh-yê para servi-lo no plano material. Naquela encarnação em que serviu ao Mensageiro do Amor e da Fé, ele conquistou o grau de Santo por suas ações humanas. Se nos cantos de Ogum yê São Jorge é invocado como protetor guerreiro, saibas que ele se manifesta com toda a força que o mistério Ogum yê tem no ritual de Umbanda Sagrada, pois Jorge Guerreiro é um Mehi Sehi Lach-me yê, um Guardião da Lei que se tornou um mistério em si mesmo. Ou os idiotas, que deploram o sincretismo religioso, acham que o Divino Ogum yê iria admitir que o identificassem por meio de 'alguém' não afim com sua essência divina? São Jorge Guerreiro é um Sehi Lach-me yê, que traz em sua sagrada lança prateada as setenta e sete cores do Sagrado Arco-Íris da Lei e da Vida, pois foi naquela encarnação, quando defendeu o Cristianismo, que completou seu ciclo reencarnatório e foi reassentado em seu Trono celestial, de onde atende aos pedidos dos espíritos afins com ele, encarnados ou não.

Sei que respeitas profundamente o sincretismo dos santos e santas com os orixás e recomendo que conserves esse respeito, pois se todos eles são Hesi, Hesi Lach-me yê o são em qualquer religião. Entendidos?".

O Mehi Laresh retornou ao corpo carnal e, aí sim, adormeceu profundamente, só acordando quando Laribor o chamou:

– Acorda, Laresh! É hora de assistires ao início da queda de tua Shell-çá!

– O que farão com ela? Vão torturá-la?

– Nada de torturas. Ela cairá pelo prazer, Laresh.

– Ver tua própria neta sofrer e tuas bisnetas serem violentadas por incontáveis pervertidos não te incomodam, Laribor?

– Não tenho tempo para sentimentalismo, Laresh.

– Não é só sentimentalismo. Eu te conheci em um tempo em que eras um defensor das hierarquias. Mas o homem que agora reencontrei está totalmente mudado. Não é mais aquele que me pediu para cuidar de sua amada neta e que ficou muito triste ao ter de deixá-la naquela ilha.

– Tudo estava errado, Laresh. Tu, que crime cometeste quando amaste uma mulher de outra raça, não foi?

– Sim.

– E minha neta? Qual foi o crime que ela cometeu? Só porque sentiu desejos e os realizou com alguém que a agradou?

– Sim, Laribor.

– Aí está o problema, Laresh. Tu poderias ter-se casado com a mulher que despertou o amor em um homem já muito maduro e ela poderia ter tido os filhos em paz que o mundo continuaria a existir sem o menor problema. Nem tu, ela ou eu estaríamos agora, aqui, nos digladiando, destruindo ou odiando. Nós, e eu muito mais, sustentávamos um sistema religioso arcaico e uma sociedade paralisada por dogmas considerados sagrados, mas que, na verdade, eram desumanos, Laresh. Lembra-te do que me disseste quando deixei Shell-çá na ilha, aos teus cuidados?

– Lembro-me, sim.

– Pois é isso. Minhas reflexões levaram-me a me envergonhar de ter desterrado tantos infelizes que só desejavam a felicidade. Eu pensei seriamente em matar-me, Laresh, mas não seria a solução, pois as estruturas arcaicas continuariam a existir. Então, alguém ofereceu-me a possibilidade de alterar aquele estado de coisas. Uni-me aos caídos e dei combate aos poderosos Magos, senhores absolutos das hierarquias estabelecidas há milênios incontáveis.

Recorri ao elixir rejuvenescedor, ativei meu dom negativo, matei, traí, guerreei e alimentei um desejo imenso de mudar o mundo, Laresh. Tenho consciência de que cometi muitos erros perante a Lei Maior. Mas quanto à lei dos homens, sou só mais um elemento humano dentro do poderoso processo que a está modificando. Não é verdade que muitos dos antigos dogmas já não são seguidos, e até mesmo foram reformulados para que os grandes Templos continuem lotados?

– Não tenho contato com o resto da humanidade desde que fui desterrado, Laribor, mas compreendo tua revolta contra o antigo sistema.

– Junta-te a nós, Laresh! Ingerirás uma dose do elixir, rejuvenescerás e ao nosso lado participarás da formação de uma nova ordem planetária, onde cada ser humano será o senhor de seus desejos. Quanto ao fato de eu aceitar qualquer um em meu exército, é porque me faltam homens qualificados e dignos para assumirem os postos de comando e formá-los melhor. Junta-te a mim e terás todo o apoio para formares uma legião de Mehis só tua, Laresh. Assumirás o destino dos grandes Templos que conquistares e imporás leis humanas aos seres humanos.

– Por que essa obsessão em extrair de nós os segredos dos nossos mistérios, Laribor?

– O grande Mago da Morte precisa deles, Laresh.
– Por quê?
– Para defender-se da investida dos idiotas que não querem reformar o mundo; querem apenas apossar-se do antigo poder e reinar de modo idêntico.
– Por que os sacrifícios humanos, Laribor?
– A criatura que sustenta o Mago exige sangue, pois só assim ela se condensa no astral espiritual e o defende da investida de seus inimigos mortais. Mas, se te juntares a nós, tuas filhinhas serão poupadas, compreendes?
– Se não forem elas, outras terão de substituí-las.
– Serão filhas de inimigos nossos, Laresh. Elas só estarão dando sua contribuição humana à mudança do mundo.

O Mehi Laresh olhou Laribor por um longo tempo e depois disse:
– Preciso de tempo para refletir sobre tudo o que colocaste, Laribor.
– Se quiseres, posso impedir que os guardas entreguem Shell-çá a Hefershi.
– O que ele fará realmente com ela?
– Segundo o antigo comandante dele, Hefershi é o melhor que ele já viu na arte de seduzir mulheres e de conduzi-las a delirantes êxtases. E a isso nós dois assistimos, não?
– Assistimos, sim.
– Ele provou que tem domínio sobre seu dom negativo, que é único quando ativado, pois, daí em diante, independe do que possa ocorrer à volta dele.
– Shell-çá será entregue a ele?
– Sim. Ele, não tenho dúvida, extrairá o mistério negativo que, por meio dela, pode ser trazido para os planos espiritual e material, já que está assentado num ponto de força natural.
– Isso é possível, Laribor?
– Sim. O grande Mago da Morte sabe como deslocar o Trono que ela ocupou antes de encarnar. Afastando-o do ponto de força regido pelas Divindades naturais, poderá, daí em diante, manipulá-lo por meio de processos mágico-energético-magnéticos e atingir nossos inimigos em seus próprios domínios, eliminando-os facilmente. É só uma questão de sobrevivência de nossos ideais libertadores, Laresh. Convence-a a abrir o inconsciente ao grande Mago e ninguém mais irá tocá-la. Eu te prometo!
– Quantos guardas já a tocaram nestes dias, Laribor?

– Só uns seis ou sete que se diziam capazes de subjugá-la, mas são uns idiotas incompetentes no que se propõem a fazer.

– São, sim. Eu vi como a deixaram.

– Se tu tivesses concordado, nada disso teria acontecido e vós continuaríeis juntos.

– Certas coisas implicam um grande tormento, Laribor. Não é fácil aceitar pacificamente tudo o que se nos oferecem. Mas, caso esse teu escravo consiga extrair dela o segredo de seu mistério ancestral, então ela suportará o tormento, creio eu.

– E tu suportarás o tormento de vê-la sendo possuída e subjugada por ele, um devasso caído no abismo do sexo?

– Em que abismo tu estás caído, Laribor?

– Eu sou um reformador do mundo, e isto é diferente, Laresh.

– Não é, não. Ouvi dizeres ao teu escravo que irás eliminar aquele caído. Logo, o que me garante que amanhã não eliminarás a mim também?

– Nós somos diferentes. Somos verdadeiros Mehis da Lei e da Vida. Nós sabemos quem somos e quais são nossas possibilidades perante a humanidade.

– Vou refletir, Laribor. Vou refletir muito sobre tudo o que me disseste, está bem?

– Não queres que eu impeça mais esse tormento que te incomodará tanto quanto o sacrifício de tuas filhinhas?

– Ou a violência praticada contra minhas outras três filhas também, Laribor. Já te esqueceste que amo todas as minhas filhas com a mesma intensidade?

– Há também as outras que ele subjugará com o poderoso negativo que tão bem domina. Eu vi como a virgem sacrificada ao dom dele ficou depois que ele a deixou.

– Como ela ficou, se foi sacrificada?

– Sacrificada, mas não morta, Laresh. Ela está totalmente sob o domínio dele e fará tudo o que ele ordenar a ela.

– Quero ver isso acontecer com Shell-çá, Laribor.

– Não a superestimes, Laresh. Poderás ser surpreendido, pois, ao que me consta e se ainda bem me recordo, ela, com 13 anos, já caíra sob o domínio do desejo sexual. Tu podes tê-lo adormecido nela, mas Hefershi irá despertá-lo com tanta intensidade que, em pouco tempo, ela estará rastejando aos pés dele e implorando para ser possuída por aquele poderoso negativo.

– Então é por isso que vós recorrestes a vigorosos escravos! Tentáveis abrir o inconsciente dela por meio de seu sétimo sentido, não?

— Todos os recursos são válidos quando se está em guerra, Laresh. Não te esqueças disso se vieres juntar-te a nós na regeneração da humanidade.

Laresh contemplou Laribor por um longo tempo e, por fim, falou:

— Não me esquecerei, Laribor. Juro pelo Sagrado Ia-yê que não me esquecerei de como proceder, caso me una aos regeneradores do mundo.

— Tenho esperança de que logo estarás combatendo ao meu lado, Laresh. Agora vou retirar-me e cuidar de meus deveres, que são muitos, pois tenho poucos que podem auxiliar-me. Até mais, meu futuro Mehi legionário!

O Mehi Laresh quase o mandou para o inferno, mas calou-se a tempo porque se lembrou de que o seu emocional deveria ser anulado também no corpo carnal. Olhou pelo visor e viu Shell-çá sentada à beira de uma confortável e espaçosa cama. O jogo de vidros permitia que ele a visse, mas ela não o via. E o isolamento acústico impedia uma comunicação, ainda que só uma parede os separasse. Dos olhos dele correram lágrimas quando a viu debruçar-se na cama e chorar convulsivamente. Aquilo o magoou muito e pensou: Todos os recursos são válidos, Laribor! Tu não perdes por esperar, maldito e falso dissimulador de intenções! Já posso até ouvir teus pensamentos mais íntimos. Durante todo o tempo, ouvi tudo o que pensavas enquanto conversavas comigo. Tentavas induzir-me a abrir meu mistério ao teu maldito "dono"! Mísero caído! Escravo de outro caído ainda pior! Ouvi quando vibravas que também tu possuíste minha amada esposa! Canalha!

Não muito longe dali, em uma sala do piso superior, Laribor conversava com o Mago da Morte:

— Creio que Laresh já não tenha tanta convicção dos princípios dele, poderosíssimo!

— Tu conduziste muito bem a conversa, Laribor. Assim que ele vir a esposa dele sob o domínio de meu novo escravo, todas as suas resistências mais íntimas desmoronarão. Aí...

— Nós nos apossaremos dos mistérios negativos dele e acabaremos com todos os Magos inimigos!

— Silêncio, agora! Quero assistir a Hefershi trabalhar o emocional de Shell-çá yê. Vamos ver ser o plano dele funcionará mesmo.

— Que plano? Ele não ia possuí-la e dominá-la?

— Isso não funcionaria, pois o negativo dela está em desarmonia. Antes ele a tranquilizará para só então envolvê-la. Se ele repetir o mesmo quando envolveu a virgem assustada, Shell-çá yê rastejará aos pés dele antes do amanhecer, Laribor.

Hefershi entrou no quarto com uma bandeja na mão. Colocou-a ao lado de Shell-çá e falou:

— Não te preocupes. Não vou forçar-te a nada, Shell-çá.

— Podes violentar-me, pois nada conseguirás de mim, caído imundo! Outros já tentaram antes de ti.

— Compreendo tua revolta e entendo tua dor, mas quero que saibas que estou aqui para te ajudar e ganhar tempo junto aos teus algozes para salvar tuas filhas. Sou um amigo disfarçado de inimigo, Shell-çá.

— Não acredito em ti, caído devasso!

— Salvar tua vida, a de tuas filhas e a de teu marido exigiu toda aquela encenação. Na verdade, não sou um devasso, ainda que possua realmente um negativo muito poderoso, pelo qual dou graças ao Sagrado Ia-yê, senão, a esta hora, vós todos já estaríeis mortos.

— Tu és um deles, caído devasso!

— Finjo ser, Shell-çá, mas estou aqui para libertar-vos e peço-te que não me hostilizes, senão porás a perder todo um plano para salvar tuas filhas da morte, amanhã à noite. Se tua revolta é tão grande, compreendas que não fui eu quem vos aprisionou e violentou tuas filhas. E não te desejo possuir também, pois conheço teu marido e não vou magoá-lo, aproveitando-me justamente de sua amada e querida esposa.

— Eu te vi possuindo aquela pobre infeliz na nossa frente.

— Ela era infeliz nas mãos do canalha que a violentava contra a sua vontade. Mas eu, tornando-me respeitado pelo grande Mago da Morte, tirei-a das garras dele, ainda que a tivesse possuído. Mas, tu a viste sofrer quando a possuí?

— Ela concordou, senão seria picada por aquela terrível e mortal serpente.

— A mesma que ele alojou bem junto de teu corpo e que a afastei de ti, mesmo correndo risco de vida.

— Fizeste isso para te apossares de minhas filhas e possuí-las, o que já deves ter feito!

— Estás enganada a meu respeito, Shell-çá. Elas estão sob minha proteção e ninguém mais irá tocá-las até que eu retire todos vós daqui. Cuidei dos ferimentos externos e internos delas, foram muito bem alimentadas e agora repousam tranquilas, pois conversei com elas e as acalmei.

— Tu és o mais astuto caído que possa existir!

— Astuto? Sim, claro que sou! Se eu fosse um tolo, não teria chegado aqui, conquistado a confiança do grande Mago, salvado tua família e tu mesma e ainda ganhado três dias para tentarmos fugir daqui. Portanto, insisto que finjas um pouco, Shell-çá. É tão difícil assim quando o risco que corro para salvar-vos é tão grande?

— Fingir, para ti, é natural, mas, para mim, é uma vergonha!

— Ouça, eu também estou correndo riscos. Caso não queiras ao menos fingir, então estarás condenando todos à morte, ao amanhecer.

— Não me importo se eu morrer. Não depois do que fizeram comigo. Já me mataram e ainda não sabem.

— Estás enganada, Shell-çá. Ainda estás viva e tuas filhas também. E se conheço um pouco a natureza humana, quando tudo isto acabar, vossas vidas voltarão ao normal.

— Nunca mais nossas vidas serão as mesmas!

— Cicatrizes marcam, mas é possível viver com elas. Tantos, neste mundo, amargaram tormentos que marcaram suas almas imortais e, no entanto, não renunciaram à vida e nem deixaram de ter esperanças em um futuro menos amargo. O tempo cura as feridas e reanima as almas. Tens de lutar contra esse sentimento negativo. Ele é muito mais devastador do que a própria morte, já que, com ela, cessam os tormentos da carne. Porém, os sentimentos negativos nos acompanham ao outro lado da Vida e mais intensamente nos atormentam.

— Para um caído, até que falas coisas aceitáveis.

— Já que tua revolta é tanta, finge, por favor. Só com a tua colaboração é que ganharei tempo junto ao grande Mago, pois, se dependesse dos auxiliares dele, vós já estaríeis mortos.

— Podes possuir-me, se é isto que desejas, mas não vou colaborar, caído devasso e escravizador de mulheres indefesas! Ou não percebes que elas só se entregam a ti por medo de serem mortas?

— Vou provar-te que não sou o que imaginas, Shell-çá.

Hefershi saiu do quarto e, pouco depois, voltou acompanhado de Há-ci-let e das três filhas de Shell-çá que, ao vê-las, abraçou-as aos prantos.

— Acalma-te! Se não conseguires controlar tuas emoções, ao menos chores baixo, senão atrairás a atenção dos guardas que estão de plantão nesta ala.

— O que este devasso fez convosco, minhas filhas?

— Ele nos ajudou e nos tratou, mamãe. Ele nos tirará deste lugar horrível!

— Ele não vos magoou?

— Não, senhora. Todas nós estamos protegidas e ninguém nos incomodou mais.

— Volteis ao vosso quarto antes que o grande Mago ou algum de seus auxiliares passe por aqui e veja que permiti que vísseis vossa mãe, mocinhas.

Hefershi foi até à porta e, depois de olhar para os dois lados do corredor, falou:

— Podeis sair. Não há guarda nenhum passando por este lado, agora.

Shell-çá viu as filhas atravessarem o corredor e entrarem no quarto bem em frente ao seu e Há-ci-let acompanhou-as, deixando-os a sós.

— Como conseguiste isso? – perguntou ela.

— Isso o quê?

— Alojar minhas filhas bem em frente ao quarto onde me encontro.

— Este é o meu quarto, Shell-çá. Tu foste trazida para cá, pois, estando comigo, ninguém te molestará novamente. Não, enquanto me for possível impedir tal coisa.

— Ou tu és o mais audacioso ser humano que possa existir ou o mais esperto que já vi, Hefershi.

— Só porque consegui sucesso até agora? Saibas que, se eu for descoberto, teus tormentos não serão nada, se comparados aos que a mim infligirão. Há-ci-let disse-me que viu um prisioneiro ser esfolado vivo. Conheces a dor de ter a pele retirada e não morrer? E ainda passarem na carne viva um líquido que queima? O infeliz não só abriu seu negativo a eles como ainda implorou para que o matassem. Isso sim é que é um tormento, Shell-çá!

— Meu Criador!

— Vamos! Deita-te que vou tratar de teus ferimentos. Eu te garanto que amanhã estarás melhor.

Shell-çá, meio confusa, deitou-se e Hefershi passou uma pomada nos seus ferimentos externos e depois pediu:

— Relaxa, pois vou tratar-te internamente, Shell-çá. Eu trouxe um extrato à base de ervas cicatrizantes que te curará e fará cessar toda a dor que possas estar sentindo.

— Eu... eu...

— Vamos! Deixa o pudor de lado, pois não serás tocada senão para curar-te.

Shell-çá concordou e, quando recebeu a aplicação do extrato, imediatamente sentiu um alívio e um frescor, cessando o ardor que tanto a incomodava. Com delicadeza, Hefershi espalhou o extrato por toda a área externa e depois a cobriu com uma cataplasma, dizendo, a seguir:

— Ao amanhecer, estarás curada.

Quando ela olhou e viu que o negativo dele havia despertado, perguntou:

— Tu me trataste para me possuíres mais tarde?

— Não, não! É que isso sempre acontece comigo e se tornou muito mais intenso depois que sucumbi diante do meu negativo.

— Deve ser horrível.

– Se é! Mas é o preço que pago por ser portador de um negativo tão poderoso.

– Ele realmente é poderoso. Para sustentar o peso daquela enorme serpente só tendo muito vigor. De certa forma, ele me impressionou muito e desejei que ele resistisse. Temi quando te vi transpirando muito.

– Eu estava controlando meu medo. Ou achas que eu não estava com medo?

– Eu quase morri de pavor quando ele se alojou bem aqui... tu viste, não?

– Sim, eu vi. Puxa, que prova difícil!

E Hefershi sorriu. Ela descontraiu-se um pouco e sorriu também, voltando a olhar demoradamente o negativo dele e perguntar:

– Tens certeza de que ele não repousa naturalmente?

– Tenho. Mas já me acostumei a isto. É a minha sina. Ou eu a aceito ou me atormento ainda mais.

– Sinto por ti, Hefershi.

– Não te preocupes. Ao amanhecer, eu o adormeço e o Mago da Morte não notará nada. Direi a ele que tu cedeste, em parte, e que preciso de mais tempo. Direi também que ele deve adiar a morte de tuas filhinhas, pois aí estarás mais tranquila e poderei subjugar-te mais facilmente. Assim, ganharemos tempo até que possamos fugir daqui. Alguns amigos nos auxiliarão.

– E se ele perguntar-me alguma coisa?

– Finge uma certa revolta e procura falar o mínimo possível, está bem?

– Vou tentar, Hefershi.

– Não esqueças de exigir que te libertem, assim como às tuas filhinhas e ao teu marido. Caso eles te atormentem demais, fecha-te totalmente, está bem?

– Vou tentar.

– Sê convincente, pois disso dependerá tudo. Temos de ganhar tempo.

Hefershi apanhou uma toalha para cobrir-se e disse:

– Procura dormir. Vou sair para não incomodar-te. Mais tarde, quando já estiveres dormindo, voltarei e tentarei dormir também.

– Não precisas sair. Eu te entendo e não me sinto incomodada.

– Nada disso! Ficando a sós, dormirás e descansarás teu corpo dolorido.

– As dores cessaram. Tu terias sido um ótimo curador se não te tivessem expulso.

— Acho que sim. Agora procura dormir, pois o melhor remédio para a alma é uma boa noite de sono.

— Não sei por que, mas começo a confiar em ti.

— Não tens razões para desconfiar de mim. Daqui a alguns dias, quando vós estiverdes livres, verás que tudo não passou de um pesadelo e que a vida continua. E todos vós tereis amadurecido muito, ainda que tenha sido com a dor.

Hefershi saiu do quarto e trancou a porta por fora, como havia dito a ela. Assim, ninguém entraria e ela não precisaria ser acordada quando ele voltasse.

Dirigiu-se ao quarto onde o Mago da morte e Laribor assistiam a tudo, até mesmo às reações do Mehi Laresh. Hefershi foi logo perguntando:

— Fui envolvente ou não, poderoso?

— Impressionante, meu escravo! Ela não tirou os olhos de teu poderoso negativo e acho que, se tivesses lamentado mais um pouco, ela se teria oferecido para te ajudar. Ah, ah, ah!...

— Ela irá implorar, poderoso! É só uma questão de tempo!

— Tenho certeza de que ela implorará!

— Amanhã, quando eu levar as filhas até ela e disser que consegui que adiasses o sacrifício, ela estará tão fragilizada que implorará para ajudar-me, pois já estará curada e latejando de desejo.

— Será que já não está acontecendo isso? Olha pelo visor e vê como ela está intranquila, sem conseguir conciliar o sono.

Hefershi olhou e falou:

— Meu negativo já despertou o desejo nela. Ela só não se deu conta disso ainda, poderoso. Mas quando eu tratar dela novamente, ao amanhecer, o latejar será consciente e vou mostrar-me muito escrupuloso!

— Tu precisavas ver a reação do idiota do Laresh quando viu as filhas e a esposa chorando. Chorou como uma criança! Ah, ah, ah!...

— Depois de tudo o que o poderoso Laribor falou a ele e o que ainda presenciará nos próximos dias, ele cederá em todos os sentidos, poderoso. Quando ele vir a esposa desejar ser possuída pelo meu negativo, seu mundo encantado desmoronará e tu só terás o trabalho de recolher os pedaços que te interessarem.

Laribor disse:

— Hefershi quebrou todas as resistências de Shell-çá quando levou as filhas até ela.

— E de Laresh. — emendou o Mago caído. — Observai como ele vigia a esposa, tão pensativo. Acho que ele já percebeu que ela ficou excitada com a visão deslumbrante desse teu poderoso e vigoroso negativo, Hefershi. Afinal, ele já não é mais um jovem no apogeu e deve estar fazendo certas comparações nada vantajosas para ele. Ah, ah, ah!...

Laribor, já com sono, pediu licença ao Mago e foi dormir. Hefershi ainda ficou a conversar com ele até que Shell-çá adormecesse. Antes de deixá-lo, pediu:

— Não vás visitá-la amanhã, poderoso. À tarde, levarei as meninas até ela e comunicarei que adiaste o sacrifício, a pedido meu. Com isso, ela será toda tua antes do tempo que pedi.

— Tu assistirás ao sacrifício das meninas?

— Não perderei isso por nada, poderoso!

— Talvez eu te conceda o privilégio de realizá-lo.

— Honras teu escravo, poderoso! Tem em mim teu mais leal servo.

— Ao amanhecer, quando fores desativar teu negativo, quero estar presente novamente, Hefershi. Depois vai até meu aposento, que uma escrava deslumbrante estará lá à tua espera.

— Ao amanhecer, depois de "tratar" de Shell-çá, lá estarei, poderoso e generoso Senhor.

Hefershi, ao retornar ao quarto, tomou muito cuidado para não acordá-la. Deitou-se devagar, fechou os olhos e ficou a rever seu engenhoso plano: enganara a todos muito bem sem precisar mentir. Na noite seguinte, durante o sacrifício, capturariam o ente negativo e tudo terminaria.

Mas, do outro lado da parede, Laribor, que mentiu e não fora dormir, conversava com o Mehi Laresh.

— Laresh, o canalha voltou e finge muito bem. Shell-çá já está sob o poder do negativo dele e implorará para que ele a possua.

— Como consegues isolar-me aqui se ouço tudo o que eles dizem ao lado, Laribor?

— Desenvolvi técnicas especiais, Laresh. Podemos ouvir tudo o que os moradores do Templo conversam em seus quartos ou alojamentos. Mesmo sussurros são captados. Só não conseguimos captar os pensamentos, mas, no futuro, talvez também isso consigamos. E podemos retransmitir tudo o que captamos para onde quisermos.

— Então, tudo o que aqui falamos o Mago caído ouviu, não?

— Ele ouviu, sim. Mas agora não está ouvindo porque desliguei o canal de acesso a este quarto. O poderoso verme já foi dormir.

— É assim que o chamas?

— Ah, ah, ah... não, Laresh. Não sou louco ou estúpido a esse ponto. Mas agora estamos realmente a sós e posso falar mais à vontade. Preciso de tua ajuda para acabar com aquele verme caído.

— Eu, ajudar-te? Como?

— Ao seres levado para assistir ao sacrifício de tuas filhas, ativa teu poderoso negativo, Laresh. Quando o verme for possuído pela Divindade que o sustenta, deves enviar ondas mentais desarmonizadoras, que provocarão uma reação violenta na Divindade. Certamente, ela fugirá e deixará o Mago sem sentidos. E eu, que estarei ao lado dele fingindo acudi-lo, inocularei um poderoso veneno que o matará antes que recupere os sentidos. Então, como comandante da guarda e auxiliar direto nos sacrifícios, direi a todos que a Divindade não está aceitando o sacrifício de meninas e, sim, exigindo o sacrifício desse verme, aí ao lado.

— Por que tudo isso, se já tens o poder, Laribor?

— Que poder? Um escravo não tem poder nenhum!

— Não estou entendendo nada. Coloca as coisas de outra forma, Laribor.

— Ouça! Eu desejo realmente reformar o mundo, mas esse verme caído tem restringido minhas ações. Porém, com ele morto e tu usando teu dom negativo para nos defender e desarmonizar o emocional de nossos inimigos caídos, juntos reformaremos o mundo, Laresh!

— Que loucura, Laribor! Em quem se pode confiar em um mundo igual a esse onde vives?

— Eu limparei o mundo dos canalhas, dos vermes e dos falsos, Laresh. Estou cansado de fingir submissão a vermes como esse Mago da Morte. Tu sabes quem realmente é esse canalha, aí ao lado, deitado com tua esposa?

— Só sei dele o que ouvi durante o tempo em que esteve na cela ao lado da minha e o que o vi fazer.

— Esse canalha não me reconheceu, pois, quando eu o vi, ainda não havia rejuvenescido. Mas eu sei quem ele é.

— Quem é ele?

— É Iafershi, o Senhor do poder do sexo, Laresh. E tenho certeza de que ele veio até aqui para se apossar dos mistérios de Shell-çá yê. Ou não sabes que ela é uma yê ancestral encarnada?

— Nunca pude contemplar a origem dela em um cristal.

— Eu sei tudo sobre ela... e Iafershi. Ele casou-se com tua amada, Laresh. Ela também era uma yê ancestral e foi subjugada pelo negativo dele e se tornou mais uma de suas escravas sexuais, ajudando-o a destruir o próprio pai, um grande Mago da Luz Negra.

— Que horror!

— É nesse ambiente pérfido que tenho tentado sobreviver. E estou cansado!

— Isto é um caos, Laribor.

— Pior do que aquele que vimos naquela mancha negra. Lembra-te dela?
— Como me esquecer, se até hoje a vejo e fico assustado?
— Se morrermos, seremos atraídos por ela.
— Tens certeza?
— É a nós que Luciyêfer deseja, pois só nós, os verdadeiros Mehis, ordenaremos aquele caos astral, no qual milhões incontáveis de seres degenerados estão à nossa espera para que os dominemos e os sustentemos com nossos poderosos negativos, os quais já sustentavam caídos nos pontos de força antes de encarnarmos. Ou não é isso o que aquela mancha escura quer que façamos?
— É isso, sim!
— Auxilia-me e alteraremos o mundo, Laresh. Eu não vou exigir que tu guerreies ou mates alguém. Isso não é aceito pelo teu íntimo, não é mesmo?
— Prefiro morrer a ter de tirar a vida de alguém, Laribor.
— Tu dirigirás este Templo e formarás um corpo de Mehis como éramos nós, os verdadeiros Mehis. Serão guardas não dominados pelos vícios e falsidades, pois tu saberás incutir neles o respeito à hierarquia e à Vida.
— Isso me parece aceitável, Laribor. Dê-me tua palavra que os sacrifícios humanos cessarão depois.
— Tens minha palavra de Mehi, Senhor do degrau que me sustenta ao qual já servi por milênios antes de encarnar neste plano tão sem comando.
— Vou atuar mentalmente contra a Divindade negativa, Laribor. Creio que conseguirei.
— Tenho certeza de que conseguirás, meu Senhor.
— Não aceitarei escravismo também, Laribor.
— No novo mundo não haverá escravos, mas somente seres humanos conscientes de que seus limites não são infinitos, mas que também não são tão estreitos que não permitam que realizem seus mais nobres desejos.
— Olha!
— O que foi? — perguntou Laribor, olhando, através do visor, para o quarto onde Shell-çá estava.

E viu a esposa de Laresh contemplando o poderoso negativo do homem ao seu lado que, mesmo dormindo, continuava ativado e vigoroso.

— Até quando aquele negativo ficará ativado, Laribor?
— Segundo ele, até que se realize com uma mulher. Mas eu acredito que ele pode desativá-lo, caso deseje.

— Então, por que fica ativado a noite toda?

— Ele quer o mistério de Shell-çá e o está despertando, pois, estando ativado, fica a estimulá-la visualmente, enquanto que, em um nível mais sutil, vai despertando o desejo nela.

— Mesmo dormindo?

— Aí está a questão. Será que dorme ou finge que dorme? Ele sabe que, se despertar nela o poderoso negativo dela nesse sentido, ela até implorará para que ele a possua.

— Shell-çá sempre foi muito ativa nesse aspecto. Eu lhe ministrava pequenas doses de um poderoso bloqueador sexual.

— Tu bloqueavas o corpo carnal, enquanto que o mistério que ela traz em si foi sobrecarregando-se. Quando explodir, não tenhas dúvida: ele a escravizará e extrairá dela um negativo tão poderoso quanto o dele. Então dominará o mistério por completo e o usará sempre que desejar subjugar alguém. É assim que funciona, Laresh. Eu mesmo tentei subjugá-la algumas vezes, mas aconteceu o inverso: fui dominado por um estímulo tão poderoso que não resisti senão por uns poucos minutos em contato com ela.

— Por que me revelas isso, Laribor?

— Tu saberias por meio dela, pois vamos inverter a situação, Laresh. Então prefiro que saibas por mim.

— Muito digna essa tua atitude.

— Não quero que paire nenhuma desconfiança ou ressentimento entre nós dois. Shell-çá já era sexualmente ativa desde a mais tenra idade. Os pais dela ministravam-lhe bloqueadores, mas, mesmo assim, ela fez o que fez. Mas agora, sem estar ingerindo os bloqueadores que tu lhe ministravas e tendo a estimulá-la as ervas que ele aplicou junto com os medicamentos, será fácil para ele subjugá-la!

— É... ela está estimulada mesmo. Se ela não parar, irá acordá-lo e aí...

— Nada acontecerá.

— Como podes ter certeza?

— Ele sabe que está sendo vigiado e seguirá seu plano à risca. Ele a obrigará a implorar e a terá só para si como a mais dócil escrava. Então se apossará dos mistérios de todos os negativos dela, que são sete, e eliminará quem ele bem desejar.

— Sete? Tu disseste sete, Laribor?

— Ouviste certo, Laresh. Todos os yê ancestrais são portadores de sete mistérios da Criação. Eu disse da Criação, não das criaturas, certo?

— Tens certeza disso?

— Absoluta. Já presenciei o verme deste Templo extrair sete mistérios de um yê subjugado por ele. Mas como não consegue subjugar os das yê, então deseja, por meio desse outro verme, apossar-se dos de Shell-çá. E de posse do sétimo, que é o das vibrações e energias sexuais, subjugará todo um grupo de yê femininas que já mantém preso há alguns anos.

— Então ele não nos mataria, não é mesmo?

— A ti, sim, pois vivo és um perigo para ele, uma vez que teu mistério pode bloquear o acesso mental que ele possui com a Divindade negativa, que já o sustenta há mais de dois séculos no corpo carnal.

— Dois séculos?

— Até onde eu descobri, ele é um dos Magos auxiliares do ser que vive no interior daquela mancha negra, Laresh.

— Incrível!

— Tu viveste isolado e nada sabes dessas coisas.

— Espantoso, Laribor!

— Olha para mim, Laresh. Pareço-me com alguém com um século de idade?

— Nem um pouco. Aparentas não mais que uns 30 anos.

— Dizem que aquele ser, quando na carne, sintetizou o elixir, mas seus auxiliares, sabendo antes dele dos resultados positivos, mataram-no e dividiram o poder entre si. Mas como tudo o que é podre não vinga, logo começaram as discórdias e as intrigas, gerando guerras intermináveis em várias partes do mundo. Mas nós acabaremos com todos eles, Laresh!

— Incrível!

— O que é incrível?

— Shell-çá! Vê! Ela está possuindo o negativo dele, Laribor! E ele não acorda! Que mistério é esse?

— Talvez ele esteja fora do corpo induzindo-a a fazer isso. Ele deve ter aplicado um poderoso estimulante junto com os medicamentos, enfraquecendo-a.

— Só pode ser isso. Eu nunca vi e nem tive essa Shell-çá em meus braços. Ela está possuída por algo muito poderoso, Laribor.

— Creio que o negativo dela aflorou, Laresh. Shell-çá já é escrava dele!

— Também acredito que já caíram as últimas resistências dela.

— A partir desse mistério, o verme se apossará dos outros seis. Isso é certo! E quando ele trouxer tuas duas filhinhas e disser que adiou o sacrifício, Shell-çá confiará tanto nele que aceitará docilmente tudo o que ele ordenar. Mas não terá tempo para isso, pois, durante o sacrifício, ele será o sacrificado… e a Terra ficará livre de mais um verme!

— Ele induzirá Shell-çá a crer que nossas filhas não serão mortas?
— Sim! Ouvi Hefershi tramando essa estratégia com o Mago verme e aceitando ser o sacrificador.
— Tens certeza disso?
— Tenho, meu Senhor.
— Quero-o para mim, Laribor. Esse verme morrerá pelas minhas mãos!
— Não é preciso manchá-las de sangue.
— Não?
— Claro que não! Bastará que bloqueies o mistério que anima a sexualidade poderosa dele e o tormento do sexo o destruirá, consumindo-o da mesma forma que os vermes consomem as carnes podres. Ou já te esqueceste de teu poderoso mistério, meu Senhor?
— Tens razão! Lutaremos contra toda essa canalhisse, esgotando-a a partir de seus próprios negativos.
— Sábia opção, meu Senhor!
— Ele deve estar fora do corpo, Laribor. Ela está-se esvaindo em seguidos êxtases e esse infame nem se move para atingir o êxtase também. Até quando durará este tormento para mim?
— Só até acabarmos com os dois vermes, meu Senhor. Sê forte, senão porás tudo a perder.
— Já me decidi, Laribor. Vou auxiliar-te a estabelecer uma nova ordem nas relações humanas, no plano da matéria.
— O bom senso sempre prevalece quando somos francos, meu Senhor. Só voltaremos a nos ver à noite, durante o ritual. Até lá, resiste, por favor!
— Resistirei, Laribor! Cuida da tua parte que, da minha, cuidarei no momento certo.

Laribor saiu, deixando Laresh a observar sua amada Shell-çá possuir aquele poderoso e vigoroso negativo, o qual não dava mostras de adormecer. Viu, com tristeza, quando ela, já esgotada de tantos êxtases intermináveis, jogou-se de lado e ficou a gemer, tal como vira acontecer com a escrava durante o dia. Quando ela recuperou o controle emocional, levantou-se cambaleante, pegou o pote com o extrato e se automedicou. A seguir, limpou o negativo dele e voltou a dormir.

— É melhor eu dormir também – murmurou o Mehi Laresh, que não viu que, assim que Laribor saiu do aposento, foi subjugado por alguns guardas e levado a um aposento que até ele desconhecia, onde o poderoso Mago da Morte já o aguardava.

— O que está acontecendo, poderoso?

– Nada além do trivial, Laribor. Eu te forneci o elixir, dei-te poderes e tu me traíste. Só isso!

– Quem levantou tal calúnia contra mim, poderoso?

– Tu mesmo, idiota! Eu tenho meu próprio sistema de vigilância, sabias?

– Eu... Senhor...

– Julgou-me um imbecil que dependia de um sistema totalmente controlado por ti. Mas foi ótimo eu nunca ter revelado que minhas informações provinham de meu próprio sistema, pois, por meio de tua inconfidência, descobri que Hefershi é o desaparecido Iafershi, inimigo mortal de todos os caídos. Ah, ah, ah!...

– Poderoso... eu tentava induzir Laresh a confiar-me seu mistério. Usei a mesma tática que o maldito Iafershi induziu-te a avalizar.

– Ele não mentiu em momento algum, Laribor. Se ele veio até aqui foi para libertar o Mehi Laresh e a família dele, toda ela portadora de poderosíssimos mistérios.

– Mas, se assim é, por que então sacrificarás as meninas?

– Acreditaste que eu iria sacrificá-las à Divindade? Achas que iria revelar-te como manter essa Divindade sob meu domínio?

– Se não é do coração das virgens que ela retira forças, então...

– Isso mesmo, Laribor! Dos idiotas, iguais a ti, que ordeno que sejam esfolados vivos! Ou não notas que sempre que isso acontece é no mesmo local e à mesma hora, que já está próxima e que serás a vítima desta noite?

– Clemência, poderoso! Poupa minha vida e terás o mistério de Laresh só para o Senhor.

– Como posso ter algo que nem a ti ele revelou?

– Quando ele desdobrá-lo para atingir-te, abrirá a guarda. Aí, tu poderás penetrar na mente dele, dominá-lo rapidamente e subjugá-lo à tua vontade. Afinal, ele esperará que a Divindade se manifeste antes de qualquer ação.

– De certa forma, tu tens razão. Será a primeira vez que ele desdobrará o negativo, o que pode facilitar as coisas, pois ele não domina esse processo.

– Isso mesmo, poderoso!

– Então, está decidido! Tu já podes ser sacrificado, Laribor. Levai-o! – Ordenou o Mago da Morte.

Pouco depois, o suplício de Laribor teve início.

Iafershi, desde que se deitara, isolou seu corpo da mente e com ela ativou recursos extrassensoriais, com os quais captava a conversa de Laresh e Laribor, do Mago caído e de muitas outras pessoas, tudo ao mesmo tempo. Mesmo os pensamentos ele conseguia captar.

Mentalmente seguiu Laribor e "ouviu" o Mago revelar já saber que ele era Iafershi, o inimigo dos caídos. Ouviu também a ordem para que sacrificassem Laribor ao ente negativo. Captando as vibrações de uma presença poderosa, imediatamente projetou-se no astral, mesmo correndo riscos, e chamou Há-ci-let-yê, que também estava alerta. Os dois lançaram-se no astral com suas espadas encantadas até onde o infeliz Laribor já começava a ser esfolado e depararam-se com um ente negativo assustador, medonho mesmo, e lhe deram combate total, reduzindo-o a um plasma desfigurado e inerte.

– Será que acabamos com ele? – perguntou Há-ci-let-yê.

– Volta ao corpo carnal e ativa o cristal que o Mago da Luz nos deu. Eu vigio os restos desta criatura.

– Cuidado, pois ainda estou captando uma vibração negativa poderosíssima. Creio até que este aqui é só um escravo daquele que procuramos há anos, Iafershi.

– Apressa-te.

Há-ci-let-yê voltou ao corpo carnal e, no instante seguinte, ativou o poderoso cristal mágico, puxando o ente desfigurado. Iafershi já ia retornar ao seu corpo, quando uma força negativa, extremamente poderosa, envolveu-o e o puxou para uma dimensão extra-humana pavorosa.

O dia amanheceu com o corpo dele imóvel no leito. Shell-çá acordou ainda cansada e, vendo-o na mesma posição, sacudiu-o para despertá-lo, mas sem sucesso. Então começou a chorar, despertando Laresh, que olhou pelo visor. A imobilidade daquele corpo levou-o a refletir por que não despertava. Voltou a deitar-se e projetou seu espírito até o lado do corpo imóvel. Após se certificar de que o espírito dele não se encontrava ali, seguiu o cordão que mantinha a ligação corpo-espírito e adentrou em uma dimensão já conhecida. Imediatamente, recorreu ao seu mistério e foi ao encontro do Sagrado Guardião daquela dimensão, o qual, após ouvi-lo, falou:

– Esse Mehi Ior hesh yê tem atingido muitos seres naturais negativos com sua espada simbólica, Mehi Mahar. Chegou o tempo de ser punido pelos seus executores.

– Ele é um Mehi no cumprimento de uma missão, Sagrado Guardião. E se te disse que ele é um Mehi Ior hesh yê, então é o Sagrado Ia-fer-ag-iim-ior-hesh-yê quem confiou a missão a ele.

– Sei disso, Mehi Mahar. Mas ele tem-se excedido. Em vez de punir os espíritos humanos que se servem dos naturais negativos, tem punido a estes. E isso não é aceitável pela Lei.

– Posso ver como ele está?

– Eu te conduzo até onde ele está retido.

No instante seguinte, o Mehi Mahar Laresh viu Iafershi em espírito, todo ferido, a lutar contra as assustadoras criaturas, detentoras de longas garras e presas. Se existia um guerreiro, Laresh estava ali diante de um. Mesmo ferido, Iafershi atingia as criaturas com sua poderosa espada encantada. De repente e inexplicavelmente, ele começou a arder em chamas e a configuração de sua espada mudou totalmente, lançando raios que fulminaram tudo à sua volta, enquanto as chamas se iam espalhando e aumentando de intensidade.

– O fogo da destruição! – exclamou o Mehi Mahar Laresh.

– A fúria ígnea da Lei – sentenciou o Sagrado Guardião daquela dimensão. – Esse ser não é um Mehi Ior-hesh-yê.

– Vou retornar ao meu corpo carnal. Com tua licença, Sagrado Guardião.

– Leva-o contigo, Mehi Mahar. Se uma fúria da Lei está se manifestando nele, a Lei celestial está amparando-o.

– Permites um comentário meu, Sagrado Guardião?

– Sim.

– O meio humano está tão conturbado que fica difícil saber quando alguém está servindo à Lei ou servindo-se dela. Neste caso, acho que a fúria da Lei está punindo seres naturais que têm dado sustentação a adeptos de sacrifícios humanos, em honra a Divindades negativas falsas. Quem está punindo quem, neste caso específico?

– Leva-o contigo, Mehi Mahar. Eu punirei o natural desta dimensão que estiver servindo aos humanos caídos.

– Como levá-lo, se está ardendo em chamas?

– Tu és humano e, se nada deves à Lei, o fogo não te queimará.

O Mehi Laresh avançou por entre as chamas e se mostrou a Iafershi, que o olhou por um instante, mas voltou a direcionar sua espada contra aquelas criaturas assustadoras.

– Iafershi, ordeno-te que recolhas tua espada da Lei e me acompanhes de volta à dimensão dos espíritos e reassumas teu corpo material.

– Com que direito me ordenas tal coisa se, finalmente, descobri a dimensão onde estão aprisionados os espíritos de meus filhinhos?

– Depois discutiremos como libertá-los. Agora, acompanha-me!

– Com que autoridade me ordenas, Mehi, se te aliaste ao maldito Laribor quando estou arriscando minha vida para salvar tua família e a ti próprio?

– Agradeço teus esforços, mas deves acompanhar-me para teu próprio bem; do contrário, terás teu cordão da vida rompido pelo Sagrado Guardião desta dimensão.

– Ele que o faça, pois daqui não sairei sem os espíritos de meus filhos!

– Vem comigo e depois verei como resgatar teus filhos. Eu sei como proceder em um caso desses, Iafershi.

– Um Mehi paralisado, que não sabe de nada do que está ocorrendo no meio humano, não saberá como me auxiliar!

O Mehi Laresh apanhou a espada e falou:

– Pelo poder a mim concedido pelo Sagrado Senhor da Lei, ordeno-te que me acompanhes.

Iafershi olhou a espada por um instante e falou:

– És um Mehi Mahar, certo?

– Sou, sim!

– Então ordeno-te que me auxilie no resgate dos espíritos de meus filhos!

Após dar a ordem, Iafershi retirou das costas um objeto de alto poder irradiante, que explodiu como um sol dourado e abrasador, alargando a irradiação à sua volta. O Mehi Laresh ajoelhou-se, abaixou a cabeça em sinal de respeito, e também para não ficar cego, e disse:

– Um... celestial!

Iafershi falou:

– Quem me tocar de agora em diante será reduzido a poeira cósmica! Em nome do Sagrado Ia-or-is-ra-yê, ordeno que devolvais os espíritos de meus filhos, sacrificados em honra a um ente maldito! Só sairei desta dimensão com eles ou aqui permanecerei indefinidamente!

Imediatamente surgiram, diante dele, dois espíritos humanos já em avançado estado de alteração perispiritual.

– Sagrado Iá-yê! O que fizeram com meus filhos!?...

O Sagrado Guardião daquela dimensão falou:

– Eles estão sendo punidos porque recorreram a processos energético-magnéticos em outra encarnação, Mehi Hesi. Com suas magias negativas, eles retiravam desta dimensão seres naturais e os direcionavam contra humanos encarnados, atingindo-os com violência. Agora estão sendo punidos, Mehi Hesi. Retira-te imediatamente desta dimensão ou serás punido agora!

O Mehi Laresh, em um gesto ousado, abraçou-o e o retirou dali, pois Iafershi estava paralisado com a revelação do Sagrado Guardião. Laresh levou-o diretamente ao ponto de força regido pelo Sagrado Iafer-ag-iim-sehi-lach-me yê, que, vendo-os, ordenou:

– Servos da Lei e da Vida, ordeno-vos que recolhais vossas armas e símbolos sagrados!

Iafershi, como um autômato, recolheu-os e emitiu um urro de dor que vinha do fundo de sua alma imortal. A seguir, começou a chorar convulsivamente.

— É a Lei, Mehi Hesi Ior hesh yê! Como servo submisso aos ditames dela, tens de obedecê-la, calar-te e resignadamente continuar a servi-la. Eles recorreram àqueles entes naturais para a prática do Mal e agora estão sendo punidos, segundo os ditames imutáveis. Recolhe teu pranto, tua dor e teu desânimo e retorna imediatamente ao teu corpo carnal, pois tua vida está em grave perigo, servo do meu Senhor.

— Quem a ameaça, Sagrado Senhor meu? — perguntou o Mehi Laresh.

— O Mago da Morte a ameaça. Ele está ao lado do corpo inanimado de Iafershi.

— Deixa que ele ceife minha vida, Sagrado Senhor meu — pediu Iafershi. — Já não tenho ânimo para sustentar esta luta sem fim. Ao inferno com toda a humanidade!

— É para onde todos irão, se os humanos não estabelecerem limites humanos em suas vidas. Volta imediatamente e honra a confiança em ti depositada pelo Sagrado Ia-fer-ag-iim-ior-hesh-yê, pois foi ele quem te amparou quando estavas prestes a cair em tua missão sagrada de purificação. E só ele te sustentará após tua desencarnação, servo da Lei e da Vida.

— Eu... eu...

— Eu te ordeno, servo da Lei e da Vida!

— O meu Senhor ordena e eu obedeço.

No instante seguinte, os dois estavam ao lado do corpo imobilizado, que era observado pelo Mago caído e alguns de seus auxiliares. Laresh pediu:

— Retorna e dize que foste atraído pelo teu negativo enquanto dormias, Iafershi. Em meu corpo atuarei contra esse verme humano, que será executado.

— Laribor está morto, Mehi. Esse verme já sabe de tudo, até mesmo quem sou realmente, e se apossará do mistério do teu negativo esta noite.

— Vou arrancar o espírito do corpo dele e entregá-lo pessoalmente ao Sagrado Guardião daquela dimensão onde estivemos, Iafershi.

— Bem antes do sacrifício ele te dominará mentalmente, assim que abrires tua mente.

— Veremos. Deixemos tudo acontecer. Olha o que faço com o canalha!

O Mehi Laresh mentalizou algo e, no instante seguinte, o Mago da Morte foi ao chão como se fosse uma pedra solta no ar.

— Volta agora e permanece por algum tempo em silêncio antes de abrires os olhos. Finge que estavas fora de teu corpo, se bem que isto seja verdade.

Iafershi reassumiu o corpo e, uns dois minutos depois, abriu os olhos e deu um grito de pavor no exato momento em que o poderoso Mago recuperava os sentidos. Imediatamente, ele abraçou o Mago da Morte e falou:

— Muito obrigado por me haver libertado, meu poderoso salvador!

— O que aconteceu? Por que perdi os sentidos?

— Devo-te meu espírito imortal, poderoso! Obrigado por ter salvado este verme caído que se julgava no direito de perseguir outros caídos!

— Do que estás falando? – perguntou o Mago, já refeito, mas ainda trêmulo.

— Posso falar-te a sós?

— Segue-me, meu escravo!

Pouco depois, já a sós, Iafershi ajoelhou-se e falou:

— Poderosíssimo Mago, peço teu perdão mil vezes, pois até ontem à noite eu tencionava te matar.

— Sê mais objetivo, escravo.

Iafershi concordou, respirou fundo e, sentando-se no chão em uma posição subalterna, falou:

— Eu não sou quem afirmei ser. Sou Iafershi, um caído que odiava outros caídos. Matei tantos que já perdi a conta. E tudo porque arrancaram os espíritos de dois filhos meus e enviaram os infelizes a uma dimensão extra-humana. Traí, delatei, envenenei, degolei... fiz tudo o que possas imaginar para vingar meus filhos.

— Conheço a história de um iniciado na origem que, em seu negativo, era Iafershi. Mas, se não morreu, envelheceu.

— Esse Iafershi sou eu, poderoso Mago da Morte!

— Não acredito em ti. Deves estar com problema de identidade trocada.

— Não!

— Proves que és Iafershi, Hefershi!

— Tu conheces a marca que o elixir deixa, quando inoculado?

— Conheço.

— Eu a tenho na base do pé esquerdo.

Após o Mago comprovar que ele dizia a verdade, perguntou:

— Por que revelas tudo isso? O que te levou a mudar teus planos em confissão de culpa?

— Deitei-me durante a noite e, pouco depois, tive meu espírito arrancado do corpo e levado a uma dimensão não humana, onde criaturas aterradoras me atacaram e me ameaçaram com a morte do meu corpo carnal. Lutei e exigi ver meus filhos lá aprisionados. Eles me foram trazidos, mas já estavam em franca bestialização. Exigi saber a razão de tal punição a inocentes crianças e me foi mostrado que eles, em uma outra encarnação, haviam realizado magias negativas, recorrendo às criaturas daquela dimensão e que estavam sendo punidos pela Lei. Fui ameaçado de ficar lá também, mas acho que tua presença ao lado do meu corpo me trouxe de volta. Tu me salvaste de um fim pavoroso, poderoso Mago. Pune-me com torturas, mas não me mates. Eu te servirei por toda a eternidade, desde que me forneças, de tempos em tempo, o elixir da vida eterna no plano da matéria.

— Então, durante meu desmaio, fui te resgatar?

— Só pode ter sido o Senhor. E se não foi, então acolhe este idiota que se julgava a salvo, mas que caiu mais que muitos dos que matou.

— Tu passaste por uma experiência única, Iafershi. E colocar tua vida em minhas mãos é prova mais que suficiente que estás dizendo a verdade, pois fui eu quem arrancou teus filhos da carne e os enviou àquela dimensão extra-humana.

— Foste tu mesmo?

— Fui eu, Iafershi. Toma, mata-me! — pediu o Mago da Morte, entregando ao homem aos seus pés um longo e afiado punhal.

— Matar-te? Depois do que vivenciei naquela dimensão da qual me salvaste? Isso nunca! Sou tão caído quanto tu... e meus amados filhos. Estamos todos nós mergulhados em uma longa noite escura, em que a traição e a morte convivem lado a lado. E não quero ser puxado para aquela dimensão pavorosa, quando morrer.

— Vamos! Mata-me, Iafershi! É teu direito matar o homem que matou teus filhos!

— Não! Eu sou igual a ti e ao lado escuro estou condenado. Peço que, se não me quiseres como um dos teus, então deixa-me partir à procura de alguém que possua o elixir, poderoso Mago da Morte.

— É isso que queres, Iafershi?

— Sim, Senhor!

— Vou dizer-te uma coisa. Há mais de três séculos, participei da descoberta do elixir, ao qual procurávamos desesperadamente por causa de uma sombria mancha escura que nos atraía, mesmo estando vivendo no plano material. Era o Trono invertido de Luciyêfer, o Regente encarnado caído. Quando descobrimos a fórmula de alterar toda a genética humana, nós o eliminamos, imaginando que, se ele fosse enviado ao seu Trono celestial e arrastado para as esferas negativas, ficaríamos livres dele e daquela mancha escura. Engano nosso, Iafershi!

— O que aconteceu?

— Ele assentou-se em seu Trono cósmico nas trevas e continuou a chamar-nos insistentemente. Nesse momento começamos a recorrer aos processos energético-magnéticos negativos para afastá-lo de nossas vidas. Aí o verdadeiro tormento começou, pois nos tornamos escravos desses entes naturais. Ou os saciávamos ou eles arrancavam nosso espírito do corpo carnal e nos prendiam. Entre nós, os Magos Regentes, surgiram discórdias que nunca mais cessaram. Quanto ao resto, já conheces a história, não?

– Parte dela e minha própria, grande Mago. Faço parte do lixo humano que luta para não ser tragado pelo horror que se abateu sobre a espécie humana.

– Eu também sou, Iafershi.

– Por que o Regente caído revoltou-se contra as Divindades naturais?

– Tu viste o estado de teus filhos, não?

– Estão irreconhecíveis, a não ser pelos olhos que me reconheceram e soltaram lágrimas. Que inferno é esse, poderoso Mago?

– É o que o Regente caído combateu, Iafershi. Ele não concordava que os espíritos desequilibrados fossem retidos no lado negativo dos pontos de força, pois muitos deles, por causa de suas vibrações emocionais desequilibradas, criavam afinidades magnéticas com muitas daquelas dimensões e para elas poderiam ser atraídos e...

– Sofreriam o que meus filhos estão sofrendo.

– Isto mesmo. Ele esvaziou o lado negativo de quantos pontos de força lhe foi possível e enviou todos para as esferas negativas humanas. Ele criou um negativo humano, Iafershi, e para lá serão enviados todos os caídos assim que morrerem. Mas nós, iniciados na origem, temos responsabilidades com as Divindades que nos querem de volta para servi-las no lado negativo dos pontos de força. Escolhe, Iafershi: o inferno do Regente caído ou as trevas assustadoras no lado negativo dos pontos de força. Qualquer um que escolheres, em um inferno trevoso tornará tua vida.

– Prefiro viver no inferno que já conheço e que me é suportável.

– Eu também. É por esta razão que preciso do mistério de Shell-çá yê. De posse dele, subjugarei os entes naturais negativos e os tornarei meus escravos, invertendo o estado atual de poder. As Divindades naturais serão minhas escravas e terão de se sujeitar à minha vontade.

– Mas onde isso nos levará, poderoso Mago?

– Nós temos o elixir, não temos?

– Nós... o Senhor disse "nós"?

– Claro! Não vou te matar. Não agora, que conheces a razão do nosso medo da morte. Vou nomear-te comandante do corpo de lutas deste Templo e tu reorganizarás nossas defesas porque, dentro de poucos dias, seremos atacados.

– Laribor não te tem servido bem?
– Não. Ele foi conhecer, para todo o sempre, o lugar para onde tu ias. Mas te livraste de ir, há pouco, porque te salvei, sem mesmo saber como. E isso também temos de descobrir, Iafershi.
– Como?
– Ainda não sei. Volta para junto de Shell-çá yê, pois ela estava chorando por ti.
– Chorando por mim? Quando?
– Não sentiste quando ela te possuiu durante a noite?
– Não, Senhor. Tens certeza de que ela fez isso?
– Eu vi tudo. Ela só afastou-se de teu negativo quando se esgotou fisicamente e sentiu-se incapaz de novos êxtases.
– O mistério dela fugiu ao controle emocional e a subjugou.
– Pensei que foste tu que estiveste atuando sobre ela.
– Não era para ter acontecido isso. Eu adicionei um pouco de analgésico para adormecer o sexo dela.
– Tens certeza?
– Claro! Ainda restou um pouco do extrato que usei nela. Analisa-o e comprovarás que falo a verdade.
– Eu acredito em ti.
– O que saiu errado? Eu preciso subjugá-la por meio do racional, não do emocional! O emocional leva ao negativo desequilibrado, que não servirá para nada, além de atrair quem a ele recorrer para o negativo do ponto de força, no qual o mistério dela ressona magneticamente.
– Tens certeza?
– Absoluta!
– Então, é por isso que, cada vez mais, sou assoberbado com as exigências dos entes naturais que me protegem.
– Vou tentar devolvê-la à razão. Não ligues para o que vou dizer a ela, pois, ou ajo rápido ou a perdemos para sempre.
– O que acontecerá se o emocional dela assumir, ou melhor, se por meio do emocional dela aquele mistério se manifestar?
– Ele anulará o racional dela e, por ser uma yê ancestral, todos os outros mistérios serão apagados automaticamente.
– Apressa-te! Se nos apossarmos do mistério do terceiro sentido, aí, sim, seremos senhores no inferno do Regente caído ou nas trevas naturais.
Iafershi dirigiu-se às pressas para junto de Shell-çá, enquanto o Mago, já sozinho, murmurou:

— Idiota! Agora que conheceu o horror que me apavora há três séculos, quer minha proteção. Mas, assim que me entregar uma Shell-çá yê submissa, tu terás o prazer de verter teu ódio líquido na carne dele, minha escrava preferida!

O Mehi Laresh, que ali ainda se encontrava fora do corpo, ao ouvi-lo, pensou: Não terás tempo para isso, verme humano! A Lei já ordenou-me tua execução final!

Só que ele não contava com a possibilidade de ter seu pensamento ouvido. Mas teve.

— Quem disse isso? Mostra-te, maldito!

Imediatamente, ele voltou ao corpo e bem a tempo de ver Iafershi entrar no quarto onde Shell-çá se encontrava. Olhou pelo visor oculto só por um instante, mas o suficiente para avisá-lo de que sabia que ali ele se encontrava. Afinal, o Mago caído estava vigiando-o.

— Estás melhor, Hefershi? — perguntou Shell-çá.

— Estou, sim. Não te deves preocupar comigo.

— Mas preocupo-me. Além de arriscares tua vida para salvar-nos, tornaste nossa permanência menos tormentosa nesta prisão. Preocupei-me muito contigo durante a noite e não resisti ao desejo de proporcionar um repouso ao teu negativo. Mas foi tudo em vão.

— Fizeste isso?

— Sim. Olhei para ele durante algum tempo e pensei: eu sou mulher: logo, posso possuí-lo e conduzi-lo a... tu sabes, não?

— Sei, sim. Mas quando ele está ativado, por ser meu negativo, isolo minha mente do meu corpo e, a partir daí, sou dois em um só corpo.

— Por que ele fica assim por tão longo tempo? Isso não é normal, é?

— Não é, não. Explicar-te o mistério que o sustenta levaria muito tempo, o que não temos. Então, para de olhar para o meu negativo dessa forma.

— Estou tentando... mas as sensações que vivenciei foram tão intensas que, só olhando-o, todo o meu ser vibra aceleradamente.

— Shell-çá, logo estarás livre e junto de teu esposo. Sei que muitas coisas incomuns aconteceram contigo nos últimos dias. Portanto, tens de compreender que estás com teu emocional abalado. Tens de retomar racionalmente o controle dele, senão, nunca mais voltarás a ser como eras antes desse tormento ter começado.

— Por acaso acreditas que conseguirei ser a mesma, se esse tormento cessar? Fui violentada na frente de meu marido e filhos. Vi o mesmo acontecer com minhas filhas. Aqui, nesta prisão, fui possuída por vários homens por dias seguidos e o mesmo aconteceu com elas.

Como imaginar que voltaremos a ser como antes? Nada mais será como era. Só se formos muito hipócritas para fingirmos que nada aconteceu e que nossa vida continuará a mesma.

– Sei que está correto o que dizes, mas, quando todos são submetidos ao mesmo tempo a um tormento, o retorno à normalidade é menos difícil.

– Achas que terei coragem de olhar para meu marido como antes? Como sustentar nossa convivência de mútuo e absoluto respeito se agora, já mais calma, começo a sentir vergonha e uma mágoa profunda me faz sentir indigna dele?

– Estás confundindo tudo, Shell-çá. Ele também está sendo submetido ao tormento... e tenho certeza de que ele te ama ainda mais que antes.

– Nossas vidas mudaram, Hefershi. Ele mudou, eu mudei, todos nós mudamos. E tudo porque somos portadores de negativos muito poderosos.

– São, sim.

– E quanto aos nossos positivos, que não são menos poderosos? Com nossos positivos ninguém se preocupa ou mesmo ambiciona apossar-se deles, não é mesmo?

– Não, ninguém quer descobrir o que há de bom nos positivos dos portadores de mistérios naturais, Shell-çá.

– Nossos negativos, sejam quais forem, só nos têm atormentado, Hefershi. O meu só me fez sofrer, assim como o teu te atormenta, não?

– É verdade, mas eu tento conduzir-me racionalmente. E tu deves fazer o mesmo porque possuir negativos poderosos implica ter um racional também muito forte.

– Tu sabes adentrar no negativo de uma mulher a partir do sétimo sentido?

– Sei, sim, Shell-çá.

– Então não mentias quando disseste que podias abrir meu subconsciente e franquear meus mistérios ao Mago da Morte.

– Não menti, mas não vou fazer isso. Minha vinda até aqui foi para libertar-vos, não para escravizar-vos.

– Tu sabes que, mesmo que nos libertes, outros continuarão a nos perseguir. Então, é melhor terminarmos com este tormento aqui e agora mesmo, Hefershi. Possui-me estando eu consciente e extrai de mim todos os mistérios que te for possível. Depois negocia com aquele desgraçado a nossa liberdade. Eu sinto que ele nos deixará partir assim que tu impuseres esta condição a ele.

– Tens ideia do que estás fazendo, Shell-çá? Teu marido nunca te falou que és portadora de mistérios de dupla polaridade ou mistérios duais?

— Nós discutimos sobre isso muitas vezes. E por causa deles vivemos isolados do resto da humanidade desde que fomos abandonados naquela ilha. Até quando haveremos de ser perseguidos pelos malditos que só se interessam pelo nosso lado negativo? Por que não surgem em nossas vidas pessoas interessadas no que temos de mais humano: nossos positivos?

— É o tempo que estamos vivendo, Shell-çá. Mas isso um dia mudará!

— Duvido, Hefershi. Estamos vivendo em um mundo onde os vermes são a espécie que mais se multiplica. Só estou falando dos vermes humanos, que corroeram a nossa sociedade e agora corroem nossos sentimentos mais nobres. Vermes malditos! Um dia haverão de se alimentar da própria podridão humana que criaram. Eu os odeio, Hefershi! Como eu os odeio!

— Acalma-te, Shell-çá! A esta altura dos acontecimentos, a revolta não ajudará em nada.

— Calar-me e aceitar passivamente que vermes malditos tentem possuir-me à força, como se eu não fosse dona do que trago em mim? Acabarei lançada em um abismo, do qual nunca mais conseguirei sair, compreendes?

— Compreendo, sim, Shell-çá.

— Se compreendes, então entra em meu subconsciente e me conduz conscientemente até meu negativo, Hefershi. Eu sei que sou portadora de mistérios ancestrais, dos quais todos os vermes tentam apossar-se. Desperta-os em mim e aí...

— Darás início à destruição dos vermes, não?

— Isso mesmo! E o primeiro que lançarei de encontro ao monstro que habita em seu negativo será esse maldito Mago da Morte. O segundo será esse ente maldito que sinto se estar alimentando das energias sexuais que meu negativo irradia.

— Tens certeza disso?

— Sim. Meus sentidos estão à flor da pele e estou prestes a enlouquecer com essa presença maligna, que induz os vermes a tentarem apossar-se de meu negativo sexual. Essa criatura sabe que, no positivo, sou mãe e geradora de vida e que, no negativo, sou o sexo em sua forma mais abjeta: sexo pelo prazer! É isso que essa criatura deseja!

— Essa "criatura" talvez seja teu próprio negativo, no sétimo sentido, que está tentando vir à tona, Shell-çá.

— Achas que é isso, Hefershi?

— Tenho certeza. Nossos negativos estão em nós, porém estão ligados também a mistérios desconhecidos, mas a fins energético-magneticamente falando, entendes?

— Isso significa que alguém ou alguma coisa está tentando manifestar-se em mim ou por intermédio de mim?

— Isso também. Mas o que precisa ser feito é que vás ao encontro de teu negativo para conhecê-lo, ordená-lo racionalmente e depois subjugá-lo ao seu consciente.

— Eu o desejo, Hefershi!

— Existem duas formas de se fazer isso. Uma é conduzir-te aos pontos de força afins com teus mistérios e, lá, sob o amparo do Regente do mistério positivo, seres conduzida ao encontro de teu negativo, onde o conhecerás. Conscientizada de teu potencial e recursos, darás início à manifestação de teus mistérios, sejam eles negativos ou positivos. É assim que tem sido feito nos rituais iniciáticos.

— Tu seguiste esse ritual?

— Não. Segui a outra forma, isto é, fui conduzido inconscientemente e, quando já estava mergulhado "dentro" de meu negativo, fui despertado e, conscientizando-me dos meus recursos, dei início à ascensão até vir à tona ou retornar a mim mesmo, já senhor de meu negativo.

— Apto a sustentá-lo ativo por quanto tempo desejares?

— Sim.

— Conduz-me, Hefershi.

— E se não conseguires retornar à tona? Como ficarei com minha consciência?

— Saberás suportar, pois, daí em diante, estarei inacessível aos vermes e deixarão minha família em paz.

— É perigoso, Shell-çá. Tu és uma yê ancestral e não sei o que existe além de teu negativo sexual.

— Faze-o por mim, Hefershi!

— É muito perigoso quando se está tão emocionalizado.

— Em nome do Sagrado Ia-yê... faze por mim o que meu marido não ousou, Hefershi!

— Ele não podia ou talvez não soubesse como, Shell-çá. Pensar assim é lançar-se no desequilíbrio total, sabias?

— Faze-o, pois há dias não ingiro o extrato que ele preparava para reprimir minha sexualidade. Ou tu o fazes agora ou essa criatura assustadora que atua em mim me dominará de dentro para fora, em uma catarse emocional que me lançará em um terrível tormento sexual, cujas dimensões desconheço ou das quais sequer ouvi falar, já que, desde que nasci para a carne, este meu sentido tem sido reprimido.

— Ah, Shell-çá yê! – exclamou Iafershi, muito triste.

— Não é hora para lamentos! Eu preciso de ajuda! Compreendes? Sou uma náufraga que só tem fora da água as mãos, estendidas na tua direção. Ou me tomas pelas mãos e me salvas agora, ou logo não haverá uma Shell-çá yê para ser salva...

– Ao inferno com os escrúpulos! – exclamou Iafershi. – Fui preparado para sempre fazer o que tem de ser feito. Já fiz tantas coisas boas e ruins que já nem sei se pertenço à Luz ou às trevas. Mas jamais deixarei de ser o que sou: um iniciado na origem, lançado no meio para ordená-lo!

– É esse Hefershi que quero que me conduza! – falou Shell-çá com brilho nos olhos.

Iafershi foi até a porta, trancou-a e falou:

– Quem de direito que nos proteja nesta descida aos teus negativos, enquanto ela durar!

E olhou rapidamente para onde devia estar o Mehi Laresh, que entendeu e projetou seu espírito para vigiar o Mago da Morte. Se o canalha intentasse algo que pudesse interferir no que ia ser feito, iria conhecer o poder mental negativo do Mehi Mahar Laresh.

Iafershi conduziu Shell-çá até o leito e pediu:

– Deixa-me conduzir-te e confia que estarei contigo o tempo todo, enquanto durar esta viagem de "retorno", está bem?

– Assim que for tocada pelo teu poderoso negativo, tenho certeza de que explodirei em um êxtase ansiado desde criança.

– Conto com isso para que, no momento em que estiveres inconsciente e mergulhada no êxtase, eu puxe teu espírito para fora de teu corpo e te conduza a dimensões inimagináveis para até os mais profundos conhecedores dos mistérios.

– Que dimensões são essas, Hefershi?

– Aquelas dos mistérios em si mesmos, Shell-çá yê. Retornarás ao ponto onde tudo começou e iniciarás um longo mergulho, que só terminará quando voltares à tona e ao teu corpo carnal. Confia sempre!

– Eu confio, pois ansiei por este momento minha vida toda.

Iafershi tocou Shell-çá com seu poderoso negativo. No princípio, foi com delicadeza, mas, aos poucos, foi impondo um ritmo que a deixou alucinada. Em pouco tempo, Shell-çá mergulhou em um êxtase que parecia um delírio interminável. Quando sentiu que ela já não tinha consciência de mais nada, pois havia sido lançada por inteiro em uma dimensão mental, Iafershi segurou o rosto dela, contorcido pelas vibrações de prazer, fixou seu olhar penetrante nos brilhantes olhos dela, hipnotizou-a e, em poderosa vibração mental, projetaram-se ambos no astral para uma viagem única e indescritível, para um mergulho no interior de mistérios indescritíveis. O corpo físico de Shell-çá desabou sobre o de Iafershi e ambos ficaram imóveis.

De seu privilegiado posto de vigia, o Mago da Morte comentou:

– Essa será uma longa e extasiante viagem! Que estúpido o Mehi Laresh é! Imagina! Reprimir esse vulcão explosivo chamado Shell-çá yê! Qualquer homem daria a própria vida para tê-la só para si! O que acabei de ver não foi outra coisa senão o encontro de dois poderosos negativos do sétimo sentido. Assim que eu tiver a posse desse mistério negativo, iniciarei o culto a uma poderosa Divindade do sexo, que atrairá milhões de fiéis e submissos escravos. Trarei dessa dimensão cósmica milhões de fêmeas naturais e darei a cada uma delas uma fêmea humana que, em simbiose sexual, subjugarão todos os machos humanos e os farão rastejar aos meus pés. Então, não mais serei chamado de Mago da Morte. Não! Serei aclamado no mundo todo como o Mago do Prazer! Ah, ah, ah!... Aquela natural protetora de Shell-çá yê, que aprisionei na câmara cristalina, revelou-me o que todos tanto procuravam. Se Luciyêfer descobriu a gênese da vida eterna no plano da matéria, eu descobri a fonte do prazer interminável! Ah, ah, ah!... Não haverá um só homem que não rastejará aos meus pés, tal como nós rastejamos pelo elixir da longa vida. Ah, ah, ah!... Boa viagem, escravos do sexo!

O Mehi Laresh ia pensar algo sobre aquele louco, mas lembrou-se de que ele ouvia até os pensamentos dos espíritos. Então, provocou uma forte irradiação e o adormeceu profundamente no corpo para, a seguir, projetar-se até a câmara cristalina, no recinto mais oculto daquele antigo Templo, onde viu várias naturais aprisionadas por processos energético-magnéticos realizados por aquele Mago caído. Recorrendo aos seus recursos extra-humanos, rompeu aquelas cadeias astrais, libertou-as e passou a comunicar-se com elas. Todas eram protetoras de suas filhas e, uma delas, de Shell-çá. Depois de tomar conhecimento de muitas coisas, conduziu-as aos seus pontos originais de força natural e colocou-as fora do alcance do Mago da Morte.

Aqui abro um parêntese para que o Mehi Mahar Selmi Laresh lach-me yê faça mais um de seus comentários:

> "Niyê he, irmão amado. Tu notaste que, no tempo em que vivi no plano material, os vermes humanos já se serviam dos naturais para seus objetivos escusos e que, por acaso, descobri que aquele verme muito especial, que era o 'meu' verme, já aprisionava os naturais, que nada mais são do que os encantados e encantadas da Natureza, recorrendo a magias, que são processos de irradiação ou condensação de energias astralinas manipuláveis pelos nossos polos positivos ou negativos. Notaste também que o safado havia aprisionado as protetoras naturais de minhas filhas e esposa, deixando-as desprotegidas pelo Alto e sujeitas às manifestações ou aberturas de seus negativos,

os de baixo, por onde tencionava dominá-las. Isso é o que há de mais abjeto nas magias negativas, pois atinge seres não humanizados que não possuem a dupla polaridade dos espíritos humanos.

Um ser natural é positivo ou negativo, energeticamente falando. E aqui falo de energias, não de sentimentos.

Aquelas naturais eram de natureza positiva e não sujeitas a reações de revolta quanto ao que ocorrera com elas. Apenas se aquietaram dentro da cadeia mágica erigida pelo 'meu' verme e ficaram à espera de que o Alto as libertasse. No caso delas, o Alto atuou por intermédio de mim, mas tem atuado por meio de muitos Mehis e Mehas Hesi e Mehis e Mehas Mahar, ou Guardiões, que atuam regidos pelos orixás, Senhores ancestrais das dimensões naturais positivas e negativas, onde evoluções se processam paralelamente com a evolução humana.

São muitos os protetores naturais dos espíritos encarnados que ficam retidos em cadeias mágicas erigidas pelos Magos caídos ou, como os nomino, vermes humanos. Esses protetores naturais são os tão decantados anjos da guarda de todas as religiões.

Todo espírito, ao encarnar, recebe um par de protetores naturais dos Regentes planetários: um positivo e afim com o seu polo positivo e um negativo e afim com o seu polo negativo.

Os de natureza positiva são passivos e os de natureza negativa são ativos, ou vice-versa. Se o espírito que encarna é ativo, seu negativo tem de ser passivo, senão, haverá uma tendência natural para ações negativas correlacionadas com a maldade e o encarnado tenderá a valorizar os instintos em prejuízo da consciência, sendo que, na realidade, a encarnação tem por objetivo principal despertar a consciência e adormecer os instintos. Sei que já sabes disso, mas quantos encarnados têm consciência desse objetivo da Lei e da Vida? Poucos, não? A maioria não relaciona evolução com conscientização e ascensão com virtuosidade. Pensam que podem dar vazão aos instintos mais negativos, como se isso fosse natural no ser humano.

O instinto básico, anterior aos sentidos, ajudou nossa evolução em outros estágios e dimensões, mas na dimensão e estágio humanos da evolução o despertar da consciência é o principal objetivo da Lei e da Vida.

Quero dizer-te também, Niyê he, meu irmão, que, se eu havia bloqueado a sexualidade de Shell-çá yê, tinha comigo que a estava ajudando. Afinal, eu ignorava as coisas do sexo até conhecê-la naquela ilha. E, como minha esposa, ela realmente vivenciou seu polo positivo. Foi uma esposa encantadora e uma mãe única, que passou por muitas privações e provações e jamais desanimou, já que vivia pelos nossos amores de filhos. Nas minhas recordações íntimas, em que rememoro o meu paraíso perdido, há uma Shell-çá maternal, doce, protetora e mãe da Vida.

Quando deixei as protetoras naturais no ponto de força natural, onde estariam fora do alcance daquele 'meu' verme, conheci a Divindade Mãe da Vida que, no Ritual de Umbanda Sagrada, tu a conheces como a Orixá Yê-man-ni-iim-iê ou Iemanjá. Recebi dela, naquele momento, um objeto sagrado que incorporei aos meus outros objetos sagrados, os quais usaria como um de meus recursos em caso de necessidade.

É estranho. Se não temos consciência de certas deficiências em nossos sentidos, as Divindades naturais ou orixás, ao nos olharem, detectam-nas imediatamente e tentam ajudar-nos, alertando-nos para que as corrijamos. E ela, em sua infinita bondade de mãe, alertou-me sobre uma deficiência que existia em meu sétimo sentido da Vida, dizendo-me: – Filho meu, és um pai que honras teus filhos e teu pai, mas, como esposo, deves vivenciar a sexualidade em seus limites mais amplos ou nunca entenderás que, ao lado do ato de geração, foi colocada a vivenciação prazerosa da comunhão dos corpos.

O que aquele alerta despertou em mim tu saberás mais adiante, mas te revelo antecipadamente que, sexo para mim, era para geração de filhos.

Até que eu sinta que devo comentar mais alguma coisa, nosso irmão Mehi Hesi Benedito de Aruanda segue com minha romanceada biografia, em primeira e única mão, que é a tua mão, Niyê he, meu irmão. Salihed!".

O Mehi Mahar Laresh, após ouvir aquele alerta da divina Ye-man-ni-iim-iá, retornou para junto do corpo desacordado de "seu" verme, digo, do Mago caído. Valendo-se de um recurso muito especial, penetrou na memória dele, vasculhou-a demoradamente e descobriu coisas impressionantes. Aquele verme caído era muito mais do que poderia um verme demonstrar.

Não lhe faltou vontade de arrancar o espírito do Mago e cortar seu cordão da vida com sua espada da Lei. Mas teve o bom senso de não fazê-lo naquele momento, detendo-se apenas em localizar o polo negativo do Mago caído, como lhe ensinara o Sagrado Ia-fer-ag-iim-lach-me-yê.

Descobriu que o negativo de "seu" verme refletia em uma dimensão negativa que ele já conhecia, mas que se deslocara para dentro da aterradora mancha negra que tanto o assustara e o induzira a consumir o tal elixir da longa vida, reativador da autorregeneração celular do organismo humano. Os cientistas atuais estão tentando encontrá-lo por meio da decodificação da gênese celular. Se forem bons servos de Luciyêfer, certamente logo haverá uma multidão de idiotas caídos nos vícios da carne, tentando manter-se jovens e fortes para mais bem desfrutarem os prazeres da vida material e se esquecendo de que o maior dos prazeres é viver de forma regrada, virtuosa e generosa em relação a tudo o que existir. Mas...

O Mehi Mahar Laresh, já conhecedor das fraquezas do Mago da Morte, antes de despertá-lo, foi olhar os corpos de Shell-çá e Iafershi. Demorou pouco, pois notou que tudo estava bem com ambos, mas viu como o poderoso negativo de Iafershi continuava ativo, muito ativo junto ao negativo de Shell-çá.

– É uma visão marcante! – pensou.

– É marcante ou extasiante, Mehi Laresh? – perguntou-lhe uma voz feminina, às suas costas, fazendo-o voltar-se com a espada encantada pronta para golpear, caso fosse uma inimiga. Mas a criatura o paralisou, de tão deslumbrante.

– Quem és, criatura?

– Sou a protetora natural do polo negativo de Shell-çá yê, Mehi.

– Por que nunca te vi antes?

– Porque nunca me mostrei a ti.

– Se dizes a verdade, de onde vens?

– Pertenço a uma dimensão negativa regida pela Sagrada Mãe da Vida, a divina Iá-man-iim-iá.

– Como posso ter certeza disso?

– Segue-me, que te provarei.

– Seguir-te? Agora não posso.

– Por que não?

– Estou vigiando o Mago caído. E logo esses dois podem retornar ao corpo carnal e despertar.

– Esse mergulho no inconsciente demora muito tempo para se consumar, Mehi. E quanto ao Mago, exageraste na irradiação que paralisou o mental dele, o qual só despertará se tu o acordares. Portanto, tens o tempo necessário para comprovar quem sou eu, pois fui eu quem despertou em Shell-çá yê seu poderoso negativo no sétimo sentido.

– Eras tu a "presença" que ela sentia ativando-a sexualmente?

– Sim, era eu. Ou eu aproveitava esta oportunidade única ou outra nunca mais surgiria com alguém apto a conduzi-la, em total segurança, até os mistérios que ela traz em si mesma.

– Está certo. Mas sejamos rápidos.

O Mehi Laresh foi conhecer a dimensão negativa regida pela Sagrada Mãe da Vida, em que comprovou que ela era a protetora natural do polo negativo no sétimo sentido de Shell-çá. Naquela dimensão, conheceu parte dos mistérios da sexualidade. E quando voltou à dimensão humana, já era outra sua visão dessa qualidade humana.

Após verificar que o Mago continuava paralisado, foi para junto dos corpos imóveis de Shell-çá yê e Iafershi e lá ficou até que ambos os reassumissem e despertassem para a dimensão material. Ia despertar o Mago, mas aquela protetora natural de natureza negativa ordenou:

– Ainda não, Mehi. Queres tua esposa de volta, não?

– Sim, eu a quero.

– Aguarda mais um pouco e depois desperta aquele Mago sob o domínio de teu negativo humano.

Shell-çá, despertando aos poucos, devagar foi reassumindo sua mente e as funções de seu corpo material. Já em plena consciência de onde se encontrava, abraçou Iafershi e chorou convulsivamente. E ele, chorando silenciosamente, acariciou-a com ternura.

Quando a crise de choro passou, ela perguntou:

– Por que teu negativo continua tão ativado?

– Eu não me permito uma realização durante esses mergulhos no inconsciente, Shell-çá. Para tanto, teria de desconcentrar-me e poria todo o processo em perigo. Nós nos perderíamos em alguma das dimensões que visitamos e nunca mais voltaríamos ao corpo carnal.

– Já fizeste esse tipo de mergulho muitas vezes?

– Sim, já realizei muitos, mas sempre com este objetivo; do contrário, deixaria de ser um instrumento, transformar-me-ia em um fim em mim mesmo e cairia sob o domínio do negativo de meu negativo, que é a sexualidade desenfreada.

– Mas se ele ficar ativado depois de retirá-lo de meu negativo, continuarás incomodado.

– Não continuarei, Shell-çá. Posso desativá-lo mentalmente, quando desejar.

– Mas...

– Foi preciso mentir-te. Era uma exigência de tua protetora negativa nesse teu polo energético-magnético para liberar ordenadamente tua sexualidade.

Shell-çá começou a rir.

– Por que estás rindo?

– Durante a noite, acreditei que, por ser uma mulher completa poderia livrar-te do incômodo de estar com teu negativo ativado. Que tola fui!

– Tu não sabias. Agradeço por preocupar-te comigo. Agora é hora de separar-nos.

– Ainda estás com teu negativo isolado?

— Não. Já o reassumi, retirando-o do domínio do inconsciente.
— Ele estava sob a influência de teu inconsciente quando me... tu sabes.
— Estava. Éramos dois em um. Ele inconsciente e eu consciente.
— É esse o mistério de sustentá-lo ativo por tanto tempo?
— Sim, é só isso. Vamos separar-nos, pois sinto...
— Sentes o quê?
— Tu sabes o que estás fazendo. Estou com ele religado...
— Eu sei. Acabaste de revelar-me teu mistério.
— O que estás pretendendo, ou melhor, fazendo?
— Não sabes quando uma mulher faz o que estou fazendo agora?
— Sei muito bem. Mas não acho que devas continuar, pois não foi para isto que...
— Esquece tudo e permite que eu retribua o imenso bem que fizeste por mim. Quero que me possuas como te vi fazer com Há-ci-let. Eu quero aquilo, Iafershi!
— Tu...
— Eu ... o quê?
— Deixa prá lá. Lembra-te de que foste tu que o desejaste, certo?
— Sim, fui eu.
— É hora de despertar o Mago caído, Mehi. — falou a protetora para Laresh.
— Tu estimulaste Shell-çá mais uma vez?
— Sim.
— Por quê?
— Se esses mergulhos não forem completados, podem paralisar esse sentido no corpo carnal. E ele não ia completá-lo em respeito a ti, pois não se sente no direito de possuí-la conscientemente.
— Com Há-ci-let ele fez tudo conscientemente, não?
— Sim, mas ela é esposa dele e domina todo o conhecimento neste sentido.
— Eu não sabia disso.
— Ela e muitos outros que se infiltraram neste Templo estão aqui para proteger a ti e a tua família. Aquela encarnada que tem levado comida para ti é mais uma infiltrada. Logo tudo te será revelado. Volta até o Mago caído, desperta-o, afasta-te dele e retorna ao teu corpo carnal, pois agora já sabes como manipulá-lo, mesmo estando no plano da matéria.

O Mehi Laresh fez como lhe foi ordenado e, dali a pouco, já estava no visor contemplando sua Shell-çá entregando-se conscientemente a outro homem. Quando Iafershi nela e com ela se realizou, descansou um pouco. Depois olhou Shell-çá por um instante e a hipnotizou, tornando-a igual a um autômato. A seguir, sentou-se na borda da cama, cobriu o rosto com as mãos e começou a chorar. Pouco depois, dois guardas bateram à porta, levando-o ao Mago. E o mesmo aconteceu com o Mehi Laresh.

– Agiste muito bem, Iafershi. Pena que dormi a maior parte do tempo – falou o Mago da Morte.

– Imagino que ficaste cansado de contemplar dois corpos inertes.

– É. Foi isso. Descobriste como ativar os mistérios de nossa Shell-çá yê?

– Descobri sim, meu Senhor.

– Ótimo! Assim que passá-los para mim, vou usar um deles para extrair o mistério negativo de Laresh, dando início à destruição de meus inimigos.

– Mago caído, tu te lembras quando me ajoelhei aos teus pés, aqui mesmo, e clamei por perdão?

– Lembro-me, Iafershi.

– Tu te lembras de tuas escravas rastejantes, que ocultas debaixo de tuas grossas vestes?

– Sim... tu...

– Eu as dominei, encantei-as e as coloquei em vibração total com minha mente. Sente as cabeças delas acariciando tuas coxas e tenta mover-te, ao menos.

– O que pretendes, Iafershi?

– Tu és meu escravo agora, Mago maldito! Ordena imediatamente que teus guardas busquem Shell-çá yê e todas as filhas dela ou essas tuas rastejantes te enviarão imediatamente ao encontro do teu Senhor!

– Posso mandar esta serpente aqui te atacar!...

– Eu posso mover-me e escapar do bote dela. Quando enviares a ordem para ela me atacar, essas aí também te atacarão. E se ordenares às que ocultaste nos quartos onde estão as filhas e a esposa do Mehi Laresh, elas também te atacarão!

– Pensaste em tudo, não?

– Lidando com caídos, tenho de pensar em tudo. E tu me deves algo, Mago maldito. E não tenhas dúvida: cobrar-te-ei tudo!

– Está certo. Por enquanto, tu és o Senhor, Iafershi.

– Ordena aos teus guardas que tragam imediatamente as filhas e a esposa do Mehi Laresh.

Algum tempo depois, com a família de Laresh reunida, Iafershi ordenou:

— Olha nos meus olhos para que eu te passe os segredos dos mistérios de Shell-çá yê.

— Por que tanta generosidade, Iafershi?

— Tu não os querias?

— Sim... mas em outras condições. O quê?... Estás dando ordens às serpentes?

— Vês como eu as domino melhor que tu? Até essa maior em tuas mãos já está dominada por minha mente.

— Não!!!

— Está, sim. Vou ordenar a ela que se enrole em torno de teu pescoço. Tenta impedi-la ou dar-lhe alguma ordem e...

— E... o quê?

— Adivinha, oras!

— Não aprecio adivinhações, Iafershi. Às vezes, podemos falhar.

— Sim. Agora olha nos meus olhos, Mago da Morte.

Quando ele olhou nos olhos de Iafershi, a enorme serpente apertou o anel em torno de seu pescoço, sufocando-o. E o medo que sentiu enfraqueceu-o, dando a Iafershi a oportunidade de penetrá-lo visualmente, hipnotizá-lo e subjugá-lo em todos os sentidos.

— É meu escravo! — sussurrou entre dentes um Iafershi vitorioso. — De agora em diante, sou o Senhor deste Templo! Ah, ah, ah!...

Nesse momento, entrou um homem vestido com um manto negro, acompanhado de vários guardas, que começou a bater palmas. Assim que parou, falou:

— Bravo, Iafershi! És digno de tua fama, tal como sou da minha!

Após observar aquele homem, Iafershi perguntou:

— Tu és mesmo quem penso que és?

— Sou o mesmo, mas rejuvenescido, meu inimigo predileto! Já cobraste tudo de meu escravo?

— Não! Ainda tenho de receber de volta os espíritos de meus filhos, que ele deve saber onde estão.

— Isso ele não poderá fazer, Iafershi.

— Por que não? Se ele enviou-os para lá, também saberá como retirá-los. E irá retirá-los!

— Não irá, não. Acabei de ordenar às rastejantes que acabassem com esse escravo tão idiota.

Iafershi voltou o rosto em direção ao Mago da Morte e notou que ele já estava morto.

— Como conseguiste, estando elas sob meu domínio?

– São coisas que só nós, os verdadeiros grandes Magos Negros, sabemos e não revelamos a tolos iniciantes, Iafershi.
– Isso eu preciso aprender, poderoso Mago Negro.
– Duvido que vivas tanto. Tenho outros planos, sabes?
– Irás matar-me?
– A ti, não... por enquanto.
– Se não é a mim que matarás...
– Exatamente, meu dileto inimigo! É uma bela família, não?
– Deixa-os viver, grande Mago Negro. Tens a mim e isto basta para teus planos. Eu anulei em Shell-çá todo o negativo dela.
– Shell-çá não é a única yê nessa preciosa família. Ou não sabias disso também?
– Também? O que mais eu não sei, grande Mago Negro?
– O teu aliado, o comandante do caído Templo da Luz Dourada, mudou de lado, Iafershi.
– Não creio. Ele preferiria a morte à traição.
– Acho que não. Trazei o comandante guardião para que este condenado veja com os próprios olhos meus métodos de tortura que nunca falham.

Pouco depois, o aliado de Iafershi era trazido. Sem mover um só músculo do rosto ou sequer piscar diante do estado do pobre homem, Iafershi perguntou-lhe:

– Ousaste trair-nos, comandante?
– Perdoa-me, irmão. Não resisti à tortura.
– Tu sabes o que acontecerá contigo após desencarnares?
– Sei, mas entendas. Não resisti ao tormento de ter minha pele arrancada, a frio, de meu corpo.
– Posso até entender, irmão caído. Mas será que o nosso Senhor do Alto entenderá?
– Já não me importo com nada, Iafershi. Tudo está acabado para nós. Desiste enquanto é tempo ou farão o mesmo contigo.
– Por que não agiste como nos foi recomendado, no caso de sermos obrigados a delatar?
– Não tive tempo. Fui subjugado por um mental poderosíssimo e superior ao meu.
– Entregaste nossos planos?
– Sim.
– Também apontaste todos os nossos auxiliares?
– Sim.
– Isso não incomoda tua consciência?

— Ao inferno com minha consciência, Iafershi ! Olha para o meu peito ao menos... e tenta compreender que fui subjugado pela dor. Tudo se acabou para nós, irmão! Todos já estão presos e só restas tu. Desiste dessa nossa luta sem fim e junta-te a nós, os caídos diante da Lei.

— Tu fizeste também isso, irmão? — perguntou Iafershi, deixando-se abater.

— É melhor a vida eterna na carne do que o inferno reservado aos traidores do Sagrado Ag-iim-yê!

— Sinto por ti, irmão. Pagarás caro, muito caro por tua traição.

— Já paguei antecipadamente.

O diálogo foi interrompido pelo grande Mago Negro, que observava os dois e via lágrimas correrem dos olhos deles. O Mehi Laresh, bem próximo do traidor, olhava seu peito em carne viva, pois sua pele havia sido arrancada dos ombros até o umbigo. Só não sangrava porque lhe fora aplicado um líquido coagulante.

— Iafershi, vamos ver se és forte! — exclamou o grande Mago Negro.

— Tencionas fazer o mesmo comigo, verme asqueroso?

— Não. Mas... tu estás vendo estas filhas de Laresh?

— Estou!

— Queres trocar tua vida pela vida delas, Iafershi?

— Não! Podes matá-las e livrarás as infelizes de sofrerem ainda mais neste mundo, onde o Mal já faz parte do dia a dia.

— Matá-las? Isso já teria sido feito se eu desejasse, Iafershi. O que te estou propondo é que te submetas passivamente ou terás o privilégio de ver estas lindas garotas serem esfoladas bem diante de teus lacrimejantes olhos!

Laresh, ao ouvir aquilo, tremeu todo.

— Tu não ousarias, caído maldito! — exclamou Iafershi.

— Duvidas? Vou ordenar que esta menorzinha seja esfolada. Se então acreditares em mim, conversaremos!

— Acredito em ti, Mago do inferno! O que realmente desejas de mim, se escravos submissos não são problema para ti?

— Quero tua mente e tudo o que está arquivado em tua memória ancestral, além dos mistérios que já absorveste de outros portadores naturais.

— Não adianta pedir-te garantias de que as libertarás, não é mesmo?

— Tu sabes que não cumpro nem o que prometi ao Regente caído. Então, para que prometer-te algo que não farei? Mas, para que não penses que te sacrificarás em vão, adianto-te que tenciono transformá-las em Divindades dos prazeres. Satisfeito?

– É tua especialidade, não?
– Nós temos muitas coisas em comum, Iafershi.
– Mas não os mesmos regentes.
– É verdade. Mas tudo é opção pessoal.
– Um dia descobrirás que optaste pelo lado errado, mas, aí já não haverá retorno, grande Mago Negro!
– Submete-te, Iafershi!
– Antes, posso desligar-me da irradiação de meu ancestral?
– Por que tantos escrúpulos se, quando eu terminar contigo, estarás implorando ao meu Senhor que te acolha como mais um de seus escravos?
– Nossos métodos são opostos, Mago Negro. Até na derrota procedemos de maneira oposta.
– Sê rápido na tua despedida com o teu Senhor, Iafershi!
– Serei, verme!

Iafershi ajoelhou-se e, elevando os braços, clamou:
– Sagrado Iá-yê, que seja feita a tua vontade!

O Mehi Laresh, muito assustado, viu que, assim que a despedida terminou, uma sombra escura envolveu Iafershi e o apagou completamente, deixando-o com uma aparência muito cansada. Só os olhos inundados de lágrimas demonstravam que ainda estava vivo. O Mago Negro então falou:
– Viste como não foi difícil afastar-te dos Senhores da Luz?
– Faze o que desejas, Mago Negro. Rompi minha ligação com meu Regente ancestral e não reagirei ao teu mental degenerado.
– É assim que te quero: escravizado!
– Já me sinto teu escravo, Mago dos infernos!
– Levanta-te e submete-te ao meu domínio mental!

Iafershi, a muito custo, ficou de pé e, meio curvado, olhou para o Mago Negro. Mehi Laresh, que a tudo observava e que via outra dimensão além da material, notou que, quando aqueles dois pares de olhos se cruzaram, dos olhos de Iafershi saíram dois fachos negros que atingiram os olhos de seu inimigo, o qual sofreu um leve tremor. Durou pouco tempo aquela troca de informações. Em dado momento, exclamou:
– Finalmente! Finalmente! Iafershi, meu escravo, ajoelha-te diante de teu novo Senhor!

Ao ver-se obedecido, ordenou:
– Levanta-te e segue-me!

O Mehi Laresh e toda a sua família foram conduzidos a uma cela. Avisado de que suas filhas menores seriam sacrificadas dentro de poucas horas, pois já anoitecia; sua mente, aguçada além dos limites, tentava ordenar os acontecimentos para entender se captara o que havia acontecido: Iafershi havia subjugado aquele mago negro que acabara de chegar, mas havia ordenado que ele se comportasse como seu novo Senhor. Por quê? As horas de espera pelo desfecho de um plano que fugia à sua compreensão o angustiava, mas serviram para que refletisse no modo de agir de Iafershi, que se abatera com a descoberta de que seus filhos já não podiam ser trazidos para a dimensão dos espíritos. Mas, a uma ordem, reagira e recuperara o domínio de suas ações, enganando o Mago da Morte, dizendo-se um caído também. Ganhara tempo para levar Shell-çá aos seus mistérios e depois apagá-los da memória dela e subjugara o Mago da Morte, pois, enquanto fingia submissão, já voltava contra ele suas próprias rastejantes. E quando viu o aliado de Iafershi esfolado vivo e sofrendo muito, reparou como, em um só instante, Iafershi subjugou-o visualmente, anulando a dor que o atormentava. Por que fizera aquilo, se esse aliado o havia traído? Ou não o traíra? Mesmo pagando um alto preço, ainda sustentava e seguia à risca o plano que haviam traçado? Por quê?

Essas indagações levavam-no a várias hipóteses, mas nenhuma o satisfazia, principalmente porque suas filhinhas iam ser sacrificadas. Aquela angústia durou até as 23 horas, quando guardas armados vieram buscá-las. O líder do grupo cruzou os olhos com os do Mehi por um instante apenas, mas foi o suficiente para Laresh compreender que era mais um do grupo a ter por missão libertá-los.

Foram conduzidos por um longo corredor que desembocava nos fundos do grande Templo, os quais, nos tempos que ali ele vivera, usava para cultivar cereais. Mas o que viu deixou-o assustado: milhares de pessoas aglomeradas em um imenso círculo, todas encapuzadas e vestidas com longos mantos negros e no mais absoluto silêncio, tanto que ouviam o Mago Negro falar sobre a nova Divindade negativa que ali seria cultuada.

Ao lado dele, um Iafershi submisso, mas com seu negativo ativado, era apontado à turba como o mais novo adepto dos antinaturais. E ele, senhor do mistério do sétimo sentido, o sentido sexual, iria preparar o ambiente para que, quando chegasse a hora, todos estivessem estimulados e sensibilizados a ponto de poderem captar as irradiações da tal Divindade negativa de natureza sexual. Iafershi foi apresentado como o poderoso senhor dos mistérios do sexo, há muito desaparecido, mas que estava de volta. O que ali se passou naquela hora não vamos detalhar. Faltavam uns dez minutos para a meia-noite, quando uma nave aterrissou e dela desceram várias pessoas encapuzadas e vestidas com mantos negros, as quais se dirigiram a um local previamente preparado e fortemente protegido por guardas armados. Só então o Mehi Laresh compreendeu o plano daqueles iniciados comandados por Iafershi: eram esses recém-chegados que eles queriam. Usaram sua família e ele para se aproximarem dele. Afinal, poderiam tê-los libertado antes, mas não o fizeram porque libertá-los era secundário naquele plano todo.

À meia-noite em ponto, viu Há-ci-let yê, toda paramentada para uma grande cerimônia, subir ao altar dos sacrifícios e ser apresentada como serva da Divindade do sexo, que ali se manifestaria. Iafershi e ela foram conduzidos até os recém-chegados e curvaram-se reverentemente, saudando-os.

A seguir, voltaram ao altar ladeando o Mago Negro, que ordenou a Iafershi:

– Busca as vítimas e a sacrificadora, escravo do sexo!

Em meio a um silêncio total, ele desceu o tablado, dirigiu-se até onde estava Shell-çá e ordenou:

– Serva da deusa do sexo, recolhe tuas filhas e as conduz ao altar dos sacrifícios!

O Mehi Laresh, atônito, viu Shell-çá pegar as duas filhinhas pelas mãos e conduzi-las até o tablado, onde lhes foi oferecida uma taça para que ingerissem uma droga sonífera. A seguir, foram deitadas em um local apropriado, já adormecidas. A Shell-çá foi entregue uma lâmina longa e afiadíssima, de duplo corte, indicando o local onde deveria golpear: o coração das pequeninas. Laresh, alucinado, gritou, mas foi subjugado e emudecido pelos guardas. Um canto profano começou a ser entoado pela multidão, enquanto, em um ponto, o círculo se abriu e um homem vestido de vermelho e com vários guardas a escoltá-lo dirigiu-se até o tablado, onde foi saudado como o poderoso Mago dos Desejos pelo Mago Negro, ladeado por Iafershi e Há-ci-let yê. Ele invocou a tal Divindade negativa do sexo. Quando ela se manifestou, todas as pessoas no círculo, em torno do tablado, entraram em êxtase e o mago negro escravizado por Iafershi sacou de uma longa lâmina e, com um só golpe, quase decapitou o Mago dos Desejos que realizava a invocação.

Iafershi e Hacilet yê caíram ao chão, desabando mesmo, pois haviam projetado seus espíritos. Os guardas, em reação natural, abateram o Mago Negro que assassinara o líder do culto à tal Divindade. Imediatamente, os guardas em torno do Mehi Laresh voltaram suas armas na direção deles e os abateram. A seguir, voltaram suas mortíferas armas ao grupo recém-chegado e o mesmo foi feito com eles. Mas um horror pior começava.

Guardas, saindo de naves que ali desceram assim que as mortes haviam começado, abateram todas as pessoas que formavam aquele círculo de adoradores da Divindade negativa do sexo. Quando todos já estavam mortos, dirigiram-se ao interior do Templo e continuaram a chacina friamente planejada e ali executada.

O Mehi Laresh assistia àquele horror, paralisado. E o mesmo acontecia com suas filhas, agarradas a ele. Toda aquela ação não durou mais que uns minutos.

Quando as armas silenciaram, um grupo de homens, portando um enorme cristal hialino, caminhou rumo ao tablado e deu início a um ritual de formação de poderosa cadeia energético-magnética ou cadeia mágica.

Laresh, saindo de seu torpor, sacudiu a cabeça para afastar as imagens de horror de sua mente, abriu novamente sua visão multidimensional e viu pairando acima do corpo de suas duas filhas uma criatura feminina, ainda desconhecida dele quando visitara muitas dimensões ao lado do Sagrado Sehi lach-me yê. Viu também que Iafershi e Hacilet yê subjugavam-na com recursos extra-humanos. Algo em seu íntimo levou-o a gritar.

– Esperai! Não façais isso, pois estais agindo no sentido contrário à Lei!

Aqueles Magos da "Luz" olharam para ele por um instante e um deles perguntou-lhe:

– O que sabes sobre a Lei e quem és tu?

– Sou o Mehi Mahar Selmi Laresh Lach-me yê.

– Aproxima-te, Mehi Laresh, e dize o que sabes sobre a Lei, já que és um Mehi Mahar Lach-me yê.

Ele aproximou-se e falou:

– Entendo que vós estais há tempos tentando anular essa criatura, mas o melhor método não é prendê-la nessa cadeia cristalina.

– Qual é, então, Mehi Mahar Laresh?

– Devolvê-la à sua dimensão de origem é a melhor solução.

– Tu sabes como realizar uma operação dessa natureza, mesmo tratando-se de uma criatura que se habituou a absorver as energias vitais de mulheres virgens e que quase absorve as de tuas próprias filhas?

– Essas criaturas, sensualizadas em todos os sentidos e viciadas na energia vital humana, não têm uma consciência real do que estão fazendo ou do mal que irradiam nos seres humanos, Senhores Magos da Luz. Na verdade, são escravas de humanos viciados. E já que ela está retida aqui, podeis enviá-la de volta à dimensão de origem, da qual ela só saiu porque espíritos humanos caídos nos vícios da carne trouxeram-na à nossa dimensão por meio de um processo energético-magnético afim com a dimensão e natureza sexual extra-humanas, o que a torna poderosa.

– Outros humanos caídos poderão libertá-la, Mehi Mahar, e tudo se repetirá mais uma vez.

– Vós tendes como impedir que isso aconteça?

– Não temos, Mehi Mahar.

– Então, a solução não é essa. Vós precisais saber como ativar um processo inverso ao que até aqui a atraiu e a outras atrairá no futuro.

– Tu podes fazer isso agora?

– Posso, se me permitirdes antes invocar o Sagrado Ia-fer-ag- iim-sehi-lach-me yê.

– No horário das Divindades negativas, Mehi Mahar? Isso é uma afronta à Lei!

– O que sabeis da Lei se a estais afrontando? Como podeis querer ordenar entes ou criaturas negativos, se desconheceis como proceder quando vos posicionais diante de uma delas? Por acaso desconheceis que a dimensão de origem dessa criatura tem um Mehi Iá-fer a vigiar tanto as ações dessa aí e de outras semelhantes a ela, como também as ações humanas, que ativam processos mágicos que as atraem à dimensão humana?

– Não temos permissão de invocar os Mehi Iá-fer negativos, Mehi Mahar. Nossos limites são seguidos à risca e dentro deles temos de permanecer.

– Não sei qual foi a ordem dada por Iafershi à minha esposa Shell-çá. Mas se algo do que ides realizar falhar, aquela lâmina na mão dela será cravada no peito de minha filha. Portanto, tenho o direito de fazer o que deve ser feito, e bem-feito!

– O que pretendes fazer, Mehi Mahar?

– Vou invocar o Sagrado Sehi Lach-me yê e, sob o amparo de sua divina e luminosa irradiação, invocarei o Guardião da dimensão na qual essa criatura foi retirada, para que ele, um Mehi Iá-fer negativo, a reconduza. Só assim a Lei não terá sido afrontada!

– Não tens o direito de realizar essa cerimônia, Mehi Mahar.

– Tenho todo o direito do mundo, Mago da Luz. Vi minha família ser violentada, torturada, amedrontada, usada e abusada, enquanto vós e vossos rivais Magos das trevas travavam uma luta, em que regras não existem, pois sois tão desumanos quanto eles. Vede à nossa volta quantas vidas humanas pagaram um preço tão alto só porque estavam do lado dos vossos inimigos mortais. Aqui a Lei está presente, Magos da Luz... Luz? Que luz? Onde está a luz de vossas ações?

– Acalma-te, Mehi Mahar! Mais tarde entenderás tudo!

– Dai-me alguns preciosíssimos minutos e aprendereis como proceder, caso queirais manter-vos nos limites da Lei.

– Tens teus preciosos minutos, Mehi Mahar. Mas se o que dizes poder fazer não for feito...

– Serei executado, certo?

– Isso mesmo!

– Eu assumo a responsabilidade pela minha ação!

— Realiza teu ritual, Mehi Mahar Selmi Laresh lach-me yê!

O Mehi Laresh realizou um ritual antes nunca feito por aqueles Magos e o qual aqui não será descrito. O fato é que uma Meha Iá-fer ali se manifestou sob a irradiação do Iá-fer-ag-iim-sehi-lach-me-yê ou Sagrado Ogum Sete Lanças. Com um simples gesto de suas mãos irradiantes, reconduziu aquela criatura à sua dimensão de origem, pondo fim às suas atividades negativas na dimensão humana.

Assim que o Mehi Laresh encerrou seu ritual, Iafershi e Hacilet yê retornaram aos seus corpos carnais, reassumindo-os.

Iafershi ordenou a Shell-çá que lhe devolvesse a lâmina e a despertou do transe hipnótico momentos antes que a tragédia caísse sobre aquela família. Confusa, Shell-çá perguntou ao marido o que havia acontecido, se tinham acabado de dormir. Ele pediu a ela que tivesse paciência e que nada lhe poderia dizer naquele momento, pois até ele estava precisando de explicações que só Iafershi poderia dar, uma vez que ele a remetera a um período anterior ao ali acontecido.

E Iafershi fez o mesmo com todas as filhas dele, hipnotizando-as e adormecendo em suas memórias tudo o que acontecera. Até o filho de Laresh foi ali trazido e teve sua memória adormecida.

— Por que isso, Iafershi?

— Elas não se lembrarão dos tormentos, Mehi. Assim não sofrerão mais.

— Achas certo privar minha família dessa experiência só porque ela foi negativa?

— Não se trata de achar certo ou errado, Mehi. Nós optamos por essa solução, que é a melhor.

— Já pensaste na opção de se deixar as pessoas atingidas superarem os tormentos por si próprias, a fim de aprenderem a conviver com a dor?

— Tentamos, Mehi, mas muitos não conseguiram suportar as lembranças dolorosas e sucumbiram.

— Eu quero minha família ilesa, Iafershi! Quero-a com suas alegrias e tristezas. Eu a protegi do mundo enquanto me foi possível, mas, agora, quando vivenciamos tudo o que temíamos, então não nos prives dessas lembranças amargas, pois serão elas que nos direcionarão no futuro para o Bem ou para o Mal. E se não fizeres isso, estarás negando-nos uma oportunidade única de crescermos a partir das nossas dores.

— Mehi Laresh, tens certeza de que é isso o que desejas?

— Tenho, Iafershi! Se o Sagrado Iá-yê quisesse, nada disso teria acontecido conosco. Mas se tudo aconteceu na presença dele, temos o direito de nos recordar de tudo, tanto das dores quanto dos prazeres. E tu sabes do que estou falando.

— Está certo. Para o Bem ou para o Mal, só tua será a responsabilidade, certo?

— Eu a assumo diante dos homens e do meu Criador. Quero de volta minha família, mesmo com suas dores e alegrias, tristezas e prazeres. Só assim poderei ampará-la como pai, pois vivenciei parte do tormento que se abateu sobre todos nós.

Iafershi atendeu ao pedido do Mehi Laresh, abrindo totalmente a memória de toda a família dele. Depois, ofereceu-lhe um transporte para levá-los de volta ao vale onde viviam.

— Se nos permitirdes, ficaremos aqui para enterrar todos esses cadáveres, Iafershi.

— Nós cuidaremos deles, Mehi Laresh. Só há dois... por enquanto.

— Dois? E todos esses mortos?

— Eles não estão mortos. Apenas foram atingidos por projéteis que os adormeceram instantaneamente. Ficarão adormecidos por umas oito horas. Haverá mais alguns cadáveres, pois aqueles caídos que vieram com o Mago dos Desejos de outro Continente serão executados. Todos eles são adoradores de criaturas iguais à que aqui se manifestou e sabem como atraí-las para a nossa dimensão. Quanto a esses infelizes, adormeceremos suas memórias e continuarão a viver como se nada lhes tivesse acontecido.

— Achais isso o mais certo?

— O que é mais ou menos certo em um tempo como este, em que caídos em todos os sentidos induzem quedas coletivas? Como saber o que fazer com pessoas que deixaram de cultuar as Divindades Regentes para se entregarem a rituais profanos e cultuarem criaturas afinizadas com os vícios humanos? O que é certo neste tempo tão confuso, quando descubro que meus filhos amados, na verdade, eram a reencarnação de dois caídos... que talvez eu mesmo os tenha executado?

— Eu te admiro, Iafershi. Acompanhei-te desde tua chegada a este Templo e descobri que estive paralisado no tempo. Tu és um guerreiro em todos os sentidos. Tu te movimentas e mudas teu modo de agir com tanta naturalidade que enganas os mais astutos adversários. Em igualdade de condições, eles não são páreos para ti em campo nenhum.

— Não me admires, Mehi Laresh. Sou um ser que já não se reconhece e, quando se lembra de como já foi até certa idade, pensa que tudo foi só um sonho. Na noite dos tempos vindouros, só pesadelos povoarão minha vida... ou a ausência dela que se instalou em mim.

— Temes a escuridão, Iafershi?

— Não. Só sinto ter sido obrigado a afastar-me da Luz. Já visitaste as dimensões positivas?

— Já.

— Antes de ser lançado no meu polo negativo, eu as visitava todas as noites, assim que adormecia meu corpo carnal.

— Por que não voltas a visitá-las?

— Não tenho coragem de olhar para os seres naturais que vivem nelas. Para proteger-me, meu Regente apagou minha luz natural, e eu, para cumprir minha missão, afastei-me da Luz e me lancei contra as trevas.

— Poderias ensinar-me como consegues hipnotizar uma pessoa tão rapidamente?

— Claro! Isso é tão fácil como encantar uma serpente!

— Também quero aprender como tirar uma serpente do encanto de alguém e voltá-la contra seu encantador.

— Não queiras aprender isso, Mehi.

— O que puderes ensinar-me, desejo aprender.

— Em troca, quero o mesmo de ti, Mehi Laresh.

— Sei tão pouco, se comparado a ti...

— Neste caso, comparações não são aconselháveis. Ensinou os Magos da Luz que nem sempre sabemos tudo e nem mesmo o modo certo de lidarmos com as coisas extra-humanas.

— Foram muitas as criaturas que teus guerreiros e tu já abatestes?

— Não. Nossa especialidade é abater os caídos humanos. Esses caídos naturais nos têm dado um trabalho danado, sabes?

— Por quê?

— Por serem instintivos, eles captam até nossos pensamentos, mesmo a milhares de quilômetros de distância.

— Eles captam nossos pensamentos com muita facilidade? Como será que fazem?

— Aprendemos esse mistério com eles mesmos e os induzimos a captarem o que desejamos que pensem o que realmente faremos, quando, na verdade, faremos outra coisa. É um jogo.

— Perigoso demais para mim, Iafershi.

— Ele o é para todos, Mehi Laresh. Podes acreditar!

— Eu acredito. Como está teu companheiro que foi esfolado?

— Está bem. Eu anulei o emocional dele e só o liberarei quando aquela ferida tiver cicatrizado.

— Como soubeste que ele não havia traído a ti e ao teu grupo?

— Se ele nos tivesse traído, não teria dito que um mental superior o havia subjugado. Ao revelar-me aquilo, na verdade ele estava dizendo que quem procurávamos não estava neste Templo e que deveríamos continuar com nosso plano, até que o canalha invocasse a criatura que receberia o sacrifício. Ele só havia recorrido ao último dos nossos recursos: apelar para os negativos de nossos Regentes ancestrais.

– Foi o que fizeste quando "te despediu" de teu Regente na Luz?
– Sim. Se a ele eu não podia trair para salvar tuas filhas de serem esfoladas vivas, pois aquele caído as esfolaria na minha frente só para provar que não estava brincando, então coloquei-me sob o amparo do polo negativo de meu Regente, que é quem me guarda. Serei um tormento para esses vermes caídos, Mehi.
– Isso não é nada animador, Iafershi.
– Para mim ou para eles?
– Para ambos os lados. Jamais se pacificarão.
– Bem, que seja o que tenha de ser. Mas saibas que, se um dia vires este Mehi curvando-se diante de um caído, será só para acabar com ele. Disso nunca tenhas dúvida!

Após olhar para Iafershi, o Mehi Laresh perguntou:
– Tu odeias as trevas?
– Não sei... acho que sim...
– As trevas não existem só por si, Iafershi.
– É por isso que envio para elas os caídos em todos os sentidos, assim que os tenho ao meu alcance. Bem, vamos à transmissão de conhecimentos?
– Se não te importas, agora eu gostaria de juntar-me à minha família.
– Acomoda-os no Templo, mas cuidado com o que possam ter ocultado nos aposentos.
– Cobras?
– Sim. Esses vermes caídos são especialistas em encantar serpentes para deixá-las debaixo dos leitos.
– Como se quebra o encanto delas?
– Não pretendes despertar todas as que introduziram aí dentro, pretendes?
– Se eu conseguir despertá-las, farei com que abandonem este Templo e sigam para bem longe daqui.
– Todas de uma só vez?
– Sim.
– Isso quero aprender, Mehi Laresh.

Pouco tempo depois, uma enorme quantidade de serpentes saía às pressas do Templo e sem picar ninguém.
– Viste como é fácil, Iafershi?
– Onde aprendeste estas coisas?
– Observando as estrelas!
– Estrelas? Estás brincando!

– Não estou, não. Olha esse céu estrelado e dize se não é lindo!

Iafershi olhou para o firmamento por um instante e murmurou: "Como estou distante da minha origem...".

– O quê? – Perguntou o Mehi Laresh.

– Divagações, Mehi. São só divagações... Tem uma boa noite estrelada, pois aqui as trevas foram dissipadas. Até mais! – falou, já caminhando para o Templo.

– Iafershi... tu és um Ni-iim-yê-he-ha-si-mi?

– O que é isso, Mehi?

– Uma estrela cristalina. E tu sabes...

– Estrela cristalina?

– Isso mesmo!

– Pergunta às estrelas, Mehi. Afinal, se elas te ensinaram a encantar centenas de serpentes de uma só vez, para elas será bem mais fácil responder-te isso.

– Tu és um, não?

– Até depois de um longo sono, Mehi! – respondeu Iafershi, desaparecendo no interior do Templo.

O Mehi Laresh reuniu-se com sua família e, depois de uma longa conversa, foram dormir. O pesadelo havia acabado.

Aquela noite de sustos e ansiedade provocara no Mehi Laresh um estado de excitação mental muito grande e foi difícil para ele conciliar o sono. Só conseguiu adormecer muito tempo depois. Acordou por volta do meio-dia, quando Shell-çá o chamou para almoçar. Ela lhe trazia uma vestimenta de Mehi.

Quando entrou no grande salão onde o almoço estava sendo servido, o que viu o impressionou: pessoas que, nos dias anteriores, demonstravam um comportamento, ali se mostravam silenciosas, respeitosas, reverentes e parcimoniosas. Foi-lhe indicado um assento ao lado dos Magos da Luz, que o saudaram respeitosamente e o convidaram a juntar-se a eles. Após a refeição, feita no mais absoluto silêncio, acompanhou-os a uma sala de reuniões improvisada para decidirem o futuro daquele Templo.

– Tens alguma sugestão, Mehi Mahar Laresh? – perguntou o grande Mago da Luz Cristalina.

– Prefiro ouvir, grande Mago.

– Por quê? Segundo Iafershi, tu viveste aqui durante alguns anos. Possuis um conhecimento da região que nos falta.

– Minha sugestão seria considerada uma afronta de um caído. Prefiro o silêncio.

— Vamos, dá tua opinião, Mehi — pediu Iafershi.

— Se eu dirigisse este Templo e cuidasse dessa gente toda, faria algo radical... e o oposto do que vós tendes em mente. Mas talvez não me compreendais e serei considerado mais um escravo dos Magos caídos. Prefiro o silêncio.

— Desejamos ouvir-te. Expõe o que gostarias de fazer, Mehi Mahar Laresh. Deste provas de imensa capacidade no domínio do lado negativo e de saberes suportar situações tão adversas, como as que vivenciaste em toda a tua vida — falou o grande Mago da Luz Cristalina. — Estive olhando o teu degrau original, Mehi, e o que vi mostrou-me que temos muito a aprender contigo.

— O que viste em meu degrau, Mago Regente?

— Um Trono muito luminoso sustentando um degrau, cujos graus perderam suas luzes e cores. Mas teu degrau permanece no lado negativo do ponto de força regido pelo Sagrado Sehi lach-me yê. Tua força íntima e a luz do Trono que um dia ocupaste são a prova eloquente de que temos conosco, não um Mehi caído, como um dia te julgaram, mas, sim, um ser cuja capacidade de suportar as adversidades te torna único, a meu ver.

— Agradeço tuas palavras, Mago Regente. Só espero não te chocar com o que tenho em mente.

— Por favor, fala, Mehi Mahar Laresh!

— Se a mim fosse dada a direção deste Templo, eu despertaria todos os caídos do bloqueio hipnótico e, depois, reuniria todos nos fundos do Templo e falaria com eles, dando-lhes duas opções.

— Quais?

— A primeira seria a de permanecerem aqui e serem reeducados a partir de minha visão pessoal de como devem proceder os seres humanos. A segunda opção seria abandoná-los à própria sorte neste Templo e deixar que continuem destruindo-se uns aos outros, que é o que vinham fazendo desde que foram afastados dos Templos da Tradição Sagrada.

— Por que farias isso, Mehi? — perguntou Iafershi.

— Vós acreditais estar fazendo um bem a essas pessoas quando, por meio do bloqueio hipnótico, adormeceis os negativos delas. Mas, na verdade, só estais adiando, para um futuro incerto, uma explosão emocional que fará os espíritos delas despencarem como rochas em uma avalancha, assim que desencarnarem. Adormecer o emocional dessas pessoas não as tornará melhores. Apenas serão passivas e nada mais. Estareis negando a elas uma oportunidade de, conscientemente, aprenderem a dominar seus instintos mais íntimos.

— Insinuas estar disposto a correr o risco de reeducá-las?

— Só estou dizendo como eu procederia, Mago Regente.

— O que te induz a uma tentativa tão temerária, já que todas essas pessoas vivenciaram os vícios com intensidade?

— Certa vez, conduzido pelo Sagrado Sehi Lach-me yê, visitei os lados negativos dos pontos de força. Vi espíritos que foram viciados durante suas encarnações, mas submetidos ao bloqueio de seus emocionais. Concluí que esse procedimento não ajuda em nada e só adia para o futuro algo que aqui mesmo devemos corrigir nas pessoas. Se acabarão no lado escuro do mundo espiritual, então que o saibam, ainda no plano material, o que ocorrerá porque nada fizeram para se ajudarem. E isso eu estaria disposto a fazer por toda essa gente, assim como farei por minha família.

— Desbloquear o emocional de todos. É isso o que desejas, Mehi Mahar Laresh? — perguntou Iafershi.

— E trabalhar o emocional deles, ajudando-os a superar os impulsos dos instintos que lhes despertaram vibrações negativas.

Iafershi refletiu um pouco e disse:

— Mago Regente, eu apoio a sugestão do Mehi Mahar Selmi Laresh. Nós nunca tentamos isso antes... e a única coisa que temos feito é liberar o comportamento humano em alguns sentidos. Mas uma experiência assim nunca tentamos.

Iafershi tinha uma ascendência muito grande sobre aquele grupo de dirigentes, pois era o Mehi dos exércitos de todos os Templos da Luz, o que levou os outros a concederem ao Mehi Laresh um ano para tentar ajudar toda aquela gente, a seu modo. Mas ele seria o responsável por aqueles que tentassem voltar a cultuar as criaturas negativas, tidas pelos caídos como Divindades. E isso não seria aceitável.

— Vou surpreender-vos, Senhores — falou o Mehi Laresh.

— Está decidido! Tu dirigirás este Templo, e Iafershi, sendo teu avalista, nos fornecerá informações dos resultados. De acordo?

— Obrigado, Mago Regente.

No dia seguinte, os Magos partiram, só ficando ali Iafershi e um pequeno grupo de soldados, como exigiu o Mehi Laresh.

Já tendo aprendido a bloquear e desbloquear o emocional ou o negativo das pessoas, ele também ajudou a despertar aquela gente toda. Quando viu todos reunidos no grande salão, preocupados com o que os aguardava, Laresh expôs com firmeza o que pretendia. Falou com eles de uma maneira que impressionou até Iafershi e seus soldados. Mas o que mais os impressionou foi a sua ordem:

— Despi vossas vestes e as entregai aos soldados!

Com todas aquelas pessoas nuas, ele falou:

– Sem essas vestes, tende em mente que estais tão expostos aos vícios quanto às virtudes, mas muito mais expostos a vós mesmos estareis de agora em diante, pois só tereis acesso às vossas roupas quando eu julgar que realmente precisareis delas... e isso só acontecerá no inverno. Até lá, trabalhareis completamente nus. Até os guardas andarão nus, portando somente suas armas para punirem possíveis infratores!

– Até nós? – perguntou a Iafershi um dos guardas, o qual iria permanecer no Templo para proteger o Mehi Laresh e conter quaisquer excessos.

– O Mehi Laresh tem uma visão que me escapa no momento. Mas depois saberemos por que deu essa ordem. Despi-vos, recolhei as vestes no depósito e guardai-as.

Mais tarde, reunido com Iafershi e o corpo de guardas, Laresh explicou:

– Temos florestas densas em toda a nossa volta. Assim, quem quiser fugir, já se sentirá desestimulado só de se ver nu. Mas o principal objetivo é deixá-los expostos uns aos outros, para que seus emocionais viciados nas coisas do sexo se saturem em pouco tempo e consigamos um equilíbrio nesse sentido.

– Mas nós também seremos submetidos à visão dessas mulheres nuas, Mehi Laresh – ponderou um dos guardas.

– Se alguma tiver atrativos que despertem o desejo em ti, junta-te a ela.

– Assim, sem uma cerimônia?

– Qual é o problema? Tu não és consciente o bastante para assumir um compromisso com uma mulher que te atraiu? Eu selo as uniões, se for preciso... e as rompo, caso não se entendam.

– Isso é a subversão do nosso modo de viver, Mehi Mahar.

– Aqui só temos pessoas tidas como caídas, guardião. Logo, não estás sujeito às leis e aos usos e costumes do Templo onde servias.

– Não concordarei em unir-me a uma caída sem seguir os costumes e as leis, Mehi Mahar.

– Ótimo! Então, conforma-te com tua função e deixa as mulheres caídas para quem as quiser, certo? Se mudares de ideia, volta a falar comigo... ou assume que não és capaz de resistir aos teus instintos e necessidades fisiológicas e deixa de ser um guardião deste Templo. Aqui só ficarão os que aceitarem minhas diretrizes.

– Eu... o Senhor...

– Ouça, guardião: não és obrigado a ficar. Saibas que, um dia, fui julgado um caído só porque amei uma mulher de outra raça, mas nunca me aceitei como um caído diante do Sagrado Senhor da Luz. Foram homens que me julgaram como um caído. Compreendes isso?

— Sim, Senhor.

— Se concordares, amanhã poderás ajudar na abertura de novos campos de cultura, pois, assim, gastarás grande parte de tuas energias físicas e não ficarás o tempo todo pensando nos belos corpos das perversas caídas sob tua guarda. Isso te fará muito bem.

— Sim, Senhor.

— Então, está decidido. Se tendes mais alguma coisa a dizer, fazei-o agora, Senhores.

Depois do jantar, Iafershi comunicou ao Mehi Laresh que partiria no dia seguinte, já que tudo ali havia sido ordenado, segundo seus planos, para aquela gente.

— Tens de combater algum outro Templo caído, Iafershi?

— Não, Mehi. O último foi este aqui.

— Então, por que não ficas conosco mais uns dias?

— Tu deste provas de saber exatamente o que estás fazendo. Acredito na tua tentativa e a apoio. Mas preciso recolher-me e decantar de meu emocional tudo o que vivenciei aqui.

— Por que tens evitado falar ou sequer olhar para minha esposa e filhas, se elas te têm em grande estima?

— Eu me excedi, Mehi. E tu bem sabes disso. Eu não devia ter feito o que fiz com tua esposa e, agora que tudo passou, minha consciência está a acusar-me.

— Desde quando a vivenciação de um prazer mútuo é um tormento, Iafershi?

— Eu estava numa missão e não devia ter liberado o meu emocional. Não daquele jeito e justamente com tua esposa.

— Já conversamos muito sobre o que nos aconteceu aqui, Iafershi, e isso Shell-çá tomou a iniciativa de abordar. Não considero tal coisa uma fraqueza, mas tão somente a vivenciação de um desejo humano.

— Fui treinado para agir como um executor, Mehi Laresh. Em nenhum momento nossas ações devem escapar ao nosso autocontrole. Agindo como agi, poderia ter posto todo um plano a perder, além de condenar à morte meus irmãos envolvidos na operação.

— Até compreendo, já que centralizaste em ti a operação de proteção à minha família. Mas sentir-te incomodado porque, por um momento, te permitiste um prazer extra, isso não é certo, sabes? E acho que isso te está incomodando muito mais do que o risco que correste.

— Está incomodando, sim.

— Se eu te disser que aprendi uma lição maravilhosa, tua consciência te incomodará menos, Iafershi?

— Que lição?

— Controlei a sexualidade de Shell-çá por muitos anos, mas eu não fazia isso por ela. Fazia por acreditar que o sexo só devia ser praticado para a procriação. Fiz tudo errado e fui mau esposo, pois a privei de muitos prazeres que em nada a prejudicariam. E sabes por que os escravos dos Magos caídos não tiveram acesso aos mistérios dela?
— Não.
— Eu havia incutido na mente dela, de uma forma bem sutil, que o ato sexual era deplorável em todos os sentidos, menos para a procriação. Assim, quando eles a possuíram, não só não a conduziram ao êxtase, como ainda bloquearam ainda mais o acesso ao negativo dela. Mas tu, de alguma forma, devolveste a ela o desejo de ser mulher novamente.
— Tens certeza?
— Tenho, pois já discutimos isso. Não sabendo que estava sendo vigiada, até por mim, e porque confiava em ti, ousou tentar adormecer o teu negativo. E quando o fez, sentiu o imenso prazer que, segundo me disse, finalmente possuía. Ela não precisava reprimir o que estava sentindo, pois julgava que estiveste isolado.
— Eu estava com a mente isolada das vibrações do meu emocional, Mehi. Nada vi, ouvi ou senti do que me revelas.
— Eu assisti a tudo, Iafershi. E vi em Shell-çá uma sexualidade vigorosa e linda. Não sei se porque fui educado para somente praticar o sexo para a procriação ou porque antes nunca o tivesse visto como uma poderosa fonte de prazer, mas descobri que eu deixara de ter uma Shell-çá maravilhosa, o que comprovei quando vi ambos se entregarem mutuamente em um ato que, agora, considero indispensável ao nosso equilíbrio emocional.
— Isso te ajudou a encarar de outro modo um ato natural, mas nem por isso me sinto melhor.
— E se eu te revelar que pedi a Shell-çá que me ajudasse a romper meus bloqueios e que ela o fez de forma tão humana que agora me sinto renovado? E que, se antes eu queria uma Shell-çá passiva e assexuada, agora a quero ativa e sensível às suas necessidades fisiológicas e emocionais? Compreendes que do tormento brotou uma nova concepção do sexo, a qual tornará nossa união muito mais sólida e equilibrada?
— Menos mal, Mehi. Mas...
— Vamos, Iafershi! Tens sido já há muito tempo um protetor para mim e Shell-çá. Se não tivesses surgido em nossas vidas, aqui agora não estaríamos conversando e nem eu estaria em tão grande paz comigo mesmo neste sentido de minha vida. Concede a ti mesmo um pouco de humanidade!
— Humanidade?

— Isso mesmo! Esquece só por um instante que és um Mehi executor e vive o teu lado humano.

— Este é o meu lado humano, Mehi Laresh!

— Não é, Iafershi. Tu és um executor imbuído do espírito de uma missão a ti confiada, e da qual não te consegues separar por um instante sequer.

— Consagrei minha vida a isso; esta é minha vida e assim tenho sido. Sou portador de um mistério dessa natureza, no entanto, só recorro a ele no cumprimento de minha missão. Quando eu me permitir ser emocionável no meu sétimo sentido, já não serei senhor dos outros sentidos, pois logo os tornarei emocionáveis também.

— É assim que tens sido?

— Sim, Mehi.

— Mesmo com Hacilet yê?

— Ela também é uma executora.

— Compreendo. Aquilo a que assisti entre vós não foi encenação, foi?

— Não. Naquele momento, liberamos nossos negativos porque tínhamos de ser convincentes com aqueles vermes.

— Posso pedir-te um favor, Iafershi?

— Do que se trata?

— Minhas filhas sofreram violências sexuais indescritíveis e tu sabes disso.

— Não!

— Elas podem ser reequilibradas por ti...

— Não!

— Eu as amo muito e desejo que sejam felizes nesse sentido também. Recorre ao teu mistério e cura-as desse desequilíbrio... por favor!

— Sabes o que estás me pedindo? São tuas filhas, Mehi!

— Exatamente! Quem está te pedindo que as ajude com teu mistério é um pai que as ama, compreendes?

— Mehi, posso parecer jovem porque rejuvenesci, mas sou mais velho que tu e sofro há muito tempo com este meu negativo. Talvez não entendas, mas este é um tormento que tenho controlado há muito tempo... e o tempo todo. Quando durmo, ele desperta em todo o seu poder e só a duras penas eu o coloco em repouso.

O Mehi Laresh viu correr dos olhos de Iafershi dois filetes de lágrimas e compreendeu que, embora invejado por muitos, no entanto, sofria. Então, falou:

— Iafershi, o que sentiste quando te entregaste ao teu emocional e deixaste tudo fluir naturalmente com Shell-çá?

— Queres saber a verdade?

— Sim, Iafershi.

— Senti o verdadeiro prazer, Mehi. Um prazer que antes eu nunca me havia concedido.

— Foi por isso que choraste depois?

— Foi, Mehi.

— Por quê?

— Eu descobri que, embora possua um negativo poderoso, ele, no entanto, é um tormento, enquanto que minha sexualidade é uma fonte inesgotável de prazer se eu desligar-me dele.

— Por isso temes perder o domínio sobre teu mistério, não?

— Temo, sim.

— Tens de corrigir isso ainda no corpo material. Quando fores desligado de teu corpo físico, teu emocional explodirá e teu racional não subjugará teu negativo nunca mais. Cura minhas filhas e permite depois que Shell-çá te cure, Iafershi. Ela é portadora de um mistério semelhante ao teu e tu sabes disso melhor do que eu. Só que nela ele flui naturalmente.

— Não. Eu subjugarei racionalmente este meu negativo.

— Quando?

— Não sei. Mas, por enquanto, ele não me assusta.

— Está certo. Mas não creio que devas protelar a solução desse teu incômodo por muito tempo.

— No tempo certo o meu Senhor dará uma solução satisfatória para o meu tormento, Mehi. Agora vou tentar dormir um pouco.

— Curarás minhas filhas?

— Vou dormir, Mehi! Discutiremos isso amanhã, está bem?

— Direi a elas que vais curá-las, Iafershi.

— Amanhã, Mehi. Amanhã discutiremos isso, por favor!

— Amanhã partirás, Iafershi – murmurou o Mehi Laresh ao ver Iafershi recolher-se com os olhos muito brilhantes, prestes a verterem lágrimas.

— Também acho que ele partirá, amado esposo – falou Shell-çá, saindo do lugar onde se escondera.

— Nem uma coisa nem outra consegui.

— Falarei com as meninas e depois veremos o que acontecerá.

O que Shell-çá falou às filhas não sabemos. Mas, já tarde da noite, voltando ao quarto onde o Mehi Laresh dormia, aconchegou-se junto dele e murmurou: "Nossas filhas estão curadas, amado meu. Agora só falta encontrarem o amor de suas vidas para gerarem vidas em abundância".

Quanto a Iafershi, como se fosse uma máquina programada, às seis horas acordou e, depois de adormecer seu negativo, vestiu-se e foi despedir-se de seus guerreiros, que ficariam no Templo. Ao lado do Mehi Laresh, ordenou:

— Obedecei ao Mehi Mahar como se a mim estivésseis servindo. Defendei a vida dele e de sua família com vossas vidas se preciso for e, se um de vós desobedecê-lo, traí-lo ou contestar a autoridade dele, eu mesmo virei impor uma punição exemplar que nunca será esquecida.

— Tuas ordens são nossas vontades, tuas vontades são nossos desejos, teus desejos são nossas ordens a serem cumpridas e nossas vontades a serem realizadas, Guardião Iafershi.

— Algum de vós deixou esposa e filhos em outros Templos?

A resposta foi negativa. Então, ele recomendou:

— Dedicai vossas vidas à defesa deste Templo, formai guardiões dignos de vosso grau e formai famílias unindo-vos a mulheres que correspondam às vossas expectativas, pois já chega de sangue em vossas vidas. É hora de descansardes, irmãos de senda e destino. Vivei a vida em toda a sua plenitude, mantendo-vos fiéis ao Sagrado Senhor da Luz e continuai sendo servos leais do Sagrado Sehi lach-me yê que, no vosso juízo diante da Lei e da Vida, todo o sangue que derramastes durante aquela tenebrosa luta eu o absorverei diante do Sagrado Ia-fer-ag-iim-ior-hesh-yê. Vivei em paz. Quando eu partir, comigo irão até as últimas gotas de sangue humano que aqui foram derramadas!

Foi com tristeza que o Mehi Laresh viu seu "anjo protetor" partir. A sensação de que não voltaria a vê-lo o tempo confirmou. O Mehi Laresh, apoiado por aquele grupo de Mehis fiéis e leais, pôde realizar para aquela gente algo que o marcaria e formaria em seu íntimo uma natureza forte, decidida, portadora de um equilíbrio entre a Luz e as trevas e que o distinguiria entre os Mehis Mahar que penetrariam nas esferas cósmicas para restabelecer o equilíbrio emocional nas legiões de espíritos caídos.

Shell-çá, mãe o tempo todo, casou logo suas três filhas mais velhas com três daqueles Mehis templários deixados por Iafershi, mas não antes de curá-los. Ela não queria para as filhas apenas uma companhia. Queria esposos completos, tal como o Mehi Laresh havia-se tornado.

Quanto ao Mehi Laresh, com as pregações que diariamente realizava nos fundos do Templo para todos, começou a harmonizá-los com seus dois polos: no positivo, conduzia-os ao encontro e à religação com as Divindades naturais e, no negativo, colocava-os sob a proteção do Ia-fer-ag-iim-sehi-lach-me yê, e, a partir do religamento, eram rearmonizados com os Regentes das dimensões negativas a que estavam ligados por afinidades energético-magnéticas negativas.

O Mehi Mahar Laresh correspondeu ao que, um dia, a ele foi confiado pelo Sagrado Ia-fer-ag-iim-ior-hesh-yê, o Sagrado Guardião do Mistério do Fogo Divino ou Chama da Vida, que é o Sagrado Ogum yê do ritual de Umbanda Sagrada. Muitos confundem Ogum yê com o próprio Fogo Divino. Mas não é verdade. Ele é o Sagrado Guardião de Ia-fer-ag-iim. Ele é Ior-hesh-yê, Senhor Guardião Celestial que atua em muitas ou em todas as dimensões da Lei e da Vida, pois Ior-hesh-yê é o Senhor Guardião Divino do Mistério da Chama Imortal. Ag-iim, na língua ancestral cristalina, significa isto: Fogo Divino ou Chama Imortal.

Após esta explicação sobre quem realmente é o Senhor Ogum cultuado no ritual de Umbanda Sagrada, devemos salientar mais uma vez que o Sagrado ia-fer-ag-iim-sehi-lach-me yê ou Ia-fer-sehi-lach-me-yê é o intermediário do Sagrado Ior-hesh-yê, que guarda os caminhos.

Por "caminho" entende-se as vias evolutivas ou as sendas trilhadas por espíritos humanos e por seres naturais. O Sehi-lach-me-yê é o Senhor Ogum Sete Lanças, Guardião dos caminhos por onde transitam os espíritos humanos.

É comum chamarem-no também de Ogum dos Caminhos, em uma alusão às estradas. Mas quem guarda as estradas é o Senhor Ogum Naruê ou, como é nominado na língua cristalina, Ia-fer-ag-iim-na-ri-yê. Na-ri-yê passou a Naruê, mas este nome é adaptado por causa da fonética peculiar do povo que o recebeu do astral. Ag-iim-na-ri-yê ou Senhor Ogum Naruê atua no astral conhecido como "meio". Ag-iim-se-hi-lach-me-yê ou Senhor Ogum Sete Lanças atua no astral conhecido como "alto". No "baixo" atua um outro intermediário do Sagrado Ior-hesh-yê, o qual não podemos revelar aqui, mas que coordena a ação dos Exus Guardiões do ritual de Umbanda Sagrada, que são os Mehi Mahar, ligados ao Mistério das Sete Lanças da Lei e da Vida.

O Mehi Mahar Laresh nunca mais viu Iafershi, mas este o protegia junto ao Mago Regente, pois jamais foi incomodado ou considerado um caído pelos dirigentes dos reinos Cristalinos. E tanto era protegido por Iafershi que, às vezes, uma nave aterrissava no grande Templo, carregada de pessoas consideradas caídas, confiadas aos cuidados de Laresh.

Alguns anos após acontecerem os fatos aqui narrados, os reinos Cristalinos entraram em guerra com outros Continentes, com a utilização de armas poderosíssimas, causando gigantescas devastações em regiões densamente povoadas. Mas aquela região, isolada do resto dos reinos, foi protegida por um "corpo de lutas", como era chamado o exército naquele tempo. Inimigo nenhum apareceu por lá.

O Mehi Laresh, que amava a terra e obrigava todos a trabalhá-la, só foi solicitado a participar da guerra com alimentos, cuja produção era excepcional nos domínios daquele Templo.

E foi em meio à devastadora conflagração bélica que o segundo alerta Divino foi enviado aos seres humanos. E se não foi o Criador quem deu aquele aviso, então algum doidivanas aperfeiçoou uma arma muito poderosa, pois todo o planeta foi abalado por um terremoto assustador. Até a região Sul foi atingida. No solo abriram-se verdadeiros abismos sem fundo, tão grandes eram as fendas. O Norte foi muito mais atingido e vários grandes Templos foram reduzidos a escombros ou simplesmente engolidos por gigantescas valas. Milhões de pessoas se dirigiram para o Sul tentando fugir do caos em que o Norte do Continente se transformara.

Nas palavras do Mehi Laresh, se foi um alerta Divino, tudo bem, mas se foi um idiota enlouquecido que aperfeiçoou alguma arma de alcance planetário, então o tal está de volta ao meio humano, pois as atuais armas atômicas também podem devastar o planeta.

O fato é que aquele violento cataclismo planetário arrefeceu o ânimo dos povos em guerra e os lançou em um caos medonho, onde epidemias, revoltas das populações e muita fome eram uma constante. Muitos dos retirantes do Norte alcançaram o grande Templo dirigido pelo Mehi Mahar Laresh, mas tiveram de se submeter às regras ali existentes. Todos se ocupavam com a lida na terra, pois essa era a lei maior: todos tinham de trabalhar a terra, semeando, cultivando e colhendo.

O Mehi Laresh costumava pregar assim ao "seu" povo:

"Dai graças ao Criador! Cultivai a terra e dai graças a ela por ser tão generosa conosco, que dependemos dela. Dai graças ao Sol e à Lua, às chuvas e ao frio. Dai graças à Natureza, pois conosco ela sempre foi generosa. E a Natureza é o Criador nos proporcionando meios para nos alimentar. Lembrai-vos de que nós, os humanos, somos como a Lua: não temos luz própria, mas, enquanto estivermos posicionados de frente para o nosso Criador, sua Divina Luz nos alcançará e em seres luminosos nos mostraremos aos olhos d'Ele. Amai o Sol, pois ele se nos mostra diretamente durante o dia e indiretamente à noite, por intermédio da Lua. Amai as plantas, pois, se cultivadas com carinho, serão generosas conosco e fartas serão as colheitas de seus frutos. Amai vossos semelhantes e sede generosos uns com os outros, pois só na generosidade vos reconhecereis como irmãos. Amai as Divindades Regentes da Natureza, criaturas frágeis, mas de origem divina, pois são mistérios do Criador que velam o tempo todo por nós".

O Mehi Laresh foi um pregador da Natureza e a cultuava com generosas oferendas e cantos de louvor, saudando a chegada das estações, as semeaduras e as colheitas.

Abro mais um parêntese para o Mehi Laresh:

"Niyê he, irmão de meu coração, observando as religiões que surgiram no futuro, todas fragmentos da que existia no tempo em que vivi no plano material, talvez eu tenha sido o primeiro babalorixá do mundo, se fosse possível uma comparação. Mas não a faço porque os atuais babalorixás são formados por uma Tradição deficiente, que não se preocupa em identificar o negativo dos médiuns umbandistas. Mas se são assim, não devemos culpá-los, já que o negativo no ritual de Umbanda resumiu-se a Exu, o que não é verdade. Isso será abordado mais adiante, já que o mistério natural Exu é de recente memória no inconsciente coletivo da humanidade.

O que eu realmente fazia era religar a pessoa com seu ancestral, que o regia inconscientemente. Depois da religação, tudo se processava conscientemente e o iniciado ou iniciada conhecia seu negativo e aprendia a reconhecê-lo em si mesmo.

Despertei o negativo de pessoas extremamente inteligentes, mas desconhecedoras da simplicidade com que a Natureza se mostra a nós. Eu conduzia todos à descoberta dessa simplicidade no relacionamento com o Todo, que é Deus e, durante aquele tempo, o Sagrado Sehi lach-me yê me orientava na preparação dos habitantes daquele Templo. Ele conduziu-me aos mistérios Regentes ou às próprias Divindades sustentadoras de todos os processos energéticomagnéticos. Conheci os Tronos celestiais, os naturais positivos, os naturais negativos e os duais. Sempre em espírito e com ele a sustentar-me, conheci tudo o que me foi possível e permitido e cumpri meus deveres, pois jamais deixei de reconduzir cada pessoa ao reencontro com seus Regentes positivo, negativo e ancestral. Esperamos que os mestres de Umbanda façam assim no futuro."

Aqui reassumo a biografia da vida do Mehi Mahar Selmi Laresh Lach-me yê.

Muitos anos se passaram após aquele abalo terrível e, quando quase ninguém mais se lembrava dele, um outro muito mais intenso aconteceu e muitas regiões foram literalmente cobertas ou engolidas pelas águas do mar. Mas aquela região, onde viviam os habitantes do Templo, apesar dos estragos e de muitas mortes, resistiu ao cataclismo. Uns dizem que o interior da Terra, não suportando à pressão formada, explodiu em vários lugares por meio de enormes ondas. Outros afirmam que um corpo celeste chocou-se contra o planeta. Ainda outros dizem que ocorreu um deslocamento do eixo da Terra, o que mexeu com o equilíbrio das placas tectônicas. Mas há os que afirmam que homens muito sábios haviam desenvolvido uma poderosa arma que, ao ser ativada, abalou todo o planeta.

Na verdade, o que realmente aconteceu ninguém sabe e, se alguém sabe, não diz. O próprio Mehi Mahar Selmi Laresh prefere calar-se e limita-se a dizer: "Um ciclo da humanidade encerrou-se com aquela devastação". Cerca de noventa por cento das populações morreram e os dez por cento restantes mergulharam na barbárie total, com exceção dos habitantes da região onde o Mehi Laresh vivia. Ali viviam nus, em contato total com a Natureza e dela extraíam tudo o que precisavam para a sua sobrevivência.

Mas, mesmo ali, ocorreram mudanças. O clima mudou, o resto do Continente desapareceu debaixo das águas do mar e a flora e a fauna foram alteradas.

O Mehi Laresh não contava os anos, mas morreu já centenário e lá deixou seguidores que deram continuidade aos rituais praticados. A região onde ele desencarnou é hoje conhecida como Polinésia.

Aqui se encerra a parte material da biografia. Passaremos à parte espiritual, que é fascinante e elucidativa e que revela o caráter das religiões e dos mistérios da religiosidade humana.

Parte II

Mehi Laresh como relator

Esta segunda parte será narrada na primeira pessoa, com o próprio Mehi Laresh como relator. Eu, Mehi Benedito de Aruanda, servirei como orientador de nosso médium psicógrafo.

Eu, Mehi Mahar Laresh, desencarnei consciente do momento em que ocorreria o desligamento, pois fora avisado pelo Sagrado Sehi Lach-me yê. Preparei toda a minha família e os auxiliares mais íntimos, avisando-os que iria deixá-los dentro de pouco tempo. Naquela mesma noite, assim que me deitei, senti meu espírito flutuar e adormeci. O cordão que mantinha meu espírito ligado ao meu corpo carnal foi rompido e mergulhei em um transe onde tudo se mostrava confuso em minha mente. Quando despertei, estava deitado em um leito macio e confortável. A alvura do lugar impressionou meus olhos desacostumados à cor branca, pois vivíamos em choças de pau-a-pique erigidas em clareiras abertas no meio da floresta.

Pouco depois, um senhor de idade avançada entrou no quarto e saudou-me:

– Bem-vindo ao mundo dos espíritos humanos, Mehi Mahar Selmi Laresh! Que todas as bênçãos do Sagrado Iá-yê se derramem sobre tua vida e teu ser, irmão de meu coração!

– Que assim seja... e o mesmo desejo ao Senhor.

– Sou um Mago da Luz Cristalina e vivo no mundo dos espíritos há vários séculos. Portanto, não estranhes minha naturalidade em um meio ainda novo para o Senhor. Logo estarás habituado com tudo o que existe por aqui.

– Obrigado, Mago Cristalino! Estou sentindo um pouco de sede. Isto é normal nos espíritos?

– Às vezes isso acontece. Vou providenciar um pouco de água e tua sede cessará. Só não tentes levantar-te por enquanto, está bem?

– Ainda estou sentindo o desligamento, Mago.

– Isso também passa. É só uma questão de tempo, pois teu espírito deixou de alimentar-se das energias do plano material e está começando a absorver as do plano espiritual. Assim que o equilíbrio se estabelecer, esse desconforto cessará e poderás locomover-te naturalmente.

— Não tenho pressa, Mago.

— Ótimo! Volto em um instante.

O Mago desapareceu de minha frente sem sair do lugar onde estava. Pouco depois, voltou com um jarro cheio de água em uma das mãos e um copo de cristal na outra. Após me servir a mais deliciosa água que eu já havia provado, perguntou:

— Cessou a sensação de sede?

— Totalmente.

— Teu corpo energético estava deficiente do elemento água, mas logo ele absorverá tudo o que precisar das energias que circulam aqui.

— Quando poderei volitar como o Senhor?

— Não tenhas pressa, Mehi Laresh. Cumpriste tua bela missão no plano material e agora deves aquietar-te para que, quando uma nova tarefa te for confiada, estejas apto a executá-la. Não tentes nada por enquanto e muito rapidamente estarás equilibrado neste novo mundo.

— Sim, Senhor. Mas tenho vontade de ver meus familiares.

— Eu sei. Mas está tudo bem com eles.

— Acredito que sim. Eu os preparei bem para quando eu partisse.

— Eu sei. Então, deixa a vida deles fluir segundo os acontecimentos no plano material e descansa tua mente.

O tempo foi passando e eu comecei a andar dentro daquele lugar belíssimo e, mais um pouco, já pude sair para a parte externa daquela construção soberba. E o fiz exatamente em uma noite cujo céu estrelado impressionou-me tanto que me senti encantado. Se não fosse meu acompanhante ter chamado minha atenção para outras coisas, continuaria a contemplar o céu para sempre, pois aquelas estrelas pareciam tão próximas!

— Isto aqui é assim mesmo, Mehi Laresh.

— É sempre assim à noite?

— Aqui, sim. Em faixas vibratórias mais elevadas, elas parecem estar mais próximas ainda e naquelas menos elevadas elas se mostram mais distantes.

— Por quê?

— À medida que as vibrações vão baixando, tudo se vai tornando mais denso e as estrelas têm sua luminosidade diminuída, dando a impressão de que estão mais distantes.

— Então... há uma vibração onde elas podem ser tocadas.

— Eu não ouso tanto. Mas o fato é que, quanto mais sutil é o meio, mais próximas elas parecem estar. E isso é um mistério, sabes?

— É possível teorizar sobre isso, irmão?

— É, sim. Muitos já elaboraram teorias interessantes sobre esse mistério. Uma delas diz que, se nos elevarmos vibratoriamente a um ponto X, estaremos no meio das estrelas, com elas em torno de nós.

— Parece que te simpatizaste com essa teoria, não?

— Depois de ter descido a faixas mais densas e ter comprovado que elas parecem estar distantes, achei lógica essa teoria. O problema é ascender a uma faixa mais sutil que esta, onde nos sentiríamos mais próximos delas.

— Por quê?

— Cair é fácil, mas para subir vibratoriamente parece que temos uma capacidade limite, que não é fácil de ser dilatada ou expandida.

— Será que o Sagrado Iá-yê é um ponto fixo o qual nós circulamos?

— Por que perguntas isso?

— Se mais nos elevamos, mais próximos do céu estrelado ficamos, e se mais nos abaixamos, mais distantes nos sentimos, então Ele é fixo e somos nós que nos movemos?

— Não dês asas à imaginação, Mehi! Muitos se perderam teorizando sobre o Sagrado Iá-yê.

— Mas tem de haver uma explicação aceitável para tal fenômeno!

— É certo que há! O que realmente acontece é que o "meio" aqui é sutilíssimo e não acarreta opacidade em nossa visão, que, muito mais cristalina, consegue visualizar de forma bem melhor os corpos celestes.

A par dessa sutilização dos espaços vazios, há um aumento natural do alcance da visão e, aí, tudo o que parecia distante se nos mostra com tanta nitidez que parece estar bem próximo. Lembra-te que deixaste ainda há pouco o plano da matéria, onde até teu corpo carnal era opaco, pois a luz do Sol não o atravessava. Satisfeito com a explicação do fenômeno, Mehi Laresh?

— Agora estou. Não gosto de deparar-me com o inexplicável.

— Ninguém gosta, Mehi. Por isso não devaneies, pois, se o fizeres, logo estarás delirando em vez de aprenderes.

— Compreendo. A imaginação é uma das mais enganosas faculdades humanas, não?

— Ela é capaz de nos levar à construção de todo um Universo que só cabe em nossa mente, de tão espantosa que é.

— O que é a imaginação, irmão?

— Bem, nós a entendemos como um campo existente em nossa mente, onde a criatividade humana forma suas ideias abstratas para depois realizá-las na matéria, tornando-as criações concretas. A construção de um invento qualquer obedece a este princípio. Nossa criatividade, quando posta em atividade para responder às nossas necessidades, precisa de um campo altamente mutável para que, dentro dele, ela possa movimentar-se, amoldando cada coisa segundo nossa necessidade, a qual vibra no nosso emocional e pede uma solução. No campo da imaginação, a mente criativa tudo consegue idealizar e com tamanho refinamento que supera tudo o que já é do conhecimento humano. O único problema é materializar ou concretizar tudo o que nossa mente criativa idealiza no campo da imaginação.

— Fantástico! Preciso refletir sobre isso, irmão.

— Vem. Mais tarde refletirás sobre o poder da imaginação humana, Mehi. Agora quero apresentar-te a alguns conhecidos teus do tempo em que vivias no plano material.

Pouco depois, estava diante daquele Mago Regente que havia atendido à recomendação de Iafershi e confiado a mim a regência do Templo onde eu vivera com minha família o resto de minha vida no plano material.

— Bem-vindo junto dos teus, Mehi Laresh! — saudou-me aquele homem extremamente radiante.

— É uma imensa satisfação rever-te, grande Mago da Luz Cristalina! Onde está Iafershi?

Assim que lhe perguntei sobre nosso amigo em comum, parte da luminosidade dele apagou-se e captei tristeza em seus olhos. Mas ele se recompôs rapidamente e respondeu-me:

— Nosso irmão continua possuído pelo espírito da missão que o animou durante o tempo em que viveu no corpo carnal e não conseguiu sustentar-se nas esferas da Luz.

— E...?

— Ingressou nas esferas negativas, onde procura reunir seus guerreiros caídos nas trevas da ignorância.

— Foi isso mesmo que aconteceu com ele, grande Mago?

— Que outra coisa poderia ter sido senão o remorso de ter descoberto que todos aqueles que mataram e morreram sob o comando dele se encontravam nas trevas?

— É que haveria outra razão... — respondi.

Imediatamente, outra pergunta me ocorreu e o grande Mago disse:

— Também isso, Mehi. Mas a principal razão foi o remorso, que o levou a achar que lá é o lugar dele, o que é verdade. Um ser acostumado a combater o Mal com o Mal dificilmente adapta-se aos ditames da Lei na Luz. Prefere os ditames da Lei nas trevas.

Muitas outras coisas abordamos e tanto aquele grande Mago da Luz Cristalina quanto todos os outros espíritos que com ele estavam dispuseram-se a me auxiliar com seus vastos conhecimentos, preparando-me para o futuro.

Aos poucos, fui despertando para um profundo conhecimento que supriu muitas lacunas existentes em meu parco saber.

Como Mehi Mahar, fui integrado à Ordem dos Templários, já existente quando desencarnei e tão antiga que ninguém sabia quem teria sido seu idealizador humano.

Os Mehis Hesi e Mehis Mahar, ligados à Ordem, dedicavam-se à proteção dos líderes religiosos encarnados, dos Templos onde se realizavam cultos no plano material, mas atuando no espiritual, dos abrigos de Luz existentes nas esferas mais densas e das moradas espirituais assentadas no meio humano material, pois elas existem e são numerosas.

Aceitei atuar numa dessas moradas quando meu filho desencarnou e para ela foi conduzido pela Lei. Shell-çá já havia desencarnado e se encontrava muito bem em outra morada. Juntos, meu filho e eu, descemos para recepcionar, no lado espiritual, os nossos que começavam a retornar.

Por muito tempo servi sob as ordens do Mehi Seiman Hamisser yê, que guardava aquela morada espiritual, na qual as dimensões material e espiritual se confundem. Ela era visível aos espíritos, mas não aos encarnados, os quais, se não eram muitos naquela época, no entanto, já viviam em um grau de ignorância muito grande. Grupos numerosos de espíritos caídos aproximavam-se daquela morada, à noite, e ameaçavam invadi-la para se vingarem dos recolhidos ali pela Lei. A nós, os Mehis, competia dissuadi-los e tentar atraí-los pouco a pouco, reequilibrando-os, mas a maioria fugia assustada quando nos via armados com lanças e espadas.

Quando meu filho se habilitou, eu o transformei em um Templário iniciante. E quando desencarnou a mais nova das minhas três filhas que Iafershi inconscientemente havia curado, ela foi atraída para uma esfera densa, o que lamentei muito, já que havia proporcionado a ela todo o conhecimento e educação necessários para se manter em equilíbrio no plano material. Quis descer para tentar reequilibrá-la, mas fui aconselhado a deixar que a Lei cuidasse dela. Continuei no meu posto, mas com o pensamento nela. E nela estava pensando certa noite, quando um som abafado, mas contínuo, chamou minha atenção e a de todos os espíritos abrigados naquela morada.

Era um som que nos chegava de muito longe, mas que, pouco a pouco, foi assumindo a forma de um canto entoado por muitas vozes, um tanto roucas, assim: o o o... o o o o. Aquele o o cadenciado e de pouca variação na entonação foi crescendo, até que se tornou ensurdecedor. Eram milhares de vozes entoando-o ao mesmo tempo e o tempo todo, como se só aquilo soubessem cantar ou fazer. Olhamos para os dois planos do horizonte e nada vimos, mas sentimos que algo muito grande e assustador estava se aproximando. Então, quando já nos preparávamos para o pior e clamávamos silenciosamente pelo Sagrado Iá-yê, eis que uma luz dourada se tornou visível no lugar de onde vinha aquele canto e dirigiu-se à entrada da morada. Atrás daquele ponto dourado, vinha um grande exército de espíritos feridos, esfarrapados, esqueléticos, com membros amputados e corpos espirituais abertos por cortes profundos. Aquela luz parou a uns duzentos metros do portal de entrada da morada e o exército que a acompanhava cessou o canto. Pouco depois, um espírito caminhou até o portal e nos perguntou:

– Quem reina nesta morada espiritual?

– O Sagrado Iá-yê! – respondeu Seiman Hamisser yê.

– Se é o Sagrado Iá-yê que reina, então em nome d'Ele e do Sagrado Ia-fer-ag-iim-ior-hesh-yê, Senhor de seus exércitos, meu Senhor solicita vossa permissão para acamparmos nos arredores desta morada e um pouco de água para saciar nossa sede.

(Quem imagina ter sido Xerxes o primeiro a solicitar terra e água às cidades gregas durante sua guerra contra os helenos, enganou-se. Milhares de anos antes, já havia guerreiros pedindo terra e água no astral, pois outra coisa não queriam aqueles espíritos.)

Seiman Hamisser yê perguntou:
– Quem é teu Senhor, guerreiro?
– No alto, o Sagrado Iá-yê, no meio o Sagrado Ior Hesh yê e no baixo é Ni-yê-he-ma-he-si-iim-se-hi-ag-fer-shi, meu Senhor.
– Quem?!
– Não ouviste, meu Senhor? Tenho de repetir?
– Só o teu Senhor no baixo, irmão.
– Ni-yê-he-ma-he-si-iim-se-hi-ag-fer-shi, meu Senhor.
– E tu, quem és, irmão? – quis saber Seiman Hamisser yê, já derramando lágrimas de seus olhos cristalinos.
– Sou o Mehi Ag-fer-iim-li-ma-hi-am-se-hi-yê, meu Senhor.
– Sagrado Iá-yê!!! – exclamou Seiman Hamisser yê.
– Por que tanta admiração, meu Senhor?
– Não me reconheces mais, Mehi Li-ma-hi-am-se-hi-yê?
– Quem és, meu Senhor?
– Sou o Mehi Se-yê-ma-am-Hamisser yê.
– Sagrado Ior-hesh-yê! Finalmente reencontramos um dos nossos! Abençoado seja este momento! – falou o Mehi Ma-hi-am-se-hi-yê.
– Quem são os espíritos que te acompanham, irmão de Lei e de Vida?
– São os nossos, irmão de armas. Nós os resgatamos dos domínios dos caídos nas trevas da ignorância.

— Leva-me até Iafershi, irmão de Lei e de Vida.
— Acompanha-me, meu Senhor.
Não mais me contive e pedi:
— Mehi Seiman Hamisser yê, posso acompanhar-te?
— É melhor que fiques aqui até eu confirmar se este nosso irmão diz a verdade.
— Eu conheci um Iafershi, Mehi, e deve ser o mesmo.
— Eu também conheci Iafershi e dois não existem. Ou é o próprio ou é um impostor que se apossou do mistério dele. Se for o verdadeiro, nada temos a temer; mas, se não for, é melhor que estejas em teu posto para defender esta morada. Recorre à tua espada simbólica da Lei, caso seja preciso, Mehi Laresh.
— Sim, Senhor.

O Mehi Seiman Hamisser yê acompanhou o Mehi Li-ma-hi-am-se-hi-yê e demorou algum tempo para retornar. Dos olhos dele corriam lágrimas de um pranto silencioso.
— Podes relaxar, que é o verdadeiro Iafershi, Mehi Laresh — falou-me ele.
— Posso ir até onde ele está, Mehi Hamisser yê?
— Sim, mas não te demores, pois vamos providenciar água para nossos irmãos caídos, Mehi.
Fui até aquela luz dourada já com o meu emocional alterado e, quando o vi, comecei a chorar no mesmo instante. Iafershi estava muito triste e com o corpo espiritual todo ferido. Apoiado em uma lança, mantinha-se à frente daquele exército em condições ainda piores. A luz dourada, vista distância, era irradiada por um único ponto daquele ser: por seu outrora poderoso negativo que, no corpo espiritual, era uma luz poderosa. Depois de contemplar aquela figura impressionante, notei que também sua lança chamava a atenção. Era ou aparentava ser de cristal: a lança da Lei!
— Fico feliz em rever-te, Mehi Iafershi! — falei, mesmo me faltando palavras animadoras.
— Não mintas para ti mesmo, Mehi Mahar Laresh! Estás triste por me ver neste estado — respondeu ele.
— Estou, sim, Iafershi. Mas alegro-me porque vejo que conservaste esse teu sentido o mais puro possível. Tu não caíste de verdade.
— Quedas são relativas, Mehi Mahar. Quando pensamos estar caindo, na verdade, estamos retornando e, quando pensamos estar subindo, apenas estamos fugindo de nosso passado e de nossos aliados.
— Iafershi, posso ver a lâmina de tua espada ancestral?
— Por que, Mehi? Minha lâmina simbólica não é o suficiente para me identificar?

— Agora podes mostrá-la, Iafershi. Satisfaz minha curiosidade e necessidade, por favor!

— Mehi, o que me pedes não é permitido ostentar diante desses espíritos.

— Por que não?

— Não posso responder-te.

— Tu sempre te negaste a revelar-me tua origem. E isso não é justo. Não para alguém que te ama e respeita muito.

— A única coisa que posso revelar-te é que em minha espada ancestral estão os limites dos Magos caídos. Em mim, cessam os poderes deles ou de suas magias negativas. Em mim, eles encontram seu destino final ou seu fim.

— Tu és um Ior hesh yê, Iafershi?

— As estrelas, Mehi! Tu te lembras quando conversavas com elas e elas te revelavam muitas coisas?

— Aquilo era só uma observação, Iafershi. Na verdade, as estrelas são tão silenciosas que as vejo como um enigma da Criação.

— No silêncio delas está a eloquência do Criador, Mehi. Ouça o que não pode ser dito, mas que está sendo mostrado.

— Pelo que já aprendi, que não é muito, só um Ior hesh yê porta uma lança cristalina, que é a síntese das Sete Lanças da Lei e da Vida. E pelo muito que já vi enquanto visitava as dimensões extra-humanas, só...

— Observa o silêncio das estrelas, Mehi. A eloquência delas é tanta que a Lei as proíbe de se comunicarem por meio do som, senão incomodarão o sono dos humanos.

— O silêncio... a lei do silêncio...

— O silêncio, Mehi.

— Se eu te levar a um aposento isolado, tu mostras tua espada ancestral a este teu irmão tão angustiado?

— Mehi, se eu pudesse mostrá-la a ti, já a terias visto. E se não a mostro, observa no meu silêncio a eloquência das estrelas, por favor!

— Sagrado Iá-yê! Não imaginas o quanto isso é importante para mim, Iafershi!

— Se insistires mais uma vez, estarás privando esses espíritos caídos de um gole de água que saciará a sede deles, pois seguirei adiantei imediatamente.

— Como fizeste da outra vez que te pedi um favor?

— Tu tens o dom de pedir coisas impensadas. Olha esses espíritos que sucumbiram. Eles se contentam com um sorriso amigo, com uma mão estendida, com um gole de água... e tu, não.

— Tens medo de revelar-te, Iafershi. É isso, não?

— É isso. Mehi! Dá-me licença, pois vou seguir adiante com meus guerreiros caídos.

— Espera... e a água? Não vais esperar para que eles sejam servidos?

— Logo amanhecerá... Ou seguimos imediatamente ou a luz do Sol nos colherá e apagará o caminho que estamos percorrendo, em cuja beira muitos dos nossos estão à nossa espera. Até outro encontro, Mehi Mahar Selmi Laresh!

— Por favor, não te vás! Não, agora. Espera a água!

— É tarde, Mehi. A luz ainda não se abriu para esses caídos. Que suportem a sede mais um pouco, pois, entre tantos tormentos, ela é só mais um para eles.

Iafershi iniciou aquele canto monótono e imediatamente foi acompanhado pelo coro formado por milhares ou milhões de guerreiros caídos nos campos das lutas travadas durante a longa guerra entre os antigos grandes Templos. A seguir, posicionou aquela lança cristalina na vertical e a soltou, deixando-a cair ao solo. Ele olhou para onde ela apontou e falou:

— É para lá que devemos seguir, irmãos! É naquela direção que um dia reencontraremos o Sagrado Ior-hesh-yê! Adiante.

O espantoso exército de espíritos caídos lentamente moveu-se na direção indicada, enquanto ele vigiava o deslocamento.

Eram tantos, mas tantos espíritos, que nunca acabava aquele desfile dantesco (com a licença do Mehi Hesi Benedito de Aruanda, não era uma fila. Era uma horda que desfilava diante de nossos olhos admirados.)

Shell-çá chegou naquele momento e, vendo-me verter lágrimas silenciosas, perguntou:

— O que é isso? Que horror humano é esse, amado Mehi?

— Estás vendo aquele espírito de costas para nós?

— Quem é ele?

— Lembra-te de Iafershi?

— É ele?

— Sim. E eu o afastei mais uma vez de nós. Tenta demovê-lo de ir embora mais uma vez, amada Shell-çá.

Ela dirigiu-se até perto dele e o chamou, fazendo-o voltar-se, pois reconhecera a voz dela. Quando a olhou, de seus olhos saíram duas irradiações que consumiram as vestes que cobriam o corpo espiritual dela, deixando-a completamente nua e, à mostra, o corpo de uma senhora bastante idosa. A seguir, daquele negativo dourado saiu uma irradiação dourada que alcançou o negativo dela e espalhou-se por todo o resto de seu corpo, o qual se alterou completamente, deixando visível a mais linda Shell-çá que eu já vira. Depois, daqueles olhos embaçados de lágrimas, nova projeção irradiante e multicolorida a cobriu completamente com uma vestimenta semelhante às que eu só havia visto em uma dimensão extra-humana.

— Porque fizeste isto, amado Iafershi? – perguntou Shell-çá.

— Tu és uma yê ancestral, Shell-çá yê. Cumpriste tua missão sem cair em nenhum dos sentidos humanos. Retorna à direita da Mãe da Vida, pois lá é o teu lugar, já que continuas sendo uma yê. Ela aguarda teu retorno, irmã de Lei, de Vida e de Mistério.

— Tenho de recolher os meus, Iafershi.

— No devido tempo, eu os recolherei e os recolocarei na senda que os conduzirá até a ti, Shell-çá yê. Não demores, pois a Mãe da Vida te quer à direita dela.

— Minha filha...

— Eu já a resgatei quando invadi os domínios daquele verme caído, Shell-çá yê. Ela vem na retaguarda de meu exército. Se eu deixá-la nesta morada, tu me prometes que retornarás à direita da Mãe da Vida?

— Como ela está?

— Não me respondeste, Shell-çá yê.

— Sim, prometo – respondeu ela, depois de algum tempo. – Como ela está?

— Não muito bem, pois o verme, ajudado por outros vermes da mesma espécie, finalmente se apossou do mistério dela, que também é uma yê ancestral.

— Por que eles são tão obstinados nesse sentido, Iafershi? – perguntei.

— Ao tomarem posse do mistério de algum yê, Mehi ou Meha, tornam-se senhores do Trono, do degrau ou grau antes pertencentes aos Senhores naturais e ancestrais deles, Mehi Mahar Selmi Laresh yê. Lembra-te disso, pois podem tentar apossar-se do teu degrau.

— Como farão isso se o meu continua no ponto de força do Sagrado Sehi lach-me yê?

— Ele só está lá porque mantiveste luminoso o Trono regente dele, Mehi. Mas até quando conseguirás manter-te em todos os sentidos?

— Não sei, Iafershi.

— Reflete sobre isso, Mehi Mahar, mas adiciona à tua reflexão uma hipótese plausível, está bem?

— Qual hipótese?

— A de que talvez sejas obrigado a ver todos os teus graus engolidos pelos vorazes Senhores dos poderosos domínios das trevas. Consequentemente, nunca mais conseguirás resgatá-los e reassentá-los à tua direita ou esquerda. E se esta hipótese se realizar, bem, aí...

— Aí... o que, Iafershi?

— Eles te imobilizarão e te tornarás um Mehi Mahar inoperante, Selmi Laresh. É melhor que reflitas sobre isso também!

— Refletirei, Iafershi.

Ele calou-se e virou-se para observar a marcha de seu esfarrapado exército de caídos resgatados dos domínios das trevas da ignorância.

Pouco depois, juntava-se a nós o Mehi dual Seiman Hamisser yê, que trazia nas mãos uma taça de cristal transbordando de água cristalina. Já ao lado de Iafershi, estendeu a taça e falou:

– Eis a água que saciará a sede dos nossos, irmão de Lei e de Vida! Eu a recebi das divinas mãos do Sagrado Ior-hesh-yê.

– Abençoado sejas para todo o sempre, irmão!

O incrível eu vi acontecer: Iafershi encostou a ponta de sua lança cristalina na borda da taça e a água que transbordava começou a ser absorvida pela lança. E, à medida que ia absorvendo aquela água, as vozes que entoavam aquele canto monótono e rouco iam-se tornando suaves, vivas e harmoniosas. Um mistério divino estava absorvendo a água por meio daquela lança e enviando-a àqueles espíritos sedentos. Quando a taça parou de transbordar, Iafershi falou:

– O Sagrado Ior-hesh-yê sempre sacia a sede dos que, arrependidos dos erros cometidos, voltam suas faces para ele.

– Recolhe essa taça, irmão! – ordenou o Mehi Seiman Hamisser yê. – Ela te pertence a partir de agora.

– Eu... está bem! – exclamou Iafershi, muito emocionado, recolhendo das mãos do Mehi a taça e guardando-a em um de seus mistérios ocultos aos nossos olhos curiosos.

– Quando recolherás os teus, meu irmão? – perguntou Iafershi ao Mehi Hamisser yê.

– Não sei, irmão. Tenho de aguardar a vontade do Sagrado Ior hesh yê.

– Quando teu momento chegar, estarei a teu dispor, irmão de meu coração!

– Eu te procurarei, Ni-ye-he-ma-he-si-iim-se-hi-ag-fer-shi. Eu te procurarei!

– Não importa onde eu estiver, irmão. A teu chamado atenderei imediatamente!

– Sei que tenho em ti a mão forte e leal, irmão de armas. Que abençoado sejas para todo o sempre!

– Bênçãos sobre todos nós, irmão! É o que mais precisamos enquanto durar a travessia de nossa longa noite humana.

Aquele exército de espíritos resgatados começou a rarear. Estava terminando o macabro desfile, pensei eu. Mas, pouco depois, algo medonho surgiu: era uma cavalaria formada por criaturas assustadoras. Cavalos negros, que chegavam a brilhar, com olhos e cascos rubros como se fossem brasas e um chifre na testa, eram montados por esqueletos que portavam longos alfanjes rubros na cintura e formavam a retaguarda daquele exército de caídos. A um sinal de Iafershi, o líder daquele exército montado veio até ele e, após um breve olhar, deu ordem para que os cavaleiros parassem.

Iafershi avançou e uma passagem se abriu naquela cavalaria das sombras da noite humana, deixando entrever, no meio daquela tropa, milhares de espíritos com as mais variadas deformações. Eu vi e não acreditei: seres humanos transformados em aberrações assustadoras e presos em correntes. O cavaleiro líder jogou o laço em uma daquelas criaturas, arrastou-a até onde estávamos e falou:

— Eu não te aconselho a confiá-la a esses espíritos, meu Senhor.

— Eu resolvo por mim mesmo, irmão. Toca tua tropa que logo vos alcanço.

— Quem é esta criatura, Iafershi? — perguntei, temendo a resposta.

— É tua filha, Mehi! Eis como a deixaram os vermes só para extraírem dela o mistério negativo que trazia em si mesma, pois era uma yê natural.

Só então entendi o que ele havia sentido quando viu seus dois filhos transformados em criaturas assustadoras. E compreendi, ao olhar nos olhos de minha filha, o tormento que ele vira nos olhos de seus filhos: um desespero horrível!

Ele fixou os olhos nos de minha filha. Naquele momento, eu não soube como, ela foi aos poucos se aquietando e voltando à sua antiga aparência humana. Aquele processo durou pouco, mas, quando ele a liberou de seu domínio visual, ela emitiu um grito de ódio e avançou sobre ele, que já esperava por aquela reação, pois a envolveu com firmeza e ambos desapareceram. Só retornaram muito tempo depois. Ela voltou outra, pois lhe sorriu agradecida e foi abraçar Shell-çá yê, que a acolheu aos prantos. O que Iafershi fez com ela eu só saberia muitos milênios depois, mas ele a curou! E partiu para liderar aquele exército de espíritos caídos, mas resgatados por ele, um guerreiro ímpar.

Quanto a mim, refleti muito sobre tudo o que acontecera. Falei com meu superior e ele sugeriu que eu me aquietasse e aguardasse uma manifestação do Sagrado Ia-fer-ag-iim-sehi-lach-me yê. Devo ter permanecido mais de um século naquela morada espiritual, sempre atuando como Mehi Mahar.

Quando meu superior foi convocado para encarnar, assumi seu posto e passei a dirigir aquela morada. Naquele momento voltei a ser incomodado com a visão daquela mancha escura. Novamente eu via milhões de mãos estendidas implorando minha ajuda. Foi também nesse tempo que o Sagrado Sehi lach-me yê se mostrou a mim pela primeira vez após minha desencarnação. Valera a pena eu me haver aquietado... embora visse aquela mancha escura quase sempre. Algum tempo depois, fui levado por ele e incorporado à sua hierarquia de ação nas esferas cósmicas. Eu acompanhava outros Mehis Mahar já antigos nas atuações nos domínios das trevas.

Foi um tempo de muitos combates, ação e resistência às provações dos Senhores caídos nas trevas. Devo ter atuado por uns dois milênios como um Mehi Mahar Sehi lach-me yê auxiliar antes de chegar ao grau de líder de falange. Mais alguns séculos e fui designado pelo Sagrado Sehi lach-me yê para atuar, pela primeira vez, no negativo de uma religião que estava sendo concretizada no plano material. Ele me conduziu até onde estava meu degrau ancestral e me falou:

— Mehi Mahar, finalmente estás apto a reassumir teu Trono e teu degrau celestial. Mas, ao assumi-los, deverás encarregar-te das atribuições de teus graus auxiliares até que tenhas reassentado, neles todos, os teus antigos auxiliares ancestrais.

— Eles estão mergulhados no adormecimento da carne ou nas trevas da ignorância, Senhor meu. Não será fácil reconduzi-los a esse degrau.

— Tens toda a eternidade, Mehi Mahar! Mas até que o tenhas realizado, terás de suportar o incômodo das energias desarmônicas desses graus sem luz ou cor. Estás preparado?

— A mancha escura que vejo o tempo todo são os graus caídos de meu degrau?

— São, Mehi Mahar. Muitos deles encarnarão na nova religião que tu sustentarás dentro de uma faixa vibratória e em um campo localizado à esquerda do Regente natural, o qual está abrindo uma nova via de evolução mental e ascensão espiritual para os espíritos humanos. Se reassumires todo o teu degrau, poderás atuar com total desenvoltura à esquerda dessa Divindade, recolhendo no domínio que a ti será designado todos os espíritos humanos que possam sofrer desequilíbrios emocionais, os quais serão atraídos pelo Teu trono assim que desencarnarem.

— Estou pronto para assumir meu Trono, meu Senhor!

Sempre sustentado por Ia-fer-ag-iim-sehi-lach-me yê, assumi todo aquele degrau, mantido por mim desde minha descida à carne, junto ao ponto de força regido pelo meu Senhor. Muitos outros degraus foram afastados dos pontos de força regidos pelas Divindades naturais. Só se sustentaram aqueles cujos Tronos Regentes se conservavam luminosos, pois seus Regentes não haviam caído em nenhum dos sete sentidos capitais. Eu era um desses Regentes, e ainda sou. Se eu era muito luminoso até então, assim que assumi todos os graus de meu degrau, minha luz apagou-se por completo e me tornei um ser opaco. E isso sem contar o incômodo de ter de suportar as ondas tormentosas que a mim chegavam em razão de meus desequilibrados e caídos auxiliares. Mas instruído pelo Sehi-lach-me yê, aprendi a anulá-las a partir dos mistérios de meu Trono, recolhido em mim mesmo. Após ser preparado pelo meu Senhor, fui conduzido às hierarquias regidas pela Divindade natural que regeria a nova religião, a qual já estava sendo semeada no plano material. Conheci pessoalmente minha primeira Divindade natural e seu negativo, pois ela não era dual, ou seja, ela não comportava, em si mesma, dupla polaridade energético-magnética. Ela era um dos polos, o positivo, de uma Divindade planetária.

Niyê há, irmão de jornada, isso os umbandistas, em particular, e todos os espiritualistas, em geral, deveriam estudar e aprender, pois, às vezes, a falta de conhecimento sobre os orixás levam-nos a cometer erros fantásticos. Englobam várias Divindades naturais sob um único Orixá natural e cultuam uma Divindade negativa como positiva e vice-versa. Está certo que as Divindades naturais são muito tolerantes com as religiões novas, mas o descaso dos umbandistas na busca dos verdadeiros conhecimentos é espantoso. Não estudam os aspectos fundamentais e preocupam-se unicamente em desenvolver a mediunidade dos que os procuram, curar enfermos, desmanchar trabalhos e realizar, muito mal, algumas oferendas rituais. É só isso o que fazem. E esses são só aspectos subjacentes de uma religião magnífica, talvez a mais rica já semeada no plano material. Ouso afirmar que, se os umbandistas se dedicarem ao estudo dos fundamentos do ritual de Umbanda Sagrada, terão à disposição uma religião mais rica do que as religiões grega, egípcia e hindu reunidas, pois estas estão dentro do ritual de Umbanda apenas com algumas de suas linhas de ação, reação e realização. Eles não podem se acomodar e deixar para depois da morte física esses conhecimentos fundamentais. Ou então, que aceitem como verdades incontestáveis da Umbanda o que abstracionistas têm divulgado por meio de livros, cuja linha é falsa desde seu início, pois desconheciam quais eram as verdadeiras Sete Linhas – água, terra, fogo, ar, mineral, cristal e vegetal – e quem são as Divindades ancestrais formadoras do Setenário do ritual de Umbanda Sagrada. Se a semeadura ajudou em um sentido, tentando ordenar o caos, falhou em outros, pois criou uma tremenda confusão no que se refere às linhas de ação e reação.

A Divindade que eu iria servir como Mehi Mahar não era dual, isto é, não tinha dupla polaridade. Após ser apresentado a ela pelo Sagrado Iafer Agiim-lach-me yê e dela ter recebido o primeiro círculo colorido na minha lança simbólica, meu Senhor conduziu-me a uma Divindade negativa que formava o polo negativo, oposto ao daquela Divindade natural.

Chamamos as divindades negativas de "cósmicas", as positivas de "universais" e as de dupla polaridade de "celestiais". Fui apresentado à Divindade cósmica como sendo um dos graus formadores do degrau celestial Ia-fer-ag-iim-se-hi-lach-me-yê. Meu degrau, imenso por si só, era apenas um dos setenta e sete à esquerda do meu Senhor.

Com isso explicado, começa a vislumbrar o alcance e o poder do Sagrado Senhor Ogum Sete Lanças, Niyê he.

Não fui conduzido à dimensão regida pela Divindade positiva, mas àquela regida pela Divindade negativa. Não só fui conduzido, como permaneci nela por um longo tempo, estudando-a e aprendendo a lidar com os processos energético-magnéticos e magias cósmicas ou negativas, que poderiam ser ativados pelos encarnados por meio de chaves mágicas que a eles seriam transmitidas. O mesmo ocorreria no lado positivo com as chaves mágicas universais.

O que citei, anteriormente, sobre a ignorância ou falta de conhecimento dos umbandistas, refere-se ao que agora vou revelar, Niyê he.

A Divindade cósmica à qual eu serviria na nova religião que estava surgindo na Terra, naquela época, regia o negativo ou o oposto da Serpente do Arco-Íris. No positivo, seria cultuada a Divindade cujo simbolismo é o Mistério da Serpente do Arco-Íris e, no negativo, seria a Divindade cujo simbolismo é o Mistério Sete Cobras, que tu bem conheces no ritual de Umbanda como a linha Sete Cobras: Caboclos Sete Cobras, Exus Sete Cobras, Caboclas Sete Cobras e Bombonjiras Sete Cobras, certo?

Saibas que no tempo em que o termo Exu não existia na Terra, o mistério Sete Cobras, cósmico por excelência, já era o polo negativo e, lado cósmico de uma religião que foi semeada em uma vasta região, que compreendia desde a atual Índia até as Arábias, já na divisa com o Continente Africano. E isso há muitos e muitos milhares de anos, Niyê he. Esse tempo é anterior a tudo o que possas imaginar sobre civilizações. Mas, tal como os aborígines, que há milhares e milhares de anos cultuavam suas Divindades e só sofreram alterações com o advento dos colonizadores europeus, essa civilização a que me refiro aqui foi anterior às que tu conheces por meio dos livros de História. E tanto a Divindade simbolizada pela Serpente do Arco-Íris, que são os sete sentidos da Vida, como a simbolizada pelas Sete Cobras, que é o seu negativo, ali foram cultuadas e sustentaram a encarnação de milhões de seres, lançados no estágio humano da evolução, e os já espiritualizados que ali reencarnaram.

Assim, fui atuar como Mehi Mahar no lado negativo da nova religião, que cultuava a serpente do Arco-Íris Sagrado, símbolo dos sete sentidos da Vida, das sete virtudes, etc., pois são as sete cores celestiais. Aí há todo um simbolismo a ser decodificado, Niyê he. No negativo, há os sete caminhos sinuosos, pois se no céu o arco-íris se mostra visível a todos, no seu oposto estão os que rastejam tortuosamente pelos caminhos da Vida. Já deves ter percebido que o

Guardião Celestial dos Caminhos Retos ou Sete Lanças era o intermediário do Sagrado Ia-fer-ag-iim-ior-hesh yê para a nova religião. Sim, o meu Senhor Ia-fer-ag-iim-sehi-lach-me-yê era o Guardião Celestial e Moderador Sagrado da nova religião, e tinha por função vigiar as evoluções que nela aconteceriam. À direita e sob o manto protetor da Divindade Regente do Mistério do Arco-Íris Sagrado, atuariam seus Mehis Hesi e Mehas Hesi e, à esquerda, amparados pela Divindade Regente do Mistério Sete Cobras, atuariam seus Mehis Mahar e Mehas Mahar. Guardiões e Guardiãs da Luz à direita e Guardiões e Guardiãs das trevas à esquerda. Alguma semelhança com o ritual de Umbanda Sagrada, Niyê he? Nenhuma, pois naquela religião realizavam oferendas à Divindade do Arco-Íris ou à Divindade das Sete Cobras. Exus Sete Cobras ou Caboclos Arco-Íris lá não existiam ou sequer eram conhecidos sob essa ótica atualmente existente no ritual de Umbanda Sagrada. Os Mahar atuavam à esquerda dos sacerdotes e os Hesi à sua direita, inspirando-os, guiando-os, defendendo-os e ajudando-os. E o mesmo faziam aos fiéis daquela religião.

Tudo igual ao que hoje fazemos nos terreiros de Umbanda, Niyê he. E quando aqueles sacerdotes e sacerdotisas entravam em êxtase ou incorporação inconsciente, era por meio deles que nos manifestávamos e dávamos nossos recados por intermédio de oráculos ou consultas.

Afinal, o que hoje existe de novo em religiões, se tudo o que há por aí já existia há milhares ou milhões de anos?

Como Mehi Mahar Sehi Lach-me yê, tive um trabalho espinhoso naquela religião, pois os naturais Sete Cobras, invocados nas magias negativas, eram tão inconscientes que nós os reconduzíamos com muito cuidado à dimensão regida por aquela Divindade cósmica ou recorríamos às nossas lanças da Lei, que irradiavam redes ígneas para lançarmos sobre eles. Usávamos as lanças da Lei para tal tarefa porque, se tocássemos aqueles seres com nossas espadas da Lei, destrutivas por excelência, eles explodiriam e nossa função não era destruí-los, mas, sim, ordenar os processos energético-magnéticos e evitar que excessos fossem cometidos. Essa também é a minha função e a de todos os Exus Guardiões no ritual de Umbanda Sagrada.

Podem escrever o que quiserem sobre Exu, mas em tratando de Exus Guardiões, a história é outra, pois nossa função é somente ordenar os processos energético-magnéticos cósmicos, ou magias negativas, realizados no campo de ações e reações de todos os mistérios englobados pelo poderoso mito Exu que, na verdade, é uma Divindade cósmica responsável por uma dimensão natural muito afim com a dimensão humana, pois os naturais Exus são criaturas dotadas de extrema vitalidade. Falarei sobre isso mais adiante, quando comentar como Exu entrou nas religiões humanas.

Muitos espíritos humanos também caíram nessa minha primeira religião, da qual eu era um de seus sustentadores. Por afinidades energético-magnéticas, os caídos iam para os domínios das trevas localizados nas esferas humanas negativas e, como todo caído, caíam mais ainda, pois nas sombras continuavam a atentar contra seus desafetos na Luz ou no plano material.

Acho que o inferno, como sinônimo de maldade humana, sempre existiu, Niyê he. Luciyêfer foi só mais um dos Regentes que acreditaram que, se no inferno eles se assentassem, com ele acabariam. Mas que o próprio esclareça isso, pois já tenho muito com que me preocupar com os caídos nos meus domínios os quais, se não são um inferno, então não conheço outra palavra para denominá-los. Desde a minha primeira religião, a escória da humanidade já passou por meus domínios, uns tentando e conseguindo subir e outros desejando e também conseguindo descer. Nos meus domínios já estiveram os indecisos, aqueles que não sabem se avançam para junto dos seus na Luz ou se voltam para os que largaram para trás. Aos indecisos sempre tranco a ascensão: ou voltam dali mesmo e recolhem as partes podres de suas vidas ou logo farão apodrecer a parte sã de suas vidas.

Por isso, sou o que sou no ritual de Umbanda Sagrada: Exu Tranca-Ruas das Almas!

Voltando ao meu grau natural de Mehi Mahar, o fato é que resgatei, não sem muito esforço, alguns dos graus "humanos" do meu degrau natural e os reconduzi a um tal grau de compreensão que puderam reassumir suas atribuições naturais no meu degrau. Foi aí que recebi do Sagrado Ia-fer-ag-iim-lach-me-yê outros convites semelhantes àquele que me conduzira à esquerda da religião do culto à Serpente do Arco-Íris Sagrado.

No ritual de Umbanda baixam Caboclos, Caboclos Arco-Íris, Exus e Bombonjiras Sete Cobras. Alguns desses Mehis Mahar já evoluíram tanto depois de incorporados pelo ritual de Umbanda Sagrada que até deram início à linha dos Caboclos e Caboclas Sete Cobras, que são quimbandeiros, pois dominam vasto conhecimento das magias cósmicas e são portadores de mistérios afins com a Divindade que é, em si mesma, o mistério Sete Cobras. Se usados positivamente, esses mistérios tornam os Caboclos em magníficos curadores, pois, assim como a humanidade sempre recorreu às cobras medicinalmente, naquela dimensão cósmica existem energias que, se bem dosadas nas suas aplicações, curam muitas enfermidades humanas dos corpos material e espiritual.

A Divindade natural que rege a dimensão original do mistério cósmico Sete Cobras é regida em um aspecto muito mais elevado e abrangente (porque é celestial, planetária e multidimensional) por aquele ser de essência divina que, no ritual de Umbanda Sagrada, vós conheceis como Orixá Oxalá yê, que rege a dimensão cristalina da Vida ou dimensão das sete essências planetárias, multidimensional e dual por excelência. Na língua ancestral cristalina, Oxalá yê é Ia-hor-is-ra-iim-yê.

De religião em religião, fui crescendo e, em muitas delas, debutei como Divindade local muito respeitada, respondendo aos pedidos dos sacerdotes videntes, que apreciavam minha rapidez na solução de seus problemas. Ou pensas que os videntes surgiram junto com o tardio Espiritismo europeu?

Quando atuava no lado negativo de minha terceira religião, fui convidado a ingressar na hierarquia dos Mehis ancestrais iniciados na origem, o que equivale a Mehis portadores de mistérios afins com as divindades naturais, às quais servíamos como Guardiões de seus mistérios multidimensionais.

Conheci a Tradição Religiosa Ancestral Natural, cujas hierarquias formadas por espíritos humanos haviam sido erigidas em paralelo às hierarquias naturais formadas por seres naturais não encarnantes, que serviam como espelhos de nossas ações nas esferas negativas.

Absorvido pela Tradição Religiosa Ancestral Natural, fui convidado a formar uma hierarquia afim com a natural do Sagrado Sehi lach-me yê, o meu Senhor. Já havia desencarnado há muitos milênios quando recebi esse convite e muitos outros milênios já se passaram depois que fui absorvido pela Tradição Religiosa Ancestral Natural. Nela estão integrados quase todos os espíritos que marcaram época na História da humanidade conhecida e desconhecida do período atual em que tu vives na carne, Niyê he, meu irmão.

Tu também já transitaste pela Tradição várias vezes, mas nunca te assentaste nela porque estavas vivenciando teu ciclo de reencarnações, que talvez (tu sabes quando?) se encerre nesta tua presente encarnação, pois tu és um Ni-iim-yê-he dos orixás Sagrados ou mensageiro dos mistérios Sagrados. "Niyê he" é o que sinteticamente significa teu nome *djina* cristalino.

De religião em religião, fui constituindo uma hierarquia cósmica negativa extremamente heterogênea, formada de espíritos resgatados das trevas por meu mistério ou degrau e incorporados à esquerda do Sehi Lach-me yê, Senhor Ogum Sete Lanças, mas regidos por mim, Senhor do degrau ou mistério que trago em mim mesmo.

Não vou citar todas as religiões que servi ou que ainda sirvo como Mehi Mahar. Só menciono algumas para que seja fixado no plano material quem realmente é o Senhor Exu Guardião Tranca-Ruas, que sou eu: Mehi Mahar Selmi Laresh Lach-me yê. Estive presente nas religiões já mortas e enterradas, nas já mortas, mas ainda insepultas, e ainda estou nas agonizantes e nas plenamente ativas: Hinduísmo,

Tibetana (que não são a mesma), Xintoísmo, Xamanismo siberiano, africano e ameríndio, Cristianismo, Islamismo e Umbanda Sagrada. Na religião mosaica, estou na Cabala, mas como agregado cósmico do Arcanjo Miguel. Acredito, mesmo, que nunca ficarei fora de religião nenhuma, pois, para um espírito humano evoluir, tem de passar por um dos caminhos vigiados pelo Sagrado Iá-fer-sehi-lach-me yê ou Senhor Ogum Sete Lanças do ritual de Umbanda Sagrada, ou por algum dos outros Lach-me yê do Sagrado Iá-fer-ag-iim-ior-hesh-yê, Guardião Divino do Iim-iá-yê ou Mistério da Vida. Enfim, gosto de fazer o que faço e posso fazer o que mais me agrada: ordenar os que se entregam às desordens.

Retomando alguns esclarecimentos prometidos em linhas anteriores, devo dizer que, quando da encarnação do Mistério da Luz, do Amor e da Fé na pessoa de Jesus e sendo eu um dos mais ativos Mehis Mahar cósmicos do Sagrado Sehi lach-me yê, fui designado para vigiar os caminhos que o Mestre Divino trilharia durante sua permanência na carne. Pensas que foi fácil?

Em se tratando de coisas religiosas, quando um Regente celestial desce ao plano material da dimensão humana, nada é fácil, pois muitas Divindades já estão concretizadas, têm seus domínios religiosos estabelecidos e seus negativos espalhados por todas as esferas negativas. Do Divino Mestre Jesus Cristo recebi o círculo dourado de número setenta e cinco em minha lança da Lei e da Vida e comecei a atuar no negativo do Cristianismo nascente, muito parecido em seu começo com o atual Espiritismo Kardecista, pois afastavam espíritos obsessores e realizavam operações e curas espirituais. Enfim, os primeiros líderes cristãos eram espiritualistas por excelência, pois o Cristo Jesus, antes de encarnar, era o Regente natural da corrente elohimnista mosaica. E os elohim são os encantados dos naturalistas africanos!

Com o passar dos milênios, tudo se vai confundindo ou se depurando e cada nova idealização vai alterando para melhor ou para pior o que, em sua concepção original, foi simplificado ao máximo, mas sem deixar perecer a origem divina do que foi idealizado para o ser humano. Recebi o círculo de número setenta e seis do Arcanjo, que, atuando por intermédio do "profeta" Maomé, o colocou em minha lança da Lei e da Vida. E se destaquei a palavra "profeta" é porque Maomé foi realmente um profeta de Alá e outro igual, naquela região infestada de falsos profetas, jamais houve ou haverá.

O profeta Maomé, que abençoado seja para todo o sempre, era um dos mais antigos hierarcas da Tradição Religiosa Ancestral Natural, e recebeu do Arcanjo... a missão de purificar aquelas areias ardentes da praga de falsos profetas e de verdadeiros mercadores de religiões, que lá haviam estabelecido autênticas Mecas do pecado. Aqui só estou cumprindo com o meu dever de Mehi Mahar, que é apontar os vícios e os viciados humanos que desvirtuaram as coisas religiosas.

A despeito de todas as inverdades escritas sobre o profeta Maomé, ele foi imortalizado na memória da atual humanidade, pois foi guiado em sua vida atribulada por um Arcanjo celestial, cujo nome não posso dizer porque é proibido pela Lei dos mistérios.

Eu, Mehi Mahar Selmi Laresh Lach-me yê, incorporado ao negativo da religião nascente, fui um dos que guardaram a esquerda do profeta Maomé, portador de uma vidência maravilhosa. Os cristãos combateram-no e o odiaram, o que é comum em todas as religiões nascentes. Mas ele, guiado pelo Arcanjo..., de Alá, semeou uma das religiões mais vigorosas das que já participei como Mehi Mahar. Apesar da intolerância que nela se instalou em razão da própria natureza semita dos árabes, ela tem servido divinamente ao Sagrado Iá-yê, o Senhor da Luz, da Lei e da Vida. Se há muitos espíritos que caem no negativo da religião islâmica, paciência! Por que odeiam os adeptos de outras religiões? Problema dos encarnados no Islamismo, não? Afinal, eles não são os únicos eleitos na Terra. Existe uma porção de outros eleitos. A própria Umbanda está sendo vilipendiada pelos novos eleitos evangélicos. Paciência!

O inferno é suficientemente grande para acolher em seus intoleráveis e sombrios domínios todos os religiosos sombrios e intolerantes. Eu disse todos, Niyê he! Por isso, restringe tua indignação aos vermes atuais que tentam corroer a saudável e vigorosa Umbanda dos orixás. Os mesmos vermes que hoje estão de pé, ontem rastejavam nos pântanos do inferno, e para lá hão de retornar. Eles crescem recorrendo a mentiras assacadas contra a Umbanda e o Catolicismo e acumulam uma fortuna pessoal à custa da exploração financeira de seus seguidores e do mercantilismo da Fé. Mas nessa safadeza não estão sozinhos, pois mesmo na Umbanda, tão jovem e tão bela, já pululam os mercadores da miséria humana!

O que fazer com essa praga humana que chamamos de mercadores da Fé? Não sabes, Niyê he? Pois eu sei! E o faço muito bem!

Até hoje, nenhum mercador da Fé encontrou o caminho que conduz ao Céu e nenhum deixei de encaminhar para aquele lugar que conquistou ainda na carne: o inferno!

Relaxa, Niyê he! Esquece os mercadores do Cristo Jesus, pois Ele já tentou livrar-se deles antes e não conseguiu. Então, para que preocupar tua mente e perder teu tempo lembrando-te desses mercadores que não viverão na carne nem um minuto a mais para livrar a Umbanda dos caídos que nela se infiltraram? Nada melhor para purificar uma religião, ainda no seu nascedouro, do que outra religião mercantilista, pois só as mercantilistas olham os adeptos das outras como presas a serem capturadas. E elas sempre capturam os piores da espécie, sabias?

Estás corretíssimo quando afirmas não desejar converter ninguém à Umbanda. Uma religião formada por convertidos tende à intolerância, pois, para impedir a fuga de suas presas, têm de bestializar todas as outras religiões. Ou não é isso o que fazem os "vermes em pé" com os Sagrados orixás? Paciência, Niyê he. Antes que possas imaginar, os vermes agora em pé abaixarão suas cabeças e as voltarão para as sombras, envergonhados de serem recepcionados por um Mehi Mahar implacável com os vermes humanos, que vivem tentando dividir Deus entre si e comercializá-lo pelo preço mais alto que conseguem impor aos caídos de outras religiões. Não serão católicos ou espiritualistas satisfeitos com suas crenças religiosas, que comprarão deles aquilo que dizem ser os donos: o Paraíso. Pelo que sei, o Paraíso é comum a todos os seres humanos de bem com a vida e o inferno é comum a todos os seres humanos de olho nos "bens" da vida. Interpreta corretamente o que eu quis dizer com "bens" da vida e entenderás a função dos mercadores de almas, os escravocratas das trevas.

Para finalizar minha biografia, vou comentar sobre o termo Exu, o qual assumi como sinônimo de Mahar quando fui solicitado pelos Regentes do ritual de Umbanda Sagrada. Ainda que uns tolos da Umbanda apregoem que Exu deu forma à matéria e que ordenou o caos e outros inventos mirabolantes e, embora ele também não tenha a beleza do mito africano, que o descreve muito melhor, todos concordam que ele é só um mito para descrever uma Divindade natural, que é uma das mais humanas que já conheci nesta minha longa jornada por meio das religiões naturais e abstratas.

Eis a verdadeira origem de Exu, Niyê: o Continente Africano e todo o resto da humanidade mergulharam na longa noite do tempo e, durante toda uma era, os encarnantes eram submetidos a uma vida extremamente instintiva, pois tinham de adormecer na carne as recordações de eras anteriores, quando haviam perdido o Paraíso. Mas nunca ficaram sem o amparo das Divindades naturais, Regentes da evolução das espécies.

Nos livros que abordam as religiões africanas, tu vês nomes e mais nomes de orixás ou Divindades naturais, correto? Saibas que no Continente Africano e em todos os outros Continentes, grupos populacionais distintos permaneceram isolados uns dos outros por muitos milênios. Cada povo mantinha sua tradição oral das coisas religiosas e possuía suas lendas pessoais sobre a cosmogonia do Universo. Os aspectos cosmogônicos eram análogos entre muitos povos, mas as Divindades eram distintas, pois em um povo era Xangô o seu rei fundador, em outro era Ogum, e assim por diante.

Até aqui estão corretíssimas as tradições orais, pois havia e ainda há Divindades naturais ou orixás afins com esses mistérios celestiais, que receberam o nome de Senhores do Alto ou Seres Celestiais. É o que são os orixás: Seres Celestiais, sustentadores de muitas dimensões da Vida e orientadores Divinos por excelência da evolução ordenada das espécies.

O tempo foi passando, os seres evoluindo e os clãs se transformando em tribos e depois em nações.

E surgiram muitas perguntas que já não podiam ser respondidas com uma única resposta. Como tudo é previsto pelos ordenadores celestiais das evoluções, eles transmitiram a encarnados especialmente preparados para tal fim a concepção de novas Divindades que correspondessem aos anseios de populações numerosas.

A concepção, neste caso, tem duplo aspecto:

1º) Conceber: idealizar, formar uma Divindade segundo os parâmetros humanos, ainda que todos concordem que as Divindades não sejam humanas;

2º) Conceber: fazer nascer e concretizar no plano da matéria uma Divindade natural e imaterial. Então, Divindades foram trazidas por espíritos preparados para os povos crescentes. Recorda do que descrevi sobre o profeta Maomé, regido e guiado pelo Arcanjo...

Agora, um pouco de didática:

Sete orixás: cristalino
    vegetal
    mineral
    aquático
    ígneo
    aéreo
    terreno ou telúrico

Sete Essências: cristalina
    vegetal
    mineral
    aquática
    ígnea
    aérea
    terrena ou telúrica

Sete Mistérios da Criação: reino natural cristalino
    reino natural vegetal
    reino natural mineral
    reino natural aquático
    reino natural ígneo
    reino natural aéreo
    reino natural terreno ou telúrico

Sempre o Setenário Sagrado. Por serem Mistérios da Criação já concretizados no plano material pelos orixás ou Divindades naturais afins, muitos Regentes naturais foram abertos ao conhecimento limitado dos espíritos humanos. Tudo foi concebido ordenadamente e cada Divindade só foi aberta quando os espíritos humanos estavam aptos a absorvê-la. Assim, os Sete Mistérios Divinos enviaram ao plano da matéria chaves de acesso aos processos mágico-energético-magnéticos e às Divindades naturais, pois os Regentes de dimensões ou reinos nelas localizados começaram a ser cultuados pelos africanos encarnados.

É certo que tudo não aconteceu ao mesmo tempo, mas sempre atendendo às necessidades religiosas dos africanos e de todos os outros povos, pois, até há poucos milênios, toda a cosmogonia era naturalista, ou seja, era assentada em Divindades naturais. A concepção de um Deus único ainda não existia e cada povo possuía o seu Deus particular.

A concepção de um Deus único para toda a humanidade é muito recente, embora não esteja totalmente fundamentada, pois ainda existem o ódio recíproco entre as correntes religiosas e as guerras "santas" que estouram em todos os cantos do planeta. Realmente, ainda é muito recente a concepção de um Deus comum a todas as espécies, incluindo a humana.

Mas o fato é que no Continente Africano não existiam as Sete Linhas de Umbanda. Havia Divindades locais, que atendiam às necessidades religiosas específicas de cada um dos povos que ali cresciam continuamente, e o mesmo ocorrendo no resto do mundo. E isso há milênios. Quando começaram os contatos entre as nações, teve início a difusão das Divindades, as quais, até então, eram restritas aos seus locais de origem. Houve a necessidade de Divindades mais abrangentes e que correspondessem a expectativas mais amplas, o que ocorreu cerca de cinco mil anos atrás. No plano material foram concretizadas Divindades de alcance planetário, que se adaptaram aos anseios religiosos de povos distintos entre si, mas comuns quanto à forma de cultuar suas Divindades naturais. Foi o nascedouro das atuais religiões africanas, cujas Divindades têm um alcance maior em consequência do crescimento das populações e da expansão dos impérios tribais.

É comum a toda a humanidade cultuar só Divindades locais, enquanto não crescem em demasia os focos populacionais. Mas assim que começam as expansões, novas Divindades mais abrangentes têm de ser concebidas para sustentar tal processo; senão, como em um povo de origem montanhesa, poderá haver aculturação de outro, de tradição marítima? E o contrário também se aplica, pois um montanhês terá dificuldade em assimilar uma Divindade do mar, que nada tem a ver com o seu dia a dia.

Niyê he, jamais os estudiosos das religiões atentaram para esse detalhe em suas pesquisas sobre a origem das Divindades, mas deveriam fazê-lo, pois encontrariam respostas plausíveis para tantas Divindades locais.

Observa o que ocorreu no Cristianismo e entenderás o que tento esclarecer: o Divino Mestre Jesus, abrangente por excelência, satisfaz com sua mensagem de Vida a maioria das expectativas religiosas dos cristãos. Mas por ser Ele uma Divindade geral e comum a todos, os pensadores da religião regida no Alto por Ele precisaram criar Divindades ou Santos locais. À medida que o Cristianismo se expandiu, foi preciso criar Divindades específicas às necessidades das populações. Então foram surgindo os Santos milagreiros, como, por exemplo, um santo protetor dos viajantes, um santo protetor dos leprosos, uma santa curadora dos cegos, um santo que combate o Mal (dragão?), um santo que propicia as uniões conjugais, uma santa que protege contra as tempestades, padroeiros e padroeiras nacionais... A lista é imensa.

Então, pergunto: qual a diferença que existe entre o Papa, que queima uma vela ao santo de sua devoção, e o babalaô africano, que faz uma oferenda ao seu Orixá preferido?

Resposta: nenhuma.

Mais uma pergunta: por que ambos procedem dessa maneira se sabem que podem direcionar suas preces a um Deus que a tudo sustenta? Resposta: ambos necessitam de uma Divindade bastante humana e bem próxima e que possa ser invocada em qualquer lugar, momento e circunstância.

Há necessidade da existência de Divindades mais ou menos afins entre si, mas em concordância com o âmbito e as culturas locais, pois a base está no menor dos grupos sociais: a família. Depois vêm os clãs, tribos, nações e civilizações. Em cada um desses níveis têm de haver Divindades específicas, que atendam às necessidades de cada um deles; do contrário, existirá um vazio religioso e não haverá uma base sólida a sustentar o nível mais abrangente.

Espero que estejas compreendendo o que estou explicando, Niyê he, pois, em se tratando de religião, sou um profundo conhecedor da psique humana, que em nada difere da psique dos seres naturais não encarnantes, pois suas evoluções se processam continuamente, sem as rupturas abruptas de encarnação e desencarnação e sem o esquecimento ou adormecimento do que já vivenciaram, mas somente a incorporação de novas vivências em outros reinos naturais. Nas evoluções naturais, todos conhecem os níveis hierárquicos e cada um é sustentado por um Trono localizado ou abrangente, que responde imediatamente às necessidades dos seres que sustentam. E nós, os humanos, um dia já fomos seres naturais, habituados a viver sob o amparo e a proteção dos Tronos locais e gerais e do próprio Criador, o Sagrado Iá-yê.

Observa que, por mais que se saiba que é Deus quem rege a todos, ninguém descarta a palavra e a bênção do seu sacerdote, seja ele padre, rabino, pastor, imã, xamã, rishi ou babalaô. Sempre tem de haver um intermediário humano, uma Divindade localizada e uma hierarquia divina.

Isso sempre foi assim e assim será para todo o sempre, pois assim estabeleceu o Criador às suas criaturas e criações.

A Terra faz parte do Universo, mas, para ser estável e poder abrigar a Vida, ela gira dentro da esfera de influência do Sol, que lhe proporciona os equilíbrios rotatório e translatório, pois o Sol é a base da família solar e o ordenador desse núcleo básico do Universo. E o Sol, por sua vez, está em um nível mais amplo e é sustentado, no Universo, pelo núcleo galáxico da constelação a que pertence. E assim sucessivamente. Há uma hierarquia divina para cada núcleo básico, tanto das criações quanto das criaturas, que se vai repetindo em níveis cada vez mais amplos e em graus infinitos, pois Infinito é o Criador.

No aspecto religioso, também há uma hierarquia, que se tem mostrado a todos os povos e culturas religiosas o tempo todo. E as Divindades jamais deixaram de mostrá-la aos seres humanos.

O Mestre Jesus é comum a todos os cristãos do mundo, mas Ele mesmo estimulou o surgimento de Divindades locais, santos, santas, padroeiros e padroeiras, que o têm auxiliado na condução religiosa de povos culturalmente díspares entre si.

Já citei o caso de São Jorge, um Mehi Hesi Sehi Lach-me yê, Guardião da Luz, assentado à direita do Senhor Ogum Sete Lanças que, acredita-me, atua pelo alto, à direita do Divino Mestre Jesus e de outras Divindades luminares da humanidade.

Há toda uma hierarquia celestial que, pelo alto ou pelo baixo ou polos positivo e negativo, sustenta todas as religiões e as manifestações da Fé e que não foi ordenada por seres humanos. Quem a ordenou foi o próprio Criador. Os seres humanos são apenas mais uma das espécies beneficiadas pelos ordenadores localizados da perene e imutável hierarquia celestial.

Religiões demasiadamente abstratas costumam falhar porque descartam peremptoriamente os intermediários celestiais. Elas negam aos seus fiéis recursos localizados em níveis mais próximos deles e criam um vazio imenso e perturbador no equilíbrio emocional coletivo, pois lhes faltam recursos humanos para responder às necessidades humanas. Esse vazio religioso leva à dissolução das bases familiares e, consequentemente, das sociedades, porque as pessoas não têm a quem recorrer para solucionar seus problemas íntimos e imediatos, como, por exemplo, os casos de impotência, infertilidade, infidelidade, abandono, desemprego, doença, desarmonia familiar, amor não correspondido, necessidade de matrimônio... E assim vai crescendo a lista de necessidades íntimas e imediatas dos seres humanos, Niyê he. A quem recorrer senão a quem lhes responda imediatamente e da forma mais aceitável: a humana? É aí que se envolvem as Divindades locais ou localizadas em níveis mais próximos dos seres humanos e os orixás dos nossos irmãos africanos, que são as mais humanas Divindades que a Lei e a Vida já concretizaram na dimensão humana. Os orixás respondem aos pedidos de casamento e de separação, à necessidade de um emprego, de um filho, etc. A Lei Maior abriu à dimensão humana Divindades naturais, Regentes de dimensões onde milhares ou milhões de reinos ou nações naturais existem para sustentar a evolução das espécies, Niyê he. Nesses reinos, a Vida gira em torno de Tronos localizados ou Divindades menores que, tal como reis e rainhas, ali vivem pelos seus súditos. Se é que existem no plano material reis ou rainhas tão devotados aos seus súditos, pois aí as coisas se processam ao contrário: são os súditos que vivem para o bem-estar dos soberanos. Estou enganado, Niyê he?

Com este pequeno discurso dentro do contexto em que me localizo como Mehi Mahar Lach-me yê ou Senhor Exu Tranca-Ruas, agora já posso dissertar sobre a Divindade Exu.

Por volta de quatro milênios atrás, com a grande expansão populacional no Continente Africano, surgiu entre as muitas Divindades multidimensionais já conhecidas, reverenciadas e cultuadas, uma nova Divindade que respondia aos anseios humanos imediatos: Exu! A Divindade Exu preencheu um vazio muito grande até então existente. Em meio à imensa multiplicidade de Divindades, cada uma servindo a um aspecto da vida, precisavam de uma masculina por excelência e que ajudasse os homens na potência masculina, na fertilidade humana, nas coisas da vida doméstica e na proteção durante as viagens a regiões distantes, povoadas por outras tribos, cujos feiticeiros eram temidos pelos indefesos estrangeiros. Exu teve uma aceitação imediata e propagou-se com tanta rapidez que suplantou todas as outras Divindades responsáveis por muitas das necessidades imediatas. Problemas com a potência sexual? Exu resolve. Problemas conjugais? Entrega a Exu. Um noivo ou uma noiva? Isso é com Exu. Sem faltar com o respeito a essa Divindade natural maravilhosa, digo que Exu transformou-se em pau para toda obra, desdobrando-se para corresponder às expectativas humanas.

A Divindade natural Exu deslocou milhões de seres naturais para a dimensão humana a fim de poder sustentar os seres humanos que a ela recorriam.

Mas uma coisa inesperada ocorreu: Exu apreciou as criaturas humanas e na dimensão delas quis ficar. Entenda-se Exu como o ser natural enviado ao meio humano pelo lado negativo dos pontos de força. Assim, em função da mútua afinidade entre Exus naturais e seres humanos, os feiticeiros aprenderam a assentar ou sustentar seus próprios Exus, individualizando o que deveria ser coletivo. E o mesmo começaram a fazer com relação às outras Divindades: cada um possuía seu Exu, seu Ogum, seu Xangô, etc. Estava errado? Não! Era uma nova religião que surgia na Terra e que, um dia, geraria uma outra religião, já preparada para atender a uma nova cultura: a Umbanda!

Mas não existia um Exu das Matas, outro dos Cemitérios, outro do Mar, outro das Montanhas... O que havia era a Divindade Exu, de múltiplos aspectos, pois atendia às mais variadas e imediatas necessidades dos seres humanos.

E no astral africano, como um ordenador do Sehi Lach-me yê ou Senhor Ogum Sete Lanças, fui incorporado à nova Divindade como um ordenador humano dos seus processos mágico-energético-magnéticos. Eu não era ainda um Exu, pois isso só ocorreria quando fosse semeada a Umbanda. Aqui uso a palavra Exu maiúscula para designar a Divindade, cujo nome cristalino é vedado à dimensão humana. Assim, como sempre, fui conduzido à dimensão extra-humana, onde uma evolução natural se processava paralelamente a todas as outras evoluções.

Agora, com a permissão do meu Senhor Iáfer agiim sehi lach-me yê, Senhor Ogum Sete Lanças, abro para o plano material o mistério "Exu" e vou descrever sinteticamente o que me foi permitido pelo meu Senhor Sehi Lach-me yê:

Era a primeira vez que me introduzia na dimensão regida pela Divindade natural X, sustentadora de todo um processo energético-magnético, de uma evolução e de incontáveis milhões de seres naturais masculinos e femininos.

Aquela Divindade era magnificamente impressionante para meus sentidos humanos, pois sua irradiação, potencializou-me imediatamente, mesmo estando amparado pelo Sehi Lach-me yê. Dela recebi um símbolo sagrado, identificador de meu grau de Mehi Mahar Lach-me yê, e atuaria como ordenador dos seus processos energético-magnéticos ativados, a partir da dimensão humana e por seres humanos. Ela colocou um círculo cinza em minha lança da Lei e da Vida e dela absorvi alguns mistérios para o meu Trono Regente, aos quais recorreria para aparar os excessos que fossem cometidos em nome dela, a Divindade X.

Também recebi a sugestão de ali permanecer por algum tempo e assimilar melhor o modo de ser dos seres naturais daquela dimensão da Lei e da Vida. Quem me recomendou foi o Sehi Lachme yê, que também sugeriu a mim que... bem... o fato é que eu estava potencializado ao máximo em razão da contínua absorção das energias que circulam naquela dimensão. Eu deveria ficar lá até que conseguisse um equilíbrio interno, para só então retornar à dimensão humana. Lá permaneci assimilando aquelas energias e aprendendo a descarregá-las da forma mais natural.

Mas o fato é que, se naquela dimensão existem abundantes energias que nos potencializam, isto é, que nos estimulam é porque ela é a dimensão que fornece o axé ou a energia vital desse sentido da Vida a todas as criaturas portadoras de sexualidade nas outras dimensões.

Eu já havia tido contato visual com criaturas naturais de outras dimensões, que são portadoras de uma forte sexualidade. Estudara criaturas capazes de esgotar sexualmente os espíritos humanos, potencializá-los emocionalmente e levá-los a imensos desequilíbrios mentais. Mas não foi nada disso o que encontrei na dimensão da Divindade X. Os naturais machos são vigorosos e as fêmeas são exuberantes, mas têm um equilíbrio maravilhoso. Não são, em momento algum, promíscuos ou devassos, como seria de se imaginar aqueles naturais com seus dentidos ativados na maior parte do tempo ou aquelas naturais tão faceiras. Falei faceiras? Niyê he, irmão e companheiro de jornada, algumas linhas de esquerda, cujos nomes simbólicos são muitos, são regidas por mistérios da Divindade X e outras não, pois os mistérios que as sustentam pertencem a outras Divindades naturais. Mas essa linha, a da Bombonjira Faceira, é regida por uma encantada e encantadora natural, que é um verdadeiro mistério da Divindade X, já assentada na dimensão humana. Quem aqui a assentou à sua esquerda para servi-la no ritual de Umbanda Sagrada foi a Sagrada Inaê, que tu bem sabes que é o sétimo mistério da Mãe da Vida, Iemanjá. Entendidos? Agora não digas que estou sendo pouco revelador.

Os naturais e as naturais da dimensão regida pela Divindade X têm bela aparência e corpos bem delineados, desmentindo o mito que diz que Exu é coxo ou aleijado. Isto alguém insinuou porque, quando incorporam, travam os seus médiuns em razão de sua formação energética ser mais densa que a dos espíritos humanos. É como se os médiuns vestissem uma armadura de ferro.

Já as Bombonjiras têm uma formação energética que as tornam bamboleantes quando incorporam em suas médiuns. E isso nada tem a ver com desejos ou exposição sexual. O que acontece é que seus campos magnéticos giram em sentido contrário ao das médiuns e isso faz com que os corpos carnais das médiuns adquiram um movimento meio sinuoso; daí, os requebros que chamam tanto a atenção dos assistentes nos trabalhos de esquerda realizados nas tendas de Umbanda.

É certo que as naturais Bombonjiras são exuberantes, mas não são, em hipótese alguma, promíscuas ou devassas, como alguns comentam a respeito.

Mas um fato marcante que tenho o dever de revelar é que um natural Exu, por ser portador de energias vigorosas em vários sentidos, tende a potencializar os espíritos humanos masculinos e a estimular os femininos. Já uma natural Bombonjira tende a potencializar os espíritos humanos femininos e a estimular os masculinos. Ao contrário de outras criaturas naturais, que absorvem as energias sexuais humanas, anulando sexualmente os espíritos ou tornando-os apáticos, os naturais Exu e Bombogira potencializam e estimulam, pois são doadores naturais de energias puras. Observa que falei "puras", Niyê he. São energias de polaridade negativa, mas são puras, enquanto que as energias de outros seres naturais são nocivas aos espíritos humanos porque são mistas.

As energias dos e das naturais da dimensão regida pela Divindade X, por serem negativas, ativas e puras, quando absorvidas pelos chacras humanos afins, elas os limpam, reequilibram e ativam seus giros, potencializando a sexualidade das pessoas, ou mesmo dos espíritos que delas se aproximam.

Esse é um dos mistérios da Divindade X e tanto o natural Exu quanto a natural Bombonjira são portadores individuais desse mistério comum a todos os seres daquela dimensão.

Mas observa que muitos dos nomes simbólicos de linhas de Exus e Bombonjiras não se referem aos naturais e às naturais da dimensão de onde vêm Exu e Bombogira naturais. No aspecto sexual, são nulos ou até deletérios aos espíritos humanos, pois são outros os sentidos pelos quais atuam.

Ninguém deve solicitar o auxílio, por exemplo, de um Exu Quebra-Ossos (com a licença do Senhor Exu Guardião do Mistério Quebra-Ossos) para um problema de natureza sexual, pois seu campo de ação é outro. E assim deve ser sempre.

Os nomes simbólicos ocultam mistérios e, se não houver afinidade entre o que se deseja e o que o mistério proporciona, é pura perda de tempo para ambos os lados quando postos em sintonia mental.

Os naturais da dimensão sobre a qual estou comentando são extremamente belos, mas desprovidos de cores irradiantes. Além de não possuírem uma aura visível, pois são energeticamente muito densos, ainda têm uma cor quase cinza, o que os destaca do resto das criaturas naturais, todas possuidoras de cores irradiantes.

Exu e Bombogira naturais, quando acompanham médiuns, dificilmente incorporam e são raros os que obtêm tal permissão dos Regentes dos médiuns, que são cautelosos e gostam de tomar a frente nos trabalhos de magia.

E não foram poucos os naturais Exu e Bombonjira que foram parar nas esferas cósmicas ou inferno, atraídos por poderosos Magos negros, senhores de terríveis mistérios e temíveis processos mágico-energético-magnéticos. Mas... paciência, pois excessos são excessos em qualquer lugar ou dimensão. E quem ultrapassa seus limites, com certeza está caindo em limites alheios.

Bem, acho que dentro dos meus limites, já comentei o bastante sobre o mistério Exu.

A Divindade Regente desse mistério original é um Trono celestial responsável por uma dimensão onde milhões ou bilhões de seres naturais – Exus e Bombonjiras – evoluem e seguem uma linha própria, mas paralela à linha onde evoluem os seres humanos.

Espero que isso sirva para recolocar Exu em seu devido lugar: nem tanto ao inferno, pois Exu não é agente do Mal, e nem tanto ao céu, porque Exu não deu forma a coisa nenhuma.

Exu é mais uma das muitas espécies criadas pelo Divino Criador Olorum. Vive e evolui dentro de uma dimensão, cujas energias ali geradas abundantemente estimulam a sexualidade em todas as espécies e não só nos seres humanos. Exu é o ser natural macho e Bombonjira é o ser natural fêmea de uma dimensão regida por uma Divindade natural do mesmo nível que a natural Oxum yê, a natural Iemanjá, a natural Nanã, o natural Omolu, o natural Oxóssi yê, o natural Xangô yê, o Natural Ogum yê... Por isso, está corretamente colocada como Divindade coirmã no panteão religioso africano. Se a Sagrada Divindade X manteve-se anônima por milênios, não serei eu quem irá revelá-la. Exu é um mistério da Criação, só mais um entre tantos. Então, que se medite sobre o que aqui já revelei e se reflita muito sobre o que vou comentar rapidamente, a seguir.

Atuei em muitas religiões, algumas já mortas, outras agonizantes, outras em pleno potencial e outras nascentes. Participei e participo de setenta e sete religiões diferentes. A última a que me incorporei foi a Umbanda, já como um mistério em mim mesmo, pois nela sou o Senhor Exu Guardião Tranca-Ruas. Que os cristãos que se tornaram adeptos da Umbanda saibam que muitos mistérios em si mesmos da Umbanda, atuam tanto na Luz quanto nas trevas da religião semeada pelo Sagrado Jesus Cristo, do qual sou Guardião Templário desde milênios antes d'Ele encarnar na Terra para redimir os seres caídos na carne. E tanto eu quanto outros Mehis e Mehas

Hesi e Mahar, ou seja, Guardiões e Guardiãs da Luz e das trevas, temos feito o possível e o permitido para conduzir nossos espíritos afins a bom termo em suas evoluções nos planos material e espiritual. Por isso, se um cristão que nada sabe sobre orixás ou Exus for a uma tenda de Umbanda, será atendido e, se permitido pela Lei que rege os mistérios, será imediatamente auxiliado. Se os que lá forem, virem imagens do mistério Jesus Cristo Homem, que saibam que todos os Mahar O respeitam muito e têm n'Ele um protetor e sustentador de nossas ações à esquerda dos médiuns, que lhes acolhem com amor, carinho, respeito e dedicação. E assim é porque o Cristo humanizado e humanizador é um mistério humano do mistério celestial, que chamam carinhosamente de Pai Oxalá yê.

Saibam também que Exu, ser natural cósmico, é servo obediente dos orixás, os Senhores do Alto, os quais, por sua vez, são servos do Sagrado Iá-yê, Senhor da Luz, da Lei e da Vida. Dessa forma, os cristãos são bem-vindos aos Centros de Umbanda e ninguém lhes exigirá que reneguem suas crenças em Cristo Jesus ou em seus santos de devoção.

O ritual de Umbanda Sagrada é muito mais abrangente do que imaginam os próprios umbandistas e está aberto a todos os espíritos que nele desejem atuar. Só lhes é exigido que assumam um nome simbólico, a cujo mistério sustentador deverão prestar contas do que vierem a fazer, e mais nada lhes será imposto.

Não existiu e nem existe uma religião mais liberal que a Umbanda e, por conseguinte, nenhuma outra consegue colocar seus adeptos e fiéis tão de frente e tão próximos dos reais mistérios da Criação: as Divindades naturais, chamadas de orixás pelos umbandistas.

Mas, se muito liberal é o ritual de Umbanda, ele é também os mistérios por excelência e, por isso, exige que cada um, dentro de seus limites, se torne um instrumento ativo ou passivo da manifestação de seus mistérios. Portanto, não deve ser olvidado o alerta que sempre é dado: é preciso desenvolver-se! O desenvolvimento pode ocorrer em muitos níveis e a incorporação de guias é somente um deles.

Se muito já se avançou no nível da incorporação, tudo ainda está para ser feito em outros níveis fundamentais dentro dessa religião tão humana. No lado material do Ritual de Umbanda Sagrada, faltam ainda uma ação mais ativa e abrangente no campo social, com a criação de entidades tipicamente umbandistas, uma ordenação geral da doutrina religiosa umbandista e maior congraçamento entre as muitas correntes estabelecidas. Enfim, ainda falta muito para a Umbanda alcançar, no lado material, o que já atingiu no lado espiritual, que é sua imortalidade como religião aberta a todas as outras religiões e a todos os espíritos, pois nela são incorporados os que estão na Luz e os que ainda estão nas trevas. E isso nenhuma outra religião fez até hoje. Todas as religiões diziam mais ou menos isto: a Deus os bons e ao diabo os ruins.

A Umbanda diz: venham a mim todos os que transitam, nos dois sentidos, pelos caminhos da Vida, pois a cada um conduzirei e a todos reconduzirei ao Paraíso que perderam em uma noite escura.

O retorno ao Paraíso Perdido é a volta às hierarquias naturais, regentes das muitas dimensões da Vida, entre as quais a dimensão humana, que é só mais uma destinada a despertar a consciência nos seres que entraram no ciclo reencarnatório.

Muito mais eu gostaria de fixar aqui e ver chegar às tuas mãos, mas me contento com o que já revelei em primeira e única mão.

Se me permitir o Sagrado Senhor Ogum Sete Lanças ou se me ordenar a Lei Maior, outras revelações fixarei no plano material em uma próxima oportunidade.

Não citei aqui como foi idealizado e fundamentado o Ritual de Umbanda Sagrada porque o Mehi Hesi Benedito de Aruanda, M.L., já coordenou outros servos da Lei e da Vida que comentaram como tudo ocorreu, o que, no tempo certo, será levado ao meio umbandista.

Só quero acrescentar que eu, Mehi Mahar Selmi Laresh yê, Senhor Exu Guardião Tranca-Ruas, servo do Sagrado Iá-fer-ag-iim-sehi-lach-me yê, adquiri do Sagrado Iá-fer-ag-üm-ior-hesh-yê, no Ritual de Umbanda Sagrada, o setuagésimo sétimo círculo de luz em minha lança da Lei e da Vida e eu a devolvi toda luminosa ao Senhor Ogum, que a afixou à sua esquerda e me transformou no que sou no Ritual de Umbanda Sagrada: o Mistério Cósmico Tranca-Ruas, Lach-me yê, um mistério da Lei e da Vida em si mesmo!

Saravá Umbanda Sagrada! Saravá Ori-sha-yê!
Saravá Filhos-de-Fé!
Saravá Irmãos de Lei e de Vida! Saravá Iá-fer-ag-iim-yê!
Saravá Iá-fer-sehi-lach-me yê! Saravá Exu yê!
Saúda-vos o Exu Guardião Tranca-Ruas, Lach-me yê!

FIM

Considerações finais do médium psicógrafo

Sempre me sinto honrado quando Pai Benedito de Aruanda, M. L., comunica que devo psicografar a história de alguma das muitas e maravilhosas entidades espirituais que atuam no ritual de Umbanda Sagrada. Quando as escrevo, sempre inspirado pelo meu amado Pai Benedito, vou descobrindo mistérios antes inimagináveis.

Os fatos aqui narrados pelo Guardião Tranca-Ruas, ocorridos durante sua vida atribulada no plano material, eu já conhecia de outra psicografia (Leish-ambar-yê). No entanto, muitos mistérios que eu desconhecia ele abordou superficialmente, respeitando a lei do silêncio sobre os mistérios da Criação. Mas o fez de tal maneira que as pessoas razoavelmente interessadas no assunto terão acesso a um vasto campo de estudos dos mistérios da Umbanda a partir das chaves aqui mostradas.

O Senhor Exu Guardião Tranca-Ruas foi muito generoso comigo ao revelar, em primeira e única mão (a minha), acontecimentos tão marcantes e tão íntimos, que amoldaram de tal forma sua natureza, que o transformaram num Mahar ímpar.

Durante os dias em que me detive terminando esta obra única, o Guardião Tranca-Ruas honrou minha esposa Alzira e a mim com sua visita à nossa casa, o que ocorreu em uma noite da semana em que temos o hábito de "firmar" nossos orixás. Ele, meu irmão de Lei e de Vida Mehi Mahar Selmi Laresh Lach-me yê, honrou-nos incorporando em meu corpo material e conversando com minha esposa. Naqueles momentos, nosso querido irmão Exu Guardião Tranca-Ruas, único para nós, honrou o Senhor Exu Tranca-Ruas, que protege minha esposa à esquerda, promovendo-o a chefe de Legião, fato esse que só confirmou, mais uma vez, o que já sabíamos: a existência de hierarcas à nossa esquerda, pois só os hierarcas comandam Legiões de espíritos.

A todos os Senhores Exus Tranca-Ruas, nosso muito obrigado e nossa gratidão pelo amparo e proteção que nos têm dado em nossa jornada no plano material.

Salihed, Mehi Mahar Selmi Laresh Lach-me yê!
Saravá, Senhor Exu Guardião Tranca-Ruas!
Saravá, Senhor Ogum Sete Lanças da Lei e da Vida!
Saravá, Meu Pai Ogum!
Saravá, Minha Mãe Iemanjá!
Saravá, Meu Regente Oxalá!
Saravá, Umbanda!

Comentário final de Pai Benedito de Aruanda sobre o Senhor Exu Guardião Tranca-Ruas, Lach-me yê

Eis que mais uma biografia pude fixar no plano material por intermédio de meu amado Niyê he. Apesar do muito aqui revelado em primeira e única mão, nosso querido e amado Mehi Mahar Selmi Laresh Lach-me yê, em uma demonstração de respeito a todos os espíritos que participaram da idealização e fundamentação do ritual de Umbanda Sagrada, não explanou sobre sua importantíssima contribuição. Mas eu, Benedito de Aruanda, M.L., sou testemunha do imenso trabalho que ele realizou, concebendo os mais divinos frutos que possamos imaginar, pois ele assumiu inteiramente uma vertente do principiante ritual de Umbanda no plano material.

Exu Tranca-Ruas baixou em todos os cantos e cumpriu os compromissos assumidos junto aos orixás. Milhares e milhares de espíritos e muitos naturais Exus e Bombonjiras comandados por ele – que responde pelo nome simbólico "Tranca-Ruas" –, tornaram a novata Umbanda tão popular.

Esse nosso irmão de Lei e de Vida não mediu esforços para sustentar, de pé, milhares de médiuns que foram chamados à Umbanda Sagrada e combater as investidas de hordas de espíritos caídos que tentavam, e ainda tentam, entrar nas tendas de Umbanda pela porta dos fundos.

Tranca-Ruas é yê = Senhor; Tranca-Ruas é Lach-me = Mistério; Tranca-Ruas é Umbanda = Lei e Vida. Nosso querido e amado Mehi Mahar, um dos mais antigos hierarcas da Tradição Sagrada e Natural, está assentado à esquerda do divino Ogum yê e à esquerda do grande Mago da Luz Cristalina Li-mahi-an-seri-yê, Regente do Magno Colégio dos Magos da Sexta Esfera Ascendente e atual Regente de todas as hierarquias humanas, erigidas paralelamente com as hierarquias naturais, regidas pelos Sagrados orixás Ancestrais.

O Mehi Mahar Selmi Laresh Lach-me yê não é apenas o Senhor Exu Guardião Tranca-Ruas, se isso não bastasse. Ele é também o mediador do Sagrado Sehi Lach-me yê, nosso amado Senhor Ogum Sete Lanças, nas faixas cósmicas, para as quais são atraídos todos os espíritos que levaram uma vida desequilibrada no plano material. São nessas faixas negativas que ele desenvolve um trabalho magnífico, onde seus Mehis Mahar resgatam espíritos habilitados para serem reconduzidos à Vida e à Lei, pois Tranca-Ruas é, nas trevas sombrias, sinônimo de Lei de Ogum yê e nelas transita com desenvoltura.

Outra revelação aqui feita por ele e que muito me alegrou foi saber que ele é um Templário Ancestral de 77º. grau, enquanto que eu, ainda novo nessa Ordem, sou um Mehi Templário de 3º. grau, porque só ingressei nela há seis séculos.

Caso não saibam, ser um Templário nessa Ordem do astral não é só armar-se com uma espada simbólica e proteger um Templo. Os muitos deveres dos espíritos Templários abrangem desde o respeito para com os caídos até a sustentação das verdades religiosas com a própria vida, se preciso for.

E sendo ele um Mehi Mahar, fico a imaginar quantas vezes não colocou sua vida em risco para defender, no baixo, as verdades religiosas às quais abraçou com dedicação, fé e amor. Em nenhuma das setenta e sete religiões de que já participou, ou ainda participa, quaisquer dos círculos luminosos colocados em sua lança perderam suas cores. Muito pelo contrário. Sua lança brilha tanto à esquerda do divino Ogum que se torna um arco-íris de setenta e sete cores diferentes!

O Mehi Mahar Selmi Laresh jamais caiu e manteve sempre brilhante seu Trono cristalino, impedindo, assim, que seu degrau fosse deslocado do ponto de força do Senhor Ogum Sete Lanças para as faixas cósmicas ou inferno. Também reconduziu aos seus graus-assentos todos os membros de sua antiga hierarquia natural que haviam encarnado... e caído junto com o resto da humanidade.

Se eu fosse relatar tudo o que ele já fez em benefício da humanidade, com certeza esta biografia se tornaria uma enciclopédia das religiões, de tantas de que já participou e de tantos que já auxiliou durante as longas jornadas no ciclo reencarnatório. Muitos espíritos que hoje são de Luz e estão na Luz lembram-se dele com um sorriso nos lábios e com uma vibração de amor.

Às milhares ou aos milhões de criaturas que lhe estendiam as mãos, implorando sua ajuda, ele estendeu suas próprias mãos e, no devido tempo, resgatou-as das trevas da ignorância e dos vícios humanos e as recolocou na senda da Luz, da Lei e da Vida.

Todos nós, Templários Guardiões do Ritual de Umbanda, ficamos muito tristes quando pessoas não conhecedoras dos mistérios Sagrados assacam inverdades contra Exu. Se conhecessem um pouco o trabalho realizado por esses abnegados Mehis Mahar, com certeza se calariam. E se muito os conhecessem, obviamente os respeitariam e os amariam, assim como nós, seus pares na Luz, os amamos, pois somos Mehis Hesi, Guardiões da Luz.

É certo que os Exus Guardiões formam suas Falanges ou Legiões a partir do recolhimento de espíritos caídos, mas eles desenvolvem um trabalho de conscientização tão bom que o maior desejo dos caídos é poder vestir uma capa preta e vermelha e dizer: Sou o Exu fulano de tal!

Eu, Benedito de Aruanda, M. L., já conheço pessoalmente todos os Senhores Exus Guardiões, Regentes das linhas de ações, reações e trabalhos no ritual de Umbanda Sagrada. Conheço também todas as Mehas Mahar ou Bombonjiras e o trabalho que realizam, sempre de acordo com os ditames da Lei e da Vida para com os caídos.

Não é fácil lidar com esse grau consciencial, meio entorpecido por causa de terríveis desequilíbrios. Mas, pouco a pouco, os caídos vão-se reequilibrando e tornando-se ótimos Exus auxiliares, até que se transformem em Exus de Lei. Daí, são conduzidos aos pontos de força regidos pelos Sagrados orixás, onde são marcados com símbolos cósmicos e integrados ao ritual de Umbanda praticado nas muitas tendas espalhadas por esta terra abençoada chamada Brasil, que aceitou, acolheu e incorporou Exu ao seu dia a dia, o qual é consultado até mesmo pelos mais altos dignitários desta nação bendita. O Brasil deu calorosa acolhida aos Sagrados e Ancestrais orixás africanos, que vieram com seus filhos, os escravos negros trazidos da África, para semear a terra brasileira.

Semearam-na, sim. Mas, além das sementes, regaram-na com suas lágrimas, fertilizaram-na com seu sangue, fortaleceram-na com seus espíritos e a iluminaram para a descida e o posterior assentamento dos Sagrados orixás.

E em toda esta imensa semeadura religiosa, Exu sempre esteve à frente, abrindo os caminhos, as portas... e as tendas onde baixam os orixás.

Mi-iim-yê lie-Exu-lach-me, Salihed Iáfer Sihê!

Shell-çá yê, bendita filha assentada à direita da Mãe da Vida e bendita mãe de muitas filhas, nós a conhecíamos até então só pelo nome simbólico de Cabocla Cindará, mediadora de Inaê Yabá para Oxóssi yê. Mas depois que fomos levados pelo seu eterno e amado esposo Mehi Mahar Selmi Laresh Lach-me yê para conhecê-la pessoalmente, foi tão arrebatadora a emoção que sentimos que não pudemos conter as lágrimas. E seu imenso amor, que a todos envolve, enlevou-nos tanto que ela se tornou inesquecível para todos nós.

Salihed, Si-iim-da-ra-yê!

Salve, Shell-çá yê!

Saravá, Inaê Iabá Mi-iim-lach-me yê!

Iafershi, que se transformou em um mistério em si mesmo, mas fechado ao plano material, só podemos dizer, por recomendação do próprio, que de nada adiantou ele não ter atendido ao pedido feito pelo Mehi Selmi Laresh. Um dia, teve de curar aquelas três filhas dele e incorporá-las ao mistério que ele já era em si mesmo, mas que não sabia ou, se sabia, fingia nada saber.

Quanto a mim, espero que tenham apreciado a biografia desse mistério humano que é o Senhor Exu Guardião Tranca-Ruas, um mistério em si mesmo, mas aberto a todos, em geral, e a muitos, em particular.

Notas explicativas acerca de termos e expressões utilizados neste livro

Abstracionistas: Adeptos de religiões mentalistas.

Cadeia Mágica: Formação energética sustentada mentalmente e que pode prender e imobilizar um ser ou um ente.

Degrau: É um trono e toda a sua hierarquia em que cada um dos auxiliares ocupa um grau ou subtrono. Os graus localizam-se à direita e à esquerda do trono maior ou trono regente do degrau.

Degrau Celestial: É o degrau cujo trono regente é um Orixá ancestral natural, regente de toda uma linha de força.

Degrau Intermediário: É o degrau cujo trono regente é um Orixá assentado em um dos níveis vibratórios de uma linha de força regida por um Orixá ancestral natural. Os orixás assentados em seus tronos regentes são chamados de orixás naturais regentes de níveis intermediários dentro de uma linha de força.

Degraus Localizados: São degraus cujos orixás assentados em seus tronos são chamados de orixás naturais regentes dos subníveis dos níveis intermediários.

Degraus Negativos: São absorvedores das energias irradiadas pelos seres e que a visam atraí-los magneticamente e sustentá-los energeticamente, pois eles existem para proteger os seres que não conseguiram desenvolver-se em todos os sete sentidos principais, que são: a fé, o amor, a lei, o conhecimento, a razão, o saber e a vida. Aqui, a vida é sinônimo de criatividade. Os degraus negativos também são chamados de degraus cósmicos, pois, embora absorvam todos os tipos de energia irradiada pelos seres, só irradiam um tipo de energia. É por isso que em seus níveis vibratórios só estão os seres que ainda não conseguem irradiar aquele tipo de energia que o trono cósmico regente do nível onde está retido irradia, que é considerada negativa, pois polariza o ser.

Degraus Positivos: Degraus irradiadores de energias multicoloridas e análogas às que nós, espíritos humanos, irradiamos quando vibramos positivamente. Eles são chamados assim porque estão assentados em níveis vibratórios regidos pelo polo magnético positivo de uma linha de força. Os degraus positivos também são chamados de degraus universais, pois irradiam muitos tipos de energia.
Despertar o Negativo: Abrir ao máximo o polo magnético negativo do ser para que por ele flua o máximo possível de energias negativas.
Despertar o Positivo: Abrir ao máximo o polo magnético positivo do ser para que por ele passe um fluxo maior de energias positivas. Os médiuns magnetizadores são um exemplo clássico.
Dimensões Cósmicas: São aquelas nas quais a predominância de um elemento é tão acentuada que os outros elementos só existem como indispensáveis para as funções secundárias dos órgãos dos corpos energéticos.
Dimensões Naturais: São aquelas paralelas à dimensão humana, na qual nós, os espíritos, vivemos. Elas são regidas pelos sagrados orixás e nelas vivem os seres que não encarnam.
Divindades Celestiais: Orixás positivos ou irradiantes.
Divindades Cósmicas: Orixás negativos ou concentradores.
Divindades Naturais: Orixás.
Domínios: Campo abrangido mentalmente por um regente.
Ente Natural: Ser não análogo ao ser humano. Um boi é um mamífero, mas não é igual ao ser humano. Neste livro, ente significa um ser vivo, mas não igual a outros seres vivos. Ente natural significa um ser natural, mas diferente de nossos irmãos que não encarnam.
Espada Ancestral: Arma energética usada pelos Guardiões da Lei no astral quando precisam impor a ordem junto a espíritos rebelados ou fora da lei.
Estágio Humano da Evolução: O ser alcança um nível de evolução nas dimensões naturais, onde é conhecido como "encantado da Natureza". Quando está preparado, é conduzido à dimensão humana, onde inicia o estágio humano da evolução ou o ciclo reencarnatório.
Estágios da Evolução: 1º Original ou elemento puro; 2º. Dual ou misto ao ser, vive em uma dimensão formada por dois elementos complementares; 3º. Encantado ou perceptivo, o ser capta três elementos em abundância e apura sua percepção, pois mais quatro elementos sutis impressionam seus sentidos e o estimulam a desenvolver a percepção; 4º. Natural ou consciencial ao ser, já desenvolveu a percepção e passa a viver em uma dimensão multicolorida, na qual os elementos se amalgamam e dão origem a naturezas semelhantes àquelas que temos no plano material da dimensão humana. Nesse estágio, atuam mais intensamente os orixás naturais que possuem qualidades que, quando irradiadas, se assemelham aos elementos. Por isso, na Umbanda, cada Orixá é identificado com um elemento da Natureza. Oxóssi é vegetal, Xangô é ígneo, Ogum é eólico, Iemanjá é aquática, Oxum é mineral, Obaluaiê é telúrico e Oxalá é cristalino. Outros orixás também assumem os elementos da Natureza com os quais mais se identificam. É por isso que o culto exterior

aos orixás é realizado à beira-mar, nas cachoeiras, nos rios, nos mangues, nas matas, nos campos e nos caminhos.

Estrela Cristalina: Símbolo sagrado identificado como símbolo religioso por excelência, cujo poder irradiante, interpenetra todas as dimensões naturais. É identificado com a Vida e consagrado a Iemanjá, que é a Mãe da Vida no ritual de Umbanda Sagrada.

Iniciado na Origem: Ser que traz em si uma formação religiosa superior e consciente, anterior ao início de seu estágio humano da evolução.

Ir ao Encontro do Polo Negativo: É projetar-se para fora do corpo físico e, em espírito, ir até o polo magnético negativo sustentador de uma linha, em que está assentado o Orixá cósmico ou negativo ao qual o espírito está ligado. Omolu é um Orixá cósmico ou negativo e seus filhos são regidos pelo polo magnético da linha de força que ele sustenta a partir do polo negativo.

Linha de Força: É uma linha vibratória que possui dois polos magnéticos. Essas linhas são regidas por orixás naturais, que trazem em si condições tão amplas de irradiação energética que as sustentam de ponta a ponta ou de polo a polo. Mas eles formam hierarquias e as distribuem pelos níveis vibratórios.

Mago Caído: Ser humano portador de forte magnetismo que optou pelos processos mágicos negativos.

Mistério: É a manifestação de algum dos sentidos da Vida, de forma energética e irradiante. Oxalá é regente da Fé e manifesta esse mistério na forma de irradiações que estimulam a religiosidade nos seres. Oxum é regente do Amor e manifesta esse mistério por meio de irradiações que estimulam as vibrações de amor que une casais, pais e filhos, irmãos. Ogum irradia energias que estimulam a Ordem. Xangô irradia energias que estimulam a Justiça. Enfim, mistério é algo que existe por si mesmo e que se irradia continuamente.

Para se ter uma ideia mais humana do que seja mistério, compare-o com o dom. Uns têm dom para cantar, ensinar, benzer... Ninguém sabe explicar como surge o dom, mas todos admiram quem possui um dom forte. Quem tem o dom de ensinar, está manifestando o mistério do saber. Outro que possua o dom de tocar um instrumento musical ou de cantar, está manifestando o mistério da harmonia sonora. Quem tem o dom de emitir juízos corretos, está manifestando o mistério da justiça. Uns manifestam um mistério por meio de seu dom natural e outros não manifestam mistério nenhum.

Mistério Negativo: Mistério não irradiante, pois sua irradiação é alternada, tal como a respiração, que inspira e expira. Ela irradia e, no instante seguinte, já está absorvendo. Esse processo é tão rápido que, quem vê um ser portador de um mistério negativo ou cósmico, só vê em torno de seu corpo energético uma densa aura monocromática, pois irradia uma só cor, já que todo mistério negativo flui pelo polo magnético negativo.

Mistério Positivo: Mistério irradiante, cuja irradiação é contínua ou universal.

Natural Caído: Ser natural que não desenvolveu seu polo positivo e se fixou em seu polo negativo, o qual o conduziu a alguma faixa vibratória negativa regida por um Orixá cósmico ou divindade cósmica, que são a mesma coisa.

Naturalistas: Adeptos de religiões naturalistas.

Negativo Poderoso: Ocorre quando o polo magnético negativo tem a capacidade de irradiar energias negativas acima da média.

Níveis das Linhas de Força: São níveis nos quais estão assentados os orixás intermediários. Nos níveis regidos pelo polo positivo, estão assentados os orixás positivos regentes de nível vibratório. Nos níveis negativos, regidos pelo polo negativo, estão assentados os orixás negativos regentes de nível vibratório.

Orixás Negativos: Irradiam um só tipo de energia e por isso são chamados de negativos ou cósmicos, pois, ao irradiarem um só tipo de energia, os seres que vivem sob suas irradiações energéticas se sobrecarregam de tal maneira que adquirem as qualidades daquele elemento que os está polarizando magnética e momentaneamente.

Orixás Positivos: Irradiam os sete tipos de energia, que são: cristalina, mineral, vegetal, ígnea, eólica, telúrica e aquática. Por irradiarem os sete padrões energéticos, também são chamados de orixás positivos ou universais.

Polarizador Espiritual: Polo de atração de espíritos humanos ou ser portador de um magnetismo poderoso, que atrai naturalmente quem dele se aproxima.

Polos Energético-Magnéticos: São os chamados polos magnéticos das linhas de força mistas, cujos polos são opostos energética e magneticamente. Os orixás que ocupam seus polos regentes são opostos em tudo. Quando um é masculino, o outro é feminino. Quando um tem como principal elemento o fogo, o outro tem o ar. Isso ocorre porque ambos tanto se anulam como se alimentam do elemento oposto.

Polos Magnéticos: Toda linha de força possui dois polos magnéticos: um positivo e um negativo. O polo positivo só irradia, mas irradia todos os tipos de energia. O polo negativo irradia só um tipo de energia, mas absorve todos os outros tipos de energia.

Portador de Mistério: É o ser que manifesta as qualidades dos mistérios naturais ou orixás, irradiadores planetários e multidimensionais dos mistérios de Deus.

Portador de Mistério Negativo: Ser que traz em si qualidades análogas às do Orixá negativo ou cósmico que o rege.

Portador de Mistério Positivo: Ser que traz em si qualidades análogas às do Orixá positivo ou universal que o rege.

Portador Natural de Mistério: Ser que traz em seu mental a capacidade de irradiar ou de manifestar um ou vários mistérios.

Processos Energético-Magnéticos: São conhecidos como Teurgia.

Processos Magnéticos: São conhecidos como Magias.

Regente caído: Orixá que era bipolar ou dual e que optou, em um determinado momento, por atuar só por meio de seu polo negativo.

Regentes Cósmicos: São os orixás negativos ou cósmicos que regem as dimensões cósmicas.

Regentes de Dimensões: São os sagrados orixás naturais ou regentes da Natureza.

Regente Natural: Orixá que rege um reino no qual estagiam os seres em evolução, seguindo depois em outros reinos suas evoluções naturais.

Reinos: Faixas vibratórias em que vivem milhões de seres, regidos por orixás responsáveis por cada uma delas.

Religião Abstrata: Religião mentalista, cuja existência é sustentada em uma concepção abstrata de como seja Deus: Deus criou o mundo para que o homem dele se servisse. Na religião abstrata, Deus só é cultuado dentro dos templos.

Religião Natural: Religião em que Deus é identificado com toda a sua Criação. O Divino Criador, suas Divindades, a Natureza e todas as suas criações e criaturas formam um todo inseparável, no qual são adorados o Criador Olorum e as Divindades manifestadoras de Seus Mistérios. Na religião dos orixás, Deus, ou Olorum, criou tudo, mas também está presente em tudo, pois nós O encontramos em Oxum, Orixá das cachoeiras que simboliza o Amor; em Xangô, Divindade manifestadora da Justiça Divina, e em todos os outros orixás.

Na religião natural, o homem é apenas mais um dos beneficiários da Natureza, pois ela também pertence a todas as outras criaturas. Na religião natural, os pontos de força da Natureza – cachoeiras, rios, matas, campos, etc. – são altares naturais e abertos, onde os rituais praticados vibram muito mais, porque são realizados em sintonia vibratória com os elementos da Natureza, que também estão em Deus e são Suas partes concretas e palpáveis.

Ser: É todo vivente análogo ao espírito humano, mas que não encarna. Nós, os humanos, também somos seres, mas os entes não são análogos a nós.

Seres da Natureza: Seres que vivem em dimensões naturais, onde não sofrem alterações climáticas e não estão sujeitos ao dia e à noite, porque o tempo, como o conhecemos, inexiste. Nas dimensões aquáticas só existem energias aquáticas. Nas ígneas só existem energias ígneas. Nas mistas convivem dois ou mais elementos, que dão sustentação ao adensamento dos corpos energéticos dos seres.

Seres Duais ou Bipolares: São os que vibram por meio de seus polos positivo e negativo. Nós somos assim. Quando vibramos positivamente, nossa aura se apresenta multicolorida e irradiante. Nossa aura torna-se opaca, cinza, negra, rubra, mostarda... quando estamos vibrando sentimentos negativos, como ódio, ira, inveja, dor, remorso... que ativam nosso polo negativo. Além de não irradiar energia colorida, o ser ainda deixa visível na sua aura o sentimento negativo que está vibrando em seu íntimo.

Seres Elementares: São os que vivem em dimensões cujas energias são elementais e delas se energizam, captando-as pelos chacras. Vivem o 2º. estágio da evolução.

Seres Encantados: São os que vivem em dimensões paralelas à humana e são mais conhecidos como seres que irradiam as qualidades puras dos orixás naturais. Vivem o 3º. estágio da evolução.

Seres Humanos: Somos nós, os encantados, que nos espiritualizamos e iniciamos o ciclo reencarnatório, cuja função é conduzir o ser a um despertar da consciência e a um conhecimento único, pois na dimensão humana existe tudo o que está dividido ou partilhado nas dimensões naturais, paralelas à dimensão onde vivemos. Também estamos vivendo o 4º. estágio da evolução, que acontece no mesmo nível vibratório de nossos irmãos naturais.

Seres Naturais: São os que vivem em dimensões paralelas, mas seguem uma evolução que não recorre à encarnação, pois essa evolução se processa em um *continuum*. Vivem o 4º. estágio da evolução.

Seres Negativos: São os que só vibram por meio de seu polo negativo. São absorvedores de energias e possuem uma só cor.

Seres Positivos: São os que só vibram por meio de seus polos positivos. Todos são irradiantes e multicoloridos.

Telas Refletoras Planetárias e Multidimensionais: São telas que não sofrem descontinuidade, pois são formadas por essências. A tela da Fé, por exemplo, é chamada de tela cristalina e nela refletem ou ecoam todas as manifestações de fé dos planos material e espiritual humanos ou de dimensões paralelas. Essa tela recolhe todas as manifestações de fé vibradas por todos e as enviam a Oxalá, o regente da Fé.

Templos da Luz Dourada, da Luz Cristalina, da Luz Azul, etc. Templos cujas pedras mágicas fundamentais simbolizam as virtudes e assimilam suas cores simbólicas.

Trevas Humanas: Faixas vibratórias negativas da dimensão espiritual humana que não possuem luz e cor.

Trevas Naturais: Faixas vibratórias negativas localizadas no lado negativo dos pontos de força, que equivalem às faixas vibratórias negativas da dimensão humana, onde ficam os espíritos que se desequilibraram emocionalmente e caíram na escala vibratória humana, cujo centro neutro, ou zero, separa os graus vibratórios positivos dos graus negativos:
– 1 equivale à 1ª. esfera espiritual ascendente.
– 1 equivale à 1ª. esfera espiritual descendente.

Tronos: É como são conhecidos os sagrados orixás dentro da hierarquia divina: arcanjos, tronos, anjos, querubins, serafins, gênios, etc.

Tronos Energéticos: Onde se assentam os orixás na Natureza, em seus muitos níveis vibratórios. Cada Orixá ocupa um trono energético, de onde rege toda a sua hierarquia, em cujos subníveis vibratórios estão assentados seus auxiliares.

Trono é o ser em si mesmo e trono energético é onde o ser está assentado. Esses tronos podem ser comparados ao trono de um rei medieval, com seus símbolos e insígnias, de onde o rei decidia o destino de seu povo.